Bachelorette Nr.1

Jennifer O'Connell

Bachelorette Nr.1

SIJTHOFF

Voor meer informatie: kijk op **www.boekenwereld.com**

© 2003 Jennifer L. O'Connell
All rights reserved
© 2004 Nederlandse vertaling
Uitgeverij Luitingh ~ Sijthoff B.V., Amsterdam
Alle rechten voorbehouden
Oorspronkelijke titel: *Bachelorette #1*
Vertaling: Thera Idema
Omslagontwerp: Studio Jan de Boer
Omslagfotografie: Nonstock/Mauritius-Images/Image Store
Foto auteur: Papadakis Photography

ISBN 90 245 5181 1
NUR 343

Voor John, Carleigh en Tanner – eindelijk een echt goede reden om een feestje te vieren!

1

'Dus dat is de opdracht.' Suzanne duwde haar modieuze oma-brilletje wat lager op haar neus en keek me over het dunne, tinnen montuur aan. 'Vooropgesteld dat je het aanneemt.'

Ik haalde diep adem en dacht na over wat ze me zojuist gevraagd had te doen. Spion spelen. Alsof ik James Bond was of iets dergelijks.

'Ik ben een getrouwde, vierendertigjarige vrouw, en moeder,' zei ik, om er zeker van te zijn dat Suzanne goed begreep met wie ze te maken had. 'De vrouwen in dat programma kunnen nooit ouder zijn dan vijfentwintig.'

En dan had ik het er nog niet eens over dat ze meestal ook blonder, slanker en beter gekleed waren en ongeveer net zo bruisend als Alka-Seltzer.

'Dat maakt niet uit.' Suzanne zwaaide haar Jimmy Choo naaldhakken van haar bureau en leunde voorover naar de intercom.

'Stuur ze maar naar binnen, Jody.'

De dubbele mahoniehouten deuren van Suzannes kantoor vlogen open en een stoet figuren die hadden kunnen doorgaan voor circusartiesten schreed binnen. Een man met een glimmend kaal hoofd, van top tot teen in zwart gehuld. Een onwaarschijnlijk lange, donkere vrouw wier dertig centimeter lange hals behangen was met zoveel gouden, nauwsluitende halskettingen, dat ze het wel eens moest zijn met Mr. T's opvattingen over het dragen van sieraden. En een 'tweeling' bestaande uit een man en een vrouw met gebleekt kort haar – broer en zus, dacht ik, hoewel ik er geen geld op zou zetten – die identiek gekleed waren in gebleekte overalls met batik topjes.

'Sarah, dit is het team dat je in gevechtsconditie zal brengen. Ze zijn de allerbesten.' Suzanne gebaarde naar de eerste in de rij.

'Rolf, topkapper, zal dat muizige bruine paardenstaartje van je omtoveren in een haardos met een natuurlijke coupe soleil waarop Jennifer Aniston jaloers zou zijn. Suma, gezichtsgodin en make-up-artieste die ook voor filmsterren werkt, zal al je zonnevlekken en humorloze lachrimpeltjes wegwerken en zorgen dat je huid zo mooi wordt dat zelfs babybilletjes er niet aan kunnen tippen. En dankzij Toni en Teri, de ongeëvenaarde modestylisten, kun je die T-shirts met spuugvlekken in de vuilnisbak gooien en veranderen in de hipst geklede vrouw die er bestaat.'

Suzanne haalde haar wijsvinger langs haar tong en maakte een sissend geluid waarmee ze ongetwijfeld wilde uitdrukken hoe hip ik zou zijn tegen de tijd dat ze met me klaar waren, maar het klonk meer als mijn huidige garderobe die in vlammen opging.

Hoe kon ze denken dat ik door kon gaan voor een jonge, single vrouw die wanhopig genoeg was zich op de landelijke tv te vertonen in een gevecht om de *bachelor*? Ik was al doodziek geworden van de eerste uitzendingen van het programma. Al zou je door de kijkcijfers denken dat de hele bevolking er persoonlijk belang bij had of Chad Charlotte, de stewardess van Southwest Airlines of Veronica, de actrice annex serveerster uit Los Angeles zou kiezen. Ik kan alleen maar vermoeden dat de kijkcijfermeetapparatuur van Nielsen geplaatst was bij huishoudens waarin ondeugende kijkers vastgebonden werden aan hun stoel en als straf gedwongen werden om te kijken naar geestdodende programma's als *De Bachelor*.

'Zie je wel? Je bent in goede handen, je zult helemaal niet opvallen tussen de andere meisjes,' stelde Suzanne me gerust.

'Maar dat zijn blonde Dolly's.' Hier had ik aan toe kunnen voegen 'en ik niet', maar dat sprak voor zich, leek me.

'Het is een geweldige opdracht, Sarah.' Suzanne trok haar wenkbrauwen op en wachtte op mijn antwoord. 'We zijn dol op jouw werk en ik wil dit artikel liever niet aan iemand anders geven.'

'Suzanne, ik waardeer je inspanningen, maar moet ik geen aanmeldingsformulier invullen waarin ik alles over mezelf vertel? Vragen ze niet naar een geboortebewijs of zoiets?' Ik begreep niet goed hoe het tijdschrift dacht hiermee weg te kunnen komen.

'Maak je daar maar geen zorgen over.' Ze grijnsde en hield

haar hoofd scheef, alsof ze een groot geheim bewaarde. 'Laat dat maar aan ons over.'

In de trein op weg naar huis zat ik hardop te lachen. Ik, in *De Bachelor*? Hoe zou ik dat moeten uitleggen in het studentenblad van Wellesley: 'Sarah Divine Holmes, 1990, onlangs te zien in het tv-programma *De Bachelor*, waarbij ze haar Phi Beta Kappa-lidmaatschap heeft ingeruild voor een bikini, een wezenloze blik en de kans zichzelf te vernederen op de landelijke televisie.'

Het tijdschrift *Femme* wilde dat ik zou beschrijven wat zich achter de schermen afspeelde, als de camera's niet draaiden, de hypocrisie, de meedogenloze strijd, het vernederende proces dat al die vrouwen moesten ondergaan alleen maar omdat ze dan na acht uitzendingen misschien door de bachelor gekozen zouden worden.

'In dit artikel wordt aangetoond dat het bestaan van single vrouwen is teruggebracht tot het als een kudde vee paraderen voor een begeerlijke vrijgezel,' had Suzanne gezegd. 'En wij vinden jou de allerbeste kandidaat om dit verhaal te schrijven.'

Ik hoefde alleen maar twee audities door te komen en dan zou ik net als die andere vrouwen op prime time televisie mijn buik lopen inhouden en mijn tieten naar voren steken. Het enige wat nog ontbrak was een koebel.

Het was bespottelijk. Trouwens, ik zou waarschijnlijk niet eens door de eerste auditie komen, wat nog gênanter zou zijn dan wel in het programma terecht te komen.

Zelfs voor mijn huwelijk was ik al geen schoolvoorbeeld van iemand die bestemd was voor een flitsend, opgewekt leven als single. Ik zat pas een paar weken op de middelbare school toen ik Jack ontmoette. Hij was een tweedejaars rechtenstudent, wat hem niet bepaald in staat stelde er een levensstijl van uitspattingen op na te houden. Meestal zaten we te studeren in de bibliotheek, lieten een pizza thuis bezorgen en haalden een pak van zes blikjes bier als die in de aanbieding was. Aan de andere kant was het me wel een paar keer gelukt om hem achter de boekenkasten in zijn kruis te grijpen. Dus het was weliswaar jaren geleden dat ik echt een man had moeten verleiden, maar helemaal onkundig op dat gebied was ik niet.

Ergens diep in mijn hart was ik benieuwd hoe ik het er vanaf zou brengen. Waren hersenen en een flitsend gevoel voor humor in staat het op te nemen tegen een twintigjarige vamp die slechts één ding voor ogen had? Ik zou best een geduchte tegenstandster kunnen zijn, want hoeveel van die grieten hadden zevenentwintig uur barensweeën overleefd? Zonder verdoving?

Tegen de tijd dat de trein bij mijn halte was gearriveerd, had ik mezelf ervan overtuigd dat ik werkelijk een kans zou hebben in de uiteindelijke groep van honderdtwintig vrouwen te belanden die zouden worden voorgesteld aan de bachelor. Even daargelaten dat ik me momenteel verplaatste in een Volvo Stationwagon, *de* auto voor buitenwijkmoeders in het hele land. Hoe kon het misgaan als ik de hulp had van Suzannes experts? Na de bevalling had ik mezelf in conditie gehouden, in tegenstelling tot veel andere vrouwen. Eigenlijk was ik uitstekend in vorm. Hoewel Jack en ik sinds Katies geboorte minder vaak horizontale oefeningen deden, was dit meer een kwestie van gebrek aan tijd dan aan interesse. Hij leek mijn rondingen nog steeds te waarderen. Misschien kon ik het al die serveerstertjes en weermeisjes in spe nog flink moeilijk maken, ik kende tenslotte ook wel een paar trucs. Je had meer nodig dan implantaten met zoutoplossing om ideeën voor artikelen te bedenken en een wekelijkse boodschappenlijst te maken, terwijl ik ondertussen op zat te letten of de baby niet huilde en ervoor zorgde dat Jacks mannelijke driften bevredigd werden.

Tegen de tijd dat ik mijn sleutel in de voordeur stak en mijn koffertje liet neerploffen op het bankje in de hal, had ik mezelf ervan overtuigd dat ik in het programma zou kunnen komen en dat ik een van de vierentwintig finalisten zou kunnen zijn. De opdracht werd zelfs steeds aantrekkelijker. Het zou best leuk kunnen zijn een programma onderuit te halen waarin de vrouwelijke intelligentie werd beledigd. En het feit dat ik dat zou kunnen doen in het zonnige zuiden van Californië kon ook geen kwaad. Alles heeft zijn prijs, tenslotte.

Ik schopte mijn schoenen uit en liep naar de keuken. Meestal werd ik begroet door het geluid van de op onze hardhouten vloer rondkruipende baby. Maar deze middag was het stil, afgezien van het geluid van een tv achter in het huis.

'Marta?'

Onze babysitter zat op een kruk aan de ontbijtbar in haar oranje velours broek die als een tweede huid om haar aanzienlijke Poolse achterwerk gespannen zat. Vanuit mijn gezichtspunt leek ze op een overrijpe perzik.

'O, mevrouw Holmes, die Bo heb Miss Hope weer in de steek gelaten.' Ze klemde een gescheurde tissue tegen haar borst. 'En Miss Hope weet niet wie ze is, die denkt dat ze de koningin van Zimbiba is.'

Marta was een toegewijd fan van *Days of our Lives*. Ze had zelfs haar katten Marlena en Victor genoemd, waarvan de laatstgenoemde een speelse cyperse kat was die op haar stoep was opgedoken en Marta blijkbaar had uitgedaagd hem weg te sturen.

'De baby legt te slapen.' Marta wees naar het plafond, voor het geval ik niet meer wist waar Katies kamer was. 'Is alles goed gegaan vandaag?'

'Dat kun je wel zeggen, ze hebben me een opdracht aangeboden.' Ik pakte Marta bij de arm en hielp haar van de kruk af, omdat haar voeten zeker vijftien centimeter boven de terracotta vloer bungelden.

'Laat me weten wanneer u moet beginnen. U kunt op me rekenen.' Ze nam het opgerolde twintig dollarbiljet aan, propte het in de zak van haar keurige wollen trui en waggelde in de richting van de deur.

Ik zette de beproevingen en ellende van de inwoners van Salem uit, deed de schuifdeuren open om wat frisse lucht binnen te laten en haalde de vieze kopjes uit de spoelbak. Terwijl ik bezig was een kinderbekertje met melkaanslag en met een korst van macaroni en kaas op de tuit in het sop te zetten, vermengde de bedompte koude airconditioninglucht zich met de geur van pasgemaaid gras, te danken aan de grasmaaiservice die 's morgens was geweest. Het deed me denken aan zomerkamp en aan het feit dat de rekening van de tuinman al dagen op Jacks bureau lag, in afwachting van betaling.

Terwijl ik de schone kopjes in het druiprek zette spitste ik mijn oren als een dier dat op de loer ligt, verwachtend een telefoon te horen rinkelen of Katie te horen huilen, gereed om in actie te komen. Toen de laatste druppel uit de kraan in de lege gootsteen belandde hoorde ik het pas – de stilte. Niet de aanwezigheid van geluid, maar de afwezigheid ervan. Ik had een rustig moment voor mezelf. Er was geen deadline die gehaald moest worden, geen kind dat gevoed of verschoond moest worden en geen echtgenoot die mijn onverdeelde aandacht vroeg omdat hij de afstandsbediening niet kon vinden, die hij naar zijn heilige overtuiging op de koffietafel had gelegd, waar iedereen hem kon zien.

Ik droogde mijn gladde handen met de handdoek die aan de knop van het keukenkastje hing en voelde me onrustig worden. Wat zou ik kunnen gaan doen? Sinds we drie jaar geleden uit de stad hiernaartoe waren verhuisd, was er altijd wel iets te doen geweest of iemand om voor te zorgen. Eerst was het mijn baan bij het agentschap en de eindeloze eisen van de klanten. Toen ons huis, een opknapper waarmee we maandenlang dag en nacht bezig waren geweest en waardoor ik de voornaam leerde kennen van de jongens in de doe-het-zelfzaak. Een paar maanden later zegde ik mijn baan op om freelance te gaan werken, en toen kwam Katie op de proppen, een totaal andere onderneming waardoor ons leven in één, ogenschijnlijk onschuldig, moment volledig was veranderd.

Ik dwaalde van kamer naar kamer op zoek naar de dingen die ik vroeger deed als ik alleen was, voordat ik de titel van vrouw en moeder had verworven en mijn tijd openbaar bezit werd. Uiteindelijk ging ik maar wat speelgoed oprapen in een poging de tijd te doden tot Katie wakker werd of Jack thuiskwam van de rechtbank. Ik merkte dingen op die vroeger belangrijk voor me waren, waardoor ik ooit 's avonds urenlang met aannemers aan de telefoon geplakt bleef zitten. Het authentieke witte gedeukte lijstwerk rond de open haard, dat nog steeds sporen vertoonde van de plakkerige Barney-stickers die volgens Katie uitstekend bij ons interieur pasten. De luxueuze Pottery Barn banken die ooit heerlijk comfortabel zaten maar die nu een verzamelplaats voor rozijnen en chocolaatjes waren geworden en wekenlang een kinderdrinkbekertje konden opslokken voordat ik de geschifte melkbrokken of bedorven fruitsap tegenkwam. En mijn kantoortje met de ingebouwde boekenkasten en planborden waarvan de bedoeling was dat ze me georganiseerd en efficiënt hielden, maar die in plaats daarvan vol zaten met opvoedkundige boeken en proppen papier met krijttekeningen erop.

Mijn zorgvuldig geplande huis. Mijn professioneel geplande carrière. Toen Katie werd geboren, was ik dat allemaal kwijt, en ik was er nog niet achter hoe ik de boel weer moest oppakken.

Ik had het speelgoed opgeruimd, onze cd's op alfabetische volgorde gezet en stond in de keuken te bedenken dat ik een paar stukken kipfilet uit de vriezer zou kunnen halen voor het avondeten, toen de zachte geluidjes van Katie het lampje van de babyfoon deden oplichten. Ik besloot de gegrilde kip in te ruilen voor afhaalchinees en ging naar boven om naar Katie te kijken.

Katie en ik zaten op de vloer in haar kamer *Duck Duck Goose* te spelen met haar knuffelbeesten toen ik de garagedeur knarsend omhoog hoorde gaan. Even later hoorde ik Jacks sleutels rammelen en met een plof op de keukentafel belanden.

'We zijn boven,' riep ik.

Na een paar seconden kwam Jack de kamer binnen. 'Hallo, dames.'

'Papa!' kraaide Katie, terwijl ze zich tegen zijn knieën gooide.

Hij zwaaide ons babbelend dochtertje op zijn schouders, pakte mijn hand en nam ons mee naar beneden om een koud biertje te drinken en elkaar over onze wederwaardigheden van die dag te vertellen.

Jacks stropdas hing al losjes om zijn gesteven kraag en zijn spierwitte overhemd was gekreukeld alsof hij er net mee uit bed was gekomen. Hij verliet elke ochtend keurig gekleed het huis, alles netjes dichtgeknoopt en in het grijsgestreepte uniform van een volwassen, werkende man. En elke avond kwam hij bij ons terug na de zoveelste inning en verwachtte van mij dat ik de rol van aanmoedigende coach op me zou nemen. Ik vroeg Jack dan hoe zijn dag was geweest, waarop hij de kraan opendraaide en zijn belevenissen over me heen liet stromen totdat ik er bijna in verdronk. Natuurlijk vroeg hij me altijd of ik een fijne dag had gehad, maar ik wist dat hij dat meer uit hoffelijkheid vroeg dan uit werkelijke belangstelling. Het was eerder zijn gevoel van huwelijkse plicht dan de verwachting dat ik echt iets wetenswaardigs te melden zou hebben.

Deze avond wachtte ik niet tot hij me naar mijn dag zou vragen. Voordat hij me kon trakteren op verhalen over flikflooiende advocaten voor de verdediging en het verslechterende rechtsstelsel bracht ik mijn bespreking met Suzanne ter sprake.

'Dat programma is net zoiets als dat vroegere *Dating Game*, toch?' vroeg hij, terwijl hij zijn manchetknopen verwijderde en zijn mouwen opstroopte.

'Niet precies. Het is dat programma waarin de man de vrouwen een voor een laat afvallen totdat hij er uiteindelijk eentje ten huwelijk vraagt.'

Jack knikte langzaam, alsof hij zich vaag herinnerde dat hij er iets van gezien had toen hij aan het zappen was.

'En Suzanne wil dat jij je voordoet als een van die vrouwen?' Hij trok de deur van de koelkast open en stak zijn hand naar binnen.

'Een wijfie, zo noemen ze hen.'

'Jij gaat het wíjfie spelen?' Zijn lach weerkaatste tegen de geïsoleerde wanden van de koelkast.

'Je weet dat de kans dat ik werkelijk in het programma kom vrij klein is,' gaf ik snel toe, terwijl ik mijn hoofd afwendde.

Hij pakte een koud biertje en draaide de dop eraf.

'Dat weet ik zo net nog niet.' Jack wreef over zijn kin en kneep zijn ogen toe. 'Even kijken, misschien moet die paardenstaart eraf, maar als je haar goed geknipt wordt en met een beetje coupe soleil erin...' Hij liep om me heen, terwijl hij slokjes bier nam. 'Lange, mooie benen, geen postnatale zwangerschapsstrepen, lekkere kont. Ja, die swingende meid die ik op school leerde kennen zit er nog steeds in; ze heeft zich alleen verstopt onder al die Adidas joggingbroeken en die T-shirts die volgens jou zo sportief zijn.'

'Ja, ja, nou, op de dag dat jij thuis iets anders aantrekt dan dat Princeton sweatshirt met verfvlekken en die spijkerbroek waarvan het kruis op je knieën hangt, zal ik me optutten om achter de computer te zitten terwijl ons kind appelsap over mijn benen gooit.'

'Rustig maar, ik zei alleen maar dat je met een beetje moeite in dat programma zou kunnen komen.' Hij pakte een zak chips uit het keukenkastje. 'Dus hoe zit het in elkaar? Hoe beland je in een programma met hitsige single vrouwen?'

'Ik moet twee keer auditie doen,' legde ik uit. 'Eerst een regionale ronde, en als ik daar doorkom maken ze een video-opname van me en sturen die naar de bachelor.'

'En als je hem bevalt?'

'Dan kom ik in het programma. Dan moet ik vijf weken in Californië blijven, ervan uitgaand dat ik alle kaarsceremonies overleef zonder eruit gegooid te worden.'

Jack gooide een handjevol chips in zijn mond en spoelde die weg met bier.

'Dat zou betekenen dat ik vijf weken weg van jou en Katie ben, snap je.' Ik keek naar onze kwijlende peuter, die volkomen tevreden op de tegelvloer zat en met een houten lepel tegen haar pappies been zat te meppen.

'Dat overleven we wel, Sarah. Ik weet zeker dat Marta blij zal zijn met de extra uren. Het lijkt me in ieder geval een geweldige opdracht. Suzanne heeft dit keer echt haar best gedaan.'

'Heb je het programma wel eens gezien? Misschien moet ik die vent wel zoenen.'

Jack haalde zijn schouders op. Dacht hij soms dat ik de eerste auditie niet zou doorkomen? Natuurlijk zou ik er doorkomen. Ik was nog steeds professional en het was mijn werk. Suzanne rekende op me. De bachelor zou het vuur uit zijn sloffen lopen om elke week mijn kaars aan te steken.

'Met of zonder tongen?' vroeg hij, terwijl hij zogenaamd bezorgd zijn wenkbrauwen fronste en me vervolgens toelachte. 'Dat zien we dan wel weer. Je gaat toch niet met die vent naar bed of zoiets. Trouwens, hoeveel vrouwen kunnen zeggen dat ze dit bij thuiskomst aantreffen?'

Hij nam de houding van een bodybuilder aan, balde zijn vuisten en liet zijn spierballen rollen. Hij probeerde dapper zijn gezicht in de plooi te houden, een leeggelopen Arnold Schwarzenegger in een Brooks-Brotherskostuum.

'Leuk hoor.' Ik gaf hem een stomp in zijn maag en hij sloeg dubbel van de zogenaamde pijn.

'Echt, ik vind het prima.' Jack observeerde me terwijl ik de post op de tafel doorkeek. Hij beet op zijn onderlip en kneep zijn rechteroog dicht met een blik van concentratie die ik al vaak had gezien als hij zich voorbereidde op een belangrijke dag in de rechtszaal.

'Wat is er?' Ik sloeg de catalogus dicht die ik aan het doorbladeren was.

'Niks. Ik zat me alleen af te vragen waarom ze jou hebben gekozen.' Waarschijnlijk besefte hij hoe lullig dit overkwam, want hij voegde er snel aan toe: 'Ik bedoel, je bent een fantastische schrijfster, maar je bent niet bepaald het soort vrouw dat bij zo'n programma past.'

'Dat hoef je mij niet te vertellen. Ik en een stelletje leeghoofdige grietjes die het te gek vinden om vijf weken vakantie op te nemen om te vechten om een man en hun wanhoop in het openbaar te tonen, en dat om vijftien minuten beroemd te zijn.'

'Met zo'n houding zul je niet veel vrienden maken.'

'Ik doe het niet om vrienden te maken. Ik moet een verhaal schrijven.'

Ik vertelde hem alles over Suzannes geweldige plan me om te toveren in de volmaakte single vrouw: lief, quasi-verlegen en verdomde sexy. Ze wilde de week daarop vergaderen over de regels van het spel – letterlijk. Ze zouden me leren hoe ik de bachelor moest verstrikken in een web van intriges, sex-appeal en ouderwetse vrouwelijke listen. Suzanne zei dat ze van me verwachtte dat ik het zou volhouden tot de laatste kaarsceremonie, als de bachelor beslist welke vrouw hij ten huwelijk zal vragen. Maar ik vermoedde dat ze in werkelijkheid gewoon hoopte dat ik het lang genoeg zou volhouden om een sappig verhaal te kunnen schrijven.

'Dan zal ik haar maar zeggen dat ze haar gang kan gaan en een afspraak kan maken voor de metamorfose.'

'Het lijkt me een interessant experiment,' gaf Jack toe. 'Leuker dan dat artikel over bekkenontstekingen.'

Ik haalde mijn schouders op en richtte mijn aandacht weer op de catalogus, alsof ik werkelijk geïnteresseerd was in een katoenen heupbroek met een doorzichtige boerinnenbloes.

Toen Jack die nacht zachtjes naast me lag te snurken lag ik in het donker met mijn hand over mijn buik te wrijven op zoek naar de verraderlijke tekenen van moederschap. Suzanne dacht dat ik kon doorgaan voor een wijfie, maar ze had me nog nooit naakt gezien. Niet dat ik van plan was me voor de bachelor of voor wie dan ook van het programma te ontkleden, maar ik wist dat in het programma geheime uitjes van de bachelor met een vrouw van zijn keuze waren verwerkt; en bij veel van die uitjes waren warme baden en avondlijke duiken in niervormige zwembaden betrokken.

Suzannes verjongende metamorfose zou mijn uiterlijk aanpakken, maar innerlijk was er ook nog wel wat werk te verrichten. Ik zou behoorlijk diep moeten graven om de herinnering op te diepen aan hoe je iemand van de andere sekse moest verleiden. Ik moest het opnemen tegen een aantal doorgewinterde echtgenotenjagers, vrouwen die het strikken van een man tot hoogste prioriteit in hun leven hadden verheven. Wisten ze niet dat er meer in het leven bestond dan een vent te pakken te krijgen, trouwen en kindertjes krijgen? Was dat alles wat ze wilden? Hadden ze nooit gehoord van je richten op je carrière, je opleiding in praktijk brengen en samenwerken met andere vrouwen in plaats van hen te bevechten? Hoe langer ik erover nadacht, hoe belachelijker ik die vrouwen vond; ze lieten zich vrijwillig wijfies noemen, nota bene!

Al vond ik het vreselijk om toe te geven, Jack had gelijk. Ik moest deze opdracht positiever benaderen. De producers zouden pessimisme niet weten te waarderen en ze waren waarschijnlijk op hun hoede voor radicale feministen die iets wilden bewijzen.

Ik had nog twee weken voor de eerste auditie en ik kon er in de eerste ronde niet al uit liggen. Er zou niet veel belangstelling zijn voor een artikel over een vrouw die de regionale veekeuring niet eens kon halen. Ik wilde de opdracht niet verpesten of beschouwd worden als de grootste zielepoot in een koppelspel op televisie.

Ik wilde dit verhaal hebben. Ik wilde iedereen laten zien dat ik het kon volhouden tot de laatste ronde. En, eerlijk is eerlijk, ik wilde die metamorfose, verdorie!

2

Ik werd meteen herkend door de receptioniste van *Femme* toen ik het kantoor binnenkwam. Ik hoopte dat ze me gewoon uit zichzelf herkende en niet omdat men tegen haar had gezegd dat ze moest uitkijken naar iemand die wanhopig een metamorfose nodig had. 'Ze wachten al op u in de studio.' Met gestrekte vinger wees ze in de richting van een gang.

Achter een onopvallende deur met het bordje STUDIO trof ik Suzanne en het metamorfoseteam aan. Het leek of ze allemaal een assistent hadden meegenomen, en daarnaast nog iemand, die de assistent moest assisteren. Ik had blijkbaar behoorlijk wat hulp nodig.

'Sarah! Ons maagdelijk doek is gearriveerd! Ben je klaar voor je transformatie?' Suzanne kwam overeind uit een zwartleren stoel die door het glanzend stalen voetpedaal en de draaias leek op iets wat in een kapsalon thuishoorde. Ze was omringd door rolkarretjes, gevuld met genoeg haarproducten en make-up om een schoonheidskoningin tientallen jaren mooi te houden. In de ruimte stonden rekken met kleding voor grote passpiegels met lampjes erboven.

'Zo klaar als maar kan.'

Rolf stapte naar voren en leidde me bij de elleboog naar de stoel.

'Deze kant op, lieverd, we hebben een hoop werk te doen.'

Rolf, Suma, Toni en Teri en hun gevolg van ultratrendy assistenten kwamen als een supergetraind SWAT-team in actie. Pulserende techno-muziek vulde de ruimte en als ik niet had geweten dat we ons in het kantoor van *Femme* bevonden had ik gedacht dat ik deelneemster was aan een middernachtelijke *rageparty*, compleet met een staf van mannen en vrouwen met griezelige piercings die met haardrogers en make-upborstels liepen te zwaai-en.

Terwijl Rolf aan mijn haar stond te plukken mengde zijn eerste man – als je een bebaard schepsel in een Schotse kilt en met roze vlechten een man kon noemen – een brouwsel van bleek-middelen en kleurstoffen waarvan ik hoopte dat ze mijn haar een natuurlijke *look* zouden geven. Aan mijn team van experts te zien was het woord 'natuurlijk' echter geen onderdeel van hun vocabulaire.

'Je gaat toch niet iets heel radicaals doen?' vroeg ik voorzichtig, terwijl de giftige dampen van het bleekmiddel mijn ogen deden tranen.

Rolf liet mijn haar los en zette zijn dikke handen in zijn zij.

'Liefje, het is onze taak om je het uiterlijk van een wijfie te geven. Radicaler kan bijna niet.'

Het tengere meisje dat bij mijn voeten geknield zat wisselde een gepijnigde blik met een al even tenger meisje dat met mijn handen bezig was.

'Wanneer ben je voor het laatst bij de pedicure geweest?' vroeg ze, terwijl ze haar kauwgum liet klappen en haar van een piercing voorziene tong naar buiten stak.

'Een jaar geleden of zo,' antwoordde ik, me afvragend of mijn voeten echt zo weerzinwekkend waren als zij leek te denken. Ik had toch echt geen schimmelinfectie of iets dergelijks.

'Heb je nog een puimsteen nodig?' vroeg haar manicurende partner, die net deed of ik niets gezegd had.

'Schuurpapier lijkt me beter.'

'Ik heb een kind,' voegde ik er snel aan toe, in de hoop dat dit feit mijn droge, gebarsten hielen zou verklaren.

'Acht?' vroeg Toni, die voor me kwam staan met een stapel gevouwen kleren over zijn/haar armen; het haar dat voorheen wit en kort was geweest, was nu felgroen.

'Nee, één, ze is nu achttien maanden.' Zag ik er echt oud genoeg uit om al acht kinderen te hebben?

'Ik heb het over maat acht.' Toni slaakte een zucht en keek veelbetekenend naar Teri. 'Je hebt toch maat acht?'

'O. Ja.'

Toni liep terug naar Teri, die bij de kledingrekken stond. Slobberbroeken, blote topjes, ultrakorte minirokjes met een kralenrand; wat haalden ze in hun hoofd? Ik kon de labels niet zien, maar het waren duidelijk designkledingstukken die ik zelf nooit zou kopen. Ze lieten hun vingers langs de uitgehangen kleren glijden, trokken er af en toe een bloes of een jurk uit, veranderden dan weer van gedachten en hingen het terug.

Met afschuw zag ik Teri een monsterlijke *capri-broek* uit het rek halen en ik was enorm opgelucht toen hij/zij hem weer terughing.

'Niet met haar heupen,' mompelde Toni, en hij/zij ging verder met het zoeken in de kledingrekken. Blijkbaar was een capribroek met luipaardprint wel goed. Mijn heupen waren het probleem. Ik begon eraan te twijfelen of dit stelletje rare types in staat zou zijn hun missie te volbrengen. In hun ogen was ik geen maagdelijk doek. Meer een versleten olieverfschilderij.

Er werd een schaal met donuts doorgegeven en het water liep me in de mond. Maar omdat mijn handen en voeten een schoonheidsbehandeling ondergingen, bevond ik me niet in de positie ernaar te graaien.

'Rolf, zou je me alsjeblieft een donut willen aangeven?' vroeg ik beleefd, hopend dat de topkapper het niet beneden zijn stand zou vinden een besuikerde donut aan te geven.

Hij boog zich naar mijn oor en sprak met gedempte stem. 'Dat lijkt me niet zo'n goed idee, liefje.' Hij knikte naar de kledingrekken. 'Laten we proberen het bij maat acht te houden, oké?'

'Kom op, jongens,' gilde Suzanne boven de bonkende muziek uit, terwijl ze in haar handen klapte om de aandacht te trekken. 'We hebben werk te doen. Onze strategiebespreking is gepland om één uur en ik wil dat dit wijfie dan klaar is de bachelor te overrompelen.'

De leden van het onwaarschijnlijke team knikten instemmend en keken me aan alsof ze de uitputtende taak die voor hen lag probeerden in te schatten.

'En jij,' zei Suzanne terwijl ze naar me toe liep en een glas water met een rietje voor me neerzette, 'jij moet gewoon genieten. Je bent in uitstekende handen. Kom naar mijn kantoor toe als je klaar bent.'

Een uur later stond mijn haar recht overeind, gescheiden door bleekmiddel en een hele fles haarverf. Mijn gladde voeten waren ingesmeerd met vochtinbrenger, mijn rode teennagels glansden in de studiolampen en mijn vingernagels waren in een perfecte halvemaanvorm gevijld. We schoten lekker op.

'Loop even mee,' beval Toni, terwijl hij/zij me zijn/haar rug toekeerde en naar Teri marcheerde.

Met mijn hoofd in de wikkels stond ik voor de spiegel terwijl ik toekeek hoe de assistenten outfit na outfit voor me hielden en Toni en Teri hun professionele mening gaven.

'Nee.'

'Nee.'

'Nee.'

'Absoluut niet.'

'Dat meen je toch niet.'

'Zou kunnen.'

Uiteindelijk waren de rekken leeg en hadden we drie stapels kleren: een enorme stapel 'nee', een stapel 'zou kunnen' en een uiterst select stapeltje 'ja'.

'Sarah, we zijn zover,' riep Rolf me toe. Ik verliet Toni en Teri en keerde dankbaar terug naar mijn zwartleren troon.

Shampoo. Conditioner. Een razendsnel knippende schaar. Een paar haaltjes met een tondeuze. Het geruis van de haardroger. En als laatste een beetje haarlak.

'Mag ik het zien?' vroeg ik hoopvol. Zou een knipbeurt en hier en daar een kleurtje echt zoveel verschil maken?

Rolf deed net of hij me niet hoorde, deed een stap naar achteren en bekeek zijn creatie. Hij glimlachte en wendde zich tot Suma.

'Jouw beurt.'

Suma nam zijn plaats in, pakte mijn kin beet en begon bevelen te snauwen. 'Kijk omhoog.' 'Kijk omlaag.' 'Frons je wenkbrauwen.' 'Trek een pruilmond.' Met chirurgische precisie hanteerde ze haar instrumenten; pincetten plukten, borstels aaiden en potloden trokken streepjes.

Ik deed mijn ogen dicht en hoopte maar dat ze wist wat ze deed. Afgaand op de kristallen bolletjes in haar oooghoeken was ik bang dat ik uiteindelijk als een circusartiest te voorschijn zou komen.

'Toni! Teri! Jullie beurt!'

Voordat ik een glimp van mijn nieuwe persoonlijkheid in een spiegel kon opvangen werd ik begeleid naar een haastig in elkaar gezette kleedkamer en kreeg de stapel 'ja'-kleren in mijn armen geduwd.

De tweeling deed geen poging me in de trendy heupbroeken met wijde pijpen te hijsen waarin alle single, vrije mensen tegenwoordig rondliepen. In plaats daarvan hadden ze outfits gekozen die al mijn rondingen flatteerden, de aandacht vestigden op elke slanke centimeter en die lichaamsdelen discreet bedekten die Britney Spears met veel genoegen wereldkundig maakte. Of het nu spijkerbroeken waren of zwarte jurkjes, ze hadden precies in de roos geschoten.

Eindelijk kwam ik volledig gekleed uit de kleedkamer, nadat Toni en Teri alle onderdelen, van mijn ondergoed tot de riem om mijn broek hadden goedgekeurd.

Voor de eerste keer sinds ik de studio was binnengekomen viel er een stilte in de ruimte.

'Zet de muziek aan!' riep Rolf zijn assistent toe.

De vertrouwde deuntjes uit mijn jeugd klonken door de speakers in de studio. Rolfs assistent met de kilt zwaaide met zijn heupen op het bonkende ritme van de drums. 'The Eye of the Tiger.' Niets was geschikter om een levens veranderende metamorfose te begeleiden als een beetje muziek van de groep Survivor.

'Mag ik nu kijken?' vroeg ik aan Toni en Teri. Als ik vandaag iets geleerd had, was het wel dat gehoorzaamheid de gouden regel bij een metamorfose was.

'Ga je gang.'

Een assistent reed een mobiele spiegel naar me toe en zette me ervoor.

'En?' vroeg Rolf met verwachtingsvolle, samengeklemde handen.

Ik staarde in de spiegel en kon geen woord uitbrengen.

'Wat vind je ervan?'

'Wat vind ik ervan?' Ik glimlachte de verbijsterende vrouw toe die tegenover me stond. 'Wat vind ik ervan? Ik vind het helemaal tóp!'

'Dit is fantastisch!' Suzanne zat op een hoek van het bureau van haar assistente op me te wachten. 'Ik wist wel dat je er geweldig uit zou zien. Kom mee.'

Ze kwam met een sprongetje van het bureau af en nam me mee naar de vergaderzaal.

Ik liep achter haar tengere gestalte aan, de hal door, langs uit-vergrote, vroegere tijdschriftomslagen. Op sommige omslagen stonden enkele artikelen aangekondigd die ik had geschreven, korte kopregels die vier pagina's tekst beknopt samenvatten. Ik was gespecialiseerd in vrouwenonderwerpen, van politiek tot het ultieme orgasme. De laatste opdracht die ik had gedaan zat daar ergens tussenin. De feministen waren fel tegen het concept van vrouwen die met elkaar vochten om met de bachelor te kunnen trouwen, maar vrouwen waren tegelijkertijd de grootste fans van het programma.

Toen Suzanne met haar dunne armpjes de zware, gezand-straalde glazen deuren opengooide, stokte de conversatie daar. Ze schreed naar het hoofd van de tafel en bleef daar staan als een lange, zwarte streep: kniehoge suède laarzen, kokerrok, strak aan-getrokken riem die haar jongensachtige heupen benadrukten en een strak, mouwloos coltruitje; dit alles bekroond met het inkt-zwarte Mia-Farrowkapsel dat haar handelsmerk was.

'Dit is een merkwaardige bespreking, mensen,' blafte Suzanne de zes mensen toe die aan de lange vergadertafel zaten. Ze maak-te een nonchalant handgebaar in mijn richting. 'Jullie kennen Sa-rah.'

'Hallo, allemaal.' Ik wuifde de groep even toe, maar mijn vrien-delijke gebaar werd beantwoord door stilte en opengesperde ogen. Ze zaten me aan te staren. Mij! En niet omdat ik de room-kaas van het ontbijt nog op mijn gezicht had zitten.

'Ik kan mijn ogen niet geloven, zo prachtig zie je eruit,' sta-melde een vrouw uit Portland eindelijk.

Ik glimlachte en trok een gezicht alsof ik het eerste het beste had aangetrokken wat ik in mijn kast had zien hangen, terwijl in feite elke outfit en accessoire door Toni en Teri was gemerkt met kleurlabels en instructies. Mijn klerenkast zou gaan lijken op een rek met speelgoeddieren.

Ik schoof een leren stoel naar achteren en ging zitten. Ik vond dit soort reacties eigenlijk best wel prettig.

Suzanne deelde felgekleurde notitieblokjes en viltstiften rond en deed toen een stap achteruit, terwijl ze ons instructies gaf. 'Oké, laten we aan de slag gaan en die bachelor te pakken nemen.'

De rest van die middag brachten we door met verzinnen hoe ik het aan moest pakken. Wilde de bachelor een gelijke of moest zijn ego gestreeld worden? Wilde hij iemand om lol mee te trappen of wilde hij een gezin stichten? Een natuurlijk, buitenlucht-type of een chique, dure vrouw? Spontaan of verlegen? Boekenwurm of straatvechter?

Na een tijdje werd ons duidelijk dat alles mogelijk was, we wisten niets van hem. Maar wat we wel wisten – dat hij bereid was via de landelijke televisie een vrouw te zoeken – was niet erg hoopgevend. We dachten dat hij waarschijnlijk intelligent, aantrekkelijk, succesvol was en persoonlijkheid had, de vangst van je leven, dus. Maar zou zo'n man niet in staat zijn op de ouderwetse manier een meisje te krijgen, bijvoorbeeld door haar dronken te voeren in een bar? In ieder geval kwamen we tot de conclusie dat de inhoud van mijn bh bij de eerste twee audities belangrijker zou zijn dan wat er in mijn hoofd zat. Het team beloofde dat alles wel goed zou komen als ik veel zou glimlachen, met mijn haren zou schudden en niet zou overkomen als een of andere hitsige, psychotische stalker à la Glenn Close.

Zes uur nadat ik was aangekomen in de studio was Suzannes team klaar met hun toverkunsten en lieten ze me gaan. Toen ik op Michigan Avenue liep voelde ik me lichter en dat kwam niet alleen door mijn nieuwe haarkleur. Het kwam ook door de manier waarop mijn zwarte crèpe broek om mijn benen zat en elke stap mij slanker deed lijken. De manier waarop mijn zijde-achtige, crèmekleurige bloes langs mijn schouders gleed en openviel, waarbij de suggestie van een decolleté en een korte ketting met grove gouden munten zichtbaar werden (het decolleté dankzij de nieuwste waterbh-techniek). Bij elke stap die ik nam tikten mijn pumps met enkelbandjes op het trottoir en kondigden mijn aanwezigheid aan. De nieuwe, opgeknapte Sarah Holmes was gearriveerd.

Voor het kantoorgebouw van *Femme* stond de gebruikelijke rij taxi's. Normaal gesproken zou ik dankbaar op de achterbank van een van de taxi's duiken, waarvan het versleten vinyl dof was en waar het vaag naar luchtverfrisser en verschaalde tabaksrook rook. Dan zou ik vanachter het raampje naar buiten kijken terwijl de auto door de stad naar het station reed. Maar vandaag was geen gewone dag.

In plaats van een taxi te nemen ging ik lopen, om mijn nieuwe persoonlijkheid uit te proberen en te zien of ze hier paste. Toen ik langs de etalage van Starbucks liep, zag ik in mijn spiegelbeeld een vrouw die me deed denken aan degene die ik was toen ik een jaar of zesentwintig was. Een public relations vrouw die door deze zelfde straten had gelopen op weg naar klanten. Ze zag er zelfverzekerd uit en had de zelfbewuste tred van een vrouw die op het punt stond de wereld bij de ballen te grijpen en te nemen wat ze wilde in plaats van iemand te vragen het haar te geven. Ik kon een glimlach naar mezelf niet onderdrukken. Het was leuk mezelf opnieuw te leren kennen.

Ik keek omhoog, naar de skyline van Chicago, en voelde voor het eerst sinds jaren het gemis van het wonen in de stad. Toen we drie jaar geleden naar de noordkust verhuisden verheugde ik me op de eerste keer dat we een huis zouden bezitten – de ruimte, de tuin, het gratis parkeren. In die tijd wilden Jack en ik een gezin stichten en leek het verstandig deze grote stap te nemen. We waren uit ons tweekamerappartement in Lincoln Park gegroeid en ik moest ruimte voor een kantoor aan huis hebben, omdat ik freelance zou gaan werken.

Trouwens, we waren altijd al van plan geweest buiten de stad te gaan wonen. Het plan was dat ik zou opklimmen bij het pr-bureau totdat Jack partner zou worden bij zijn advocatenkantoor. Dan zou ik ontslag nemen en me vestigen als freelance schrijfster, zodat ik een flexibel werkschema kon aanhouden als de eerste baby er zou zijn. Jack en ik hadden het allemaal logisch doordacht en tot nu toe verliep alles als gepland.

Maar nu ik mezelf weerspiegeld zag in die torenhoge pilaren van glas en staal herinnerde ik me weer hoe het was deel uit te maken van de mensenmassa die op een drukke straathoek stond te wachten tot de bussen en taxi's in een wolk uitlaatgassen gepasseerd waren. Om onderdeel te zijn van al die activiteiten die elke dag in elk gebouw plaatsvonden, en van de voelbare energie van al die mensen, bankinvesteerders die miljoenendeals afsloten, creatieve geesten die advertentiecampagnes en slagzinnen bedachten die gingen horen bij de Amerikaanse spreektaal, handelaren die sojabonen en tarwe kochten en verkochten zoals ik mijn dagelijkse boodschappen deed. Als ik thuis in mijn kantoortje zat was de enige energie die ik kon voelen de inhoud van Katies verzadigde luier.

Toen ik bij het Ogilvie-station aankwam, deed een goedgeklede zakenman beleefd een stap opzij en liet me voorgaan in de draaideuren. In het enorme stationsgebouw werd mijn trein krakend omgeroepen en ik rende naar de roltrap, wat niet meeviel op tien centimeter hoge Manolo Blahniks hakken.

'Neem me niet kwalijk,' hoorde ik een man hijgend achter me zeggen. Hij probeerde me in te halen, waarbij zijn koffertje tegen zijn been klapte. 'Probeert u me te ontlopen?'

Ik draaide me snel om naar de stem, waardoor een waterval van blonde lokken over mijn schouders zwiepte en over mijn rechteroog viel als bij een filmster uit de jaren veertig.

Het bleek de man van de draaideuren in zijn driedelig pak.

'Nee, hoor, ik probeer gewoon mijn trein te halen,' legde ik uit terwijl we beiden grote stappen namen op de glinsterende roltrap, waarbij we twee treden tegelijk namen.

'Vertel me alsjeblieft niet dat je gelukkig getrouwd bent,' smeekte hij gemaakt ernstig, terwijl zijn mond in zijn gebruinde gezicht breed grijnsde en lachrimpeltjes bij zijn ooghoeken zichtbaar werden.

Voordat ik het in de gaten had grijnsde ik even charmant terug.

'Helaas wel.' Ik hield mijn hand op en liet hem de glinsterende briljant aan mijn vinger zien. 'En met baby.'

'Ik dacht het al, maar ik wilde toch een poging wagen.' Hij probeerde me niet meer bij te houden en bleef achter terwijl ik in mijn eentje doorliep.

'Hé,' riep ik achterom in zijn richting, terwijl het geklik van mijn hakken weerkaatste en ik naar spoor zes holde. 'Bedankt! Je hebt mijn hele dag goedgemaakt!' Het feminisme kon de pot op!

'En nu, dames en heren,' zei ik met mijn beste omroepstem. 'Ze is afkomstig uit Chicago en eet als ontbijt graag gebakken tonijn zonder korst met chocolade milkshakes, hier is ze dan, bachelorette nummer 1!' Ik kwam achter de deur van de eetkamer vandaan en nam een pose aan die normaal gesproken beter paste bij modellen die optraden in *The Price is Right*.

'Wauw.' Jack stond verbluft stil en liet zijn blik over mijn nieuwe ik glijden.

'Ik neem aan dat dat betekent dat je me als wijfie weet te waarderen?' vroeg ik, genietend van de uitdrukking op zijn gezicht.

'Waardeert? Als ik had geweten dat je in zo'n stuk zou veranderen bij je poging een jongere vent te strikken had ik je hoogstpersoonlijk bij de plaatselijke middelbare school afgezet!'

Ik schudde met mijn lokken als een van de Charlie's Angels en liet alles op zijn plaats vallen rond mijn nieuwe jukbeenderen. Rolf had zijn reputatie waargemaakt. Hij had mijn vormeloze, uitgegroeide bobkapsel veranderd in blonde lokken die er zo natuurlijk uitzagen dat het leek of ik de hele zomer in *Baywatch* had gespeeld. Gelukkig was Suma er ondanks al mijn jaren van zonaanbidding en voorjaarsvakanties, ingesmeerd met babyolie, in geslaagd precies het tegenovergestelde te bereiken. Ondanks haar eigen dik opgebrachte lipstick en met kohl getekende eyeliner was het Suma gelukt naar voren te brengen wat ik al lang vergeten was: mooie groene ogen, subtiel gebogen wenkbrauwen, hoge jukbeenderen met een roze gloed.

'Leuke outfit.' Jack pakte mijn hand en liet me rondwervelen als Ginger Rogers. 'En wat erin zit bevalt me nog beter.'

'Het is verbazingwekkend, vind je niet? Elke vrouw zou zoiets moeten doen.'

'Oké, nu begin ik me een beetje zorgen te maken.' Jack maakte zijn das losser met één vinger, zoals Rodney Dangerfield dat altijd deed. 'Je ziet er echt super uit.'

'Ik dacht dat je had gezegd dat het je niet kon schelen.'

'Dat was ook zo; ik was alleen vergeten hoe het was om thuis te komen bij een vrouw die er meer uitziet als een vriendin dan als een echtgenote.'

Ik moest toegeven dat ik dat zelf ook vergeten was.

Nadat ik me twee weken lang het hoofd had gebroken over wat ik moest dragen bij de auditie – er super uitzien was tot daar aan toe, maar het was nog iets anders eruit te zien alsof ik een paar dagen vakantie had van de Mustang Ranch – brak het moment van waarheid aan. Ik kwam binnen in wat leek op een pakhuis in het westelijke deel van de stad en werd een auditorium in gedreven samen met ongeveer tweehonderd andere vrouwen. Vrouwen in alle soorten en maten en afkomstig uit het hele land, van het verafgelegen Nebraska tot het aangrenzende Indiana zaten in een soort bioscoopopstelling, terwijl de producers van het programma uitlegden wat er zou gebeuren. Ze deelden onze aanmeldingsformulieren uit en vroegen ons deze goed te controleren voordat we ons persoonlijke gesprek zouden hebben. We zouden elk naar een kamer geroepen worden om met de producers kennis te maken en een gesprek te hebben, waarna we zouden terugkeren naar onze zitplaats om te wachten tot we zouden horen of we geselecteerd waren voor de groep die zou worden voorgesteld aan de bachelor. Er zouden bij elke regionale ronde slechts vijfentwintig finalisten overblijven. De bachelor zou de uiteindelijke vierentwintig kandidaten voor het programma uitkiezen.

Terwijl ik zat te wachten tot ik zou worden opgeroepen las ik het aanmeldingsformulier door dat Suzannes mensen hadden opgesteld. Ik gebruikte mijn meisjesnaam, Sarah Divine, en er waren nog enkele variaties op de waarheid aangebracht. Ik had nog wel op Welseley gezeten, ofschoon mijn eindexamendatum was veranderd, maar mijn jaren op de hogeschool hadden ze achterwege gelaten. Ik kwam uit Chicago, maar ik was ongehuwd en had geen kinderen. Als beroep hadden ze partner in een public relations bureau ingevuld in plaats van freelance schrijfster die is ingehuurd om te infiltreren in uw programma en alle walgelijke dingen te ontmaskeren die jullie doen om vrouwen naar beneden te halen en voor gek te zetten.

Het interview nam slechts een paar minuten in beslag. Ik werd door twee mannen en een vrouw van top tot teen bekeken, terwijl ze aantekeningen maakten in een geel blok dat op hun schoot balanceerde. Een lange, slungelige man met een John Lennon brilletje, een peper-en-zoutkleurig sikje en een grijzende paardenstaart leek de leiding te hebben.

'Kun je even zijwaarts gaan staan, pop?'

'Zo?' Ik stond met mijn gezicht naar de muur gekeerd terwijl ze alle drie goed zicht hadden op mijn Mega Bra profiel.

'Ziet er goed uit.' De man met de paardenstaart knikte waarderend en stootte zijn elleboog tegen de vrouw die rechts van hem stond. Ze krabbelde iets op haar blocnote, waarvan ik hoopte dat het een vernietigende ontslagbrief zou zijn en een feministisch manifest, maar het was waarschijnlijker dat ze een schatting van mijn maten noteerde.

De vrouw vroeg of ik het aanmeldingsformulier geheel naar waarheid had ingevuld en zei dat ze mijn referenties zouden natrekken en me zouden controleren op een eventueel crimineel verleden als ik door zou gaan naar de volgende ronde. Nadat ze even had gewacht om te zien of ik zou instorten en zou bekennen dat ik een goed geklede crackverslaafde was die lijken had ingemetseld in de muren van mijn kelder, bedankten ze me en kon ik gaan.

Toen ik weer in mijn stoel zat observeerde ik de andere potentiële wijfies en sloeg de details van wat ik zag op in mijn hoofd. Een aantal vrouwen zat met elkaar te kletsen, een vriendelijk babbeltje om de tijd door te komen, dacht ik. De meesten waren precies zoals Suzanne had verwacht: brutale jonge dingen met nauwsluitende topjes en heupbroeken die zo laag zaten dat je bij eentje een paarse string boven de band uit zag steken of, nog vreselijker, het begin van iemands bilspleet omdat ze geen ondergoed droeg onder haar Calvin Klein spijkerbroek. Sinds wanneer was een behoorlijk slipje zo'n kwelling?

'Dokter Shapiro?'

Een meisje in de rij voor me zat omgekeerd geknield op haar stoel en liet haar kin rusten op de harde stoelleuning terwijl ze op mijn antwoord wachtte.

'Pardon?'

'Je tieten.' Ze wees naar mijn borst, alsof ik niet wist waar mijn tieten zaten. 'Ben je bij dokter Shapiro geweest?'

'Eh, nee. Het is een Mega Bra.'

'Echt waar?' Ze leunde over haar stoel heen om me van dichterbij te bekijken. 'Dat is me wat. Ze zijn perfect.'

'Bedankt.' Ik sloeg mijn armen over elkaar, alsof ik bang was dat ze er misschien even aan wilde voelen.

'Ik ben Bess Brewster, maar mijn vrienden noemen me Bebe.'

'Leuk je te ontmoeten, Bebe. Ik ben Sarah Divine.'

'Het is niet te geloven, al die meisjes hier,' zei Bebe, die weer gewoon ging zitten maar haar bovenlijf naar mij gekeerd hield. 'Het is wel dapper, vind je niet?'

'Dapper?'

'Ja, natuurlijk. Je kunt ervan uitgaan dat de meesten van ons vandaag naar huis gestuurd worden zonder te zijn uitgekozen. En zelfs als je het programma haalt, is de kans om het einde te halen ongeveer een op de miljoen.'

Het was duidelijk dat Bebe geen accountant was.

'Nou, eigenlijk heb je een kans van een op de vierentwintig als je het programma haalt,' corrigeerde ik haar. 'En, waarom ben jij hier, Bebe? Op zoek naar de ware liefde?'

'Dat zou geweldig zijn, maar ik wil gewoon in het programma terechtkomen. Heb je gezien wat er met Charlotte is gebeurd nadat ze vorig seizoen van Veronica had verloren? Ze kreeg zoveel aanbiedingen, ik heb gehoord dat ze haar eigen praatprogramma heeft gekregen en een deal heeft afgesloten voor een boek, om nog maar te zwijgen over een dubbele pagina in *Playboy* en al die feestjes in Los Angeles. Wie zit er op een bachelor te wachten als je zelf beroemd bent?'

'Charlotte blijkbaar niet,' antwoordde ik, wensend dat ik mijn blocnote te voorschijn kon halen om dit gesprekje te noteren. Bebe zat ter plaatse mijn artikel voor me te schrijven.

'O, hé, ik ken dat meisje daarginds.' Bebe wuifde naar een blonde stoot aan de andere kant van de zaal. 'Ik ga haar even gedag zeggen. Ik zie je nog wel!'

In de twee daarop volgende uren zag ik vrouwen nerveus hun lippenstift bijwerken en genoeg haarlak spuiten om eigenhandig de ozonlaag boven Chicago flinterdun te maken, tot de producers eindelijk weer het donkere toneel op kwamen kuieren.

'Meisjes, mag ik even stilte, graag? Bedankt voor jullie tijd,' begon hij op een toon die meer teleurgesteld dan dankbaar klonk. 'Ik ga nu de namen oplezen van de deelneemsters die naar de volgende ronde doorgaan. Als je naam wordt afgeroepen kun je een telefoontje verwachten om een afspraak te maken voor je video-opname. De bachelor zal de video's bekijken en de uiteindelijke selectie maken.'

Hij zei het allemaal nogal achteloos, alsof hij stond uit te leggen hoe je een band moest verwisselen.

Er ging een golf van verwachting door de zaal, terwijl de vrouwen wat meer rechtop gingen zitten en over de hoofden van degenen die voor hen zaten probeerden te kijken.

De jonge vrouw die rechts van de man zat overhandigde hem een papiertje waarop de namen van de gelukkigen stonden. Ik legde mijn hand op mijn maag, die begon aan te voelen of ik in een achtbaan zat die over enkele ogenblikken de vergetelheid in zou schieten. Ik was werkelijk zenuwachtig. En ik haatte mezelf daarom.

Een voor een werden de namen van de winnaressen afgeroepen. Na een ronde van wilde namen, gepeperd met meer Tiffany's, Ashley's en Brittany's dan aangekondigd stonden bij de ingang van een pornohuis, hoorde ik 'Sarah Divine' en toen hoorde ik niets meer. Geen enkele naam daarna drong nog tot me door. Suzannes team had gelijk gekregen, de eerste auditie was een makkie.

Vijf minuten later liepen de producers achter elkaar aan het toneel af en kon ik eindelijk uitademen. Ik had het gered. Ik, Sarah Divine Holmes, buitenwijkechtgenote, moeder en parttime schrijfster, telde nog steeds mee. Suzanne zou extatisch zijn, ze was een stap dichterbij haar artikel gekomen. Ze verwachtte van me dat ik haar meteen zou bellen als ik nieuws had. Ik stond op om te vertrekken en stond opeens oog in oog met de ontreddering om me heen. Het merendeel van de zitplaatsen was gevuld met vrouwen die als leeggelopen ballonnen onderuitgezakt in hun stoel hingen. Hoofden hingen voorover en schouders waren verslagen afgezakt. Het was geen leuk gezicht.

'Hé, Sarah!'

Ik draaide me om en zag Bebe op me af komen rennen.

'We hebben het gehaald! Is het niet ongelooflijk?' De woorden stroomden uit haar mond en ze stond bijna op en neer te springen. 'We gaan een video maken!' Ze sloeg haar armen om me heen en slaakte een gilletje.

Onwillekeurig beantwoordde ik haar omhelzing; mijn eigen opwinding kreeg de overhand.

De mogelijkheid wijfie te worden was een stap dichterbij gekomen. God zij gedankt voor de Mega Bra.

Een paar dagen later werd ik gebeld door iemand van het programma en maakte een afspraak om mijn video-opname in een plaatselijke studio te maken. Na overleg met Suzanne en haar team en weer veilig opgeborgen in mijn betrouwbare Mega Bra, was ik gereed om op film te worden vastgelegd.

Ik leunde achterover op een witte leren bank terwijl het team van belichtingsexperts me ongeveer zo aantrekkelijk lieten voelen als een kip aan het spit; ze vonden dat ik zachtere belichting nodig had, zwaardere make-up en meer weerkaatsingspanelen dan een onderzeeër op zonne-energie. Terwijl de crew aan het filmen was, stelde de regisseur me vragen buiten het zicht van de camera: waarom zou de bachelor mij uitkiezen? Hoe zag mijn perfecte man eruit? Wat vond ik van seks?

'Seks?'

'Ja, seks,' herhaalde hij.

'Daar ben ik vóór?' probeerde ik voorzichtig en ik besefte te laat dat mijn antwoord me op een dag in problemen zou kunnen brengen. Het was mogelijk dat ik hiermee mijn dochter alle ammunitie in handen gaf die ze nodig zou hebben als ze me er tijdens haar puberteit aan wilde herinneren dat ik had gezegd dat ik erg voor seks was. Ik hoopte dat deze kleine parel van wijsheid eruit gesneden zou worden.

In de daarop volgende week zat ik elke dag te wachten op de postbode. Iedere keer dat ik zijn witte bestelwagentje zag stilstaan bij onze brievenbus rende ik het paadje af met een gemengd gevoel van opwinding en angst. Het leek op een herbeleving van het wachten op de acceptatiebrieven van de universiteiten waarvoor ik me had ingeschreven.

Toen ik eindelijk een kleine, witte envelop ontdekte in de stapel reclameblaadjes en rekeningen durfde ik hem bijna niet te pakken. Ik liet hem even op de keukentafel liggen terwijl ik probeerde te bepalen of hij eruitzag als een afwijzing of een acceptatie. Was een eenvoudige witte envelop goed of slecht? Na bijna een uur van zelfkwelling pakte ik de brief op en hield hem in mijn hand terwijl ik hem van alle kanten bekeek in de hoop een aanwijzing te vinden. Ik wist niet wat ik had verwacht; misschien een spoedpakketje of een bos bloemen. Iets wat romantischer was dan een envelop met de tekst PERSOONLIJK EN VERTROUWELIJK. Het leek het moment gewoon geen recht te doen.

Uiteindelijk scheurde ik de envelop open, vouwde de brief open en begon bijna te gillen toen ik het eerste woord zag staan: GE-FELICITEERD!

'Yes,' siste ik, terwijl ik als een footballspeler met mijn arm in de lucht pompte. 'Katie, mammie heeft het voor elkaar gekregen. Het is me gelukt!'

Ik draaide me naar Katie om, die rustig in haar stoeltje yoghurt in haar oortjes zat te smeren, en voelde het schuldgevoel als een bliksemflits door me heen trekken.

Ik was blij dat ik wegging. Ik stond te popelen om het artikel te schrijven. Wat voor moeder nam een opdracht aan waardoor ze haar baby wekenlang alleen moest laten? Katie was te jong om te begrijpen dat haar mammie aan de rol zou gaan in Californië met de bachelor, maar ze was zeker oud genoeg om te begrijpen dat haar mammie haar in de steek had gelaten; zou ik handenvol geld moeten uitgeven aan therapie als ze een jaar of zestien was?

Ik moest Jack bellen.

Terwijl ik wachtte tot zijn secretaresse me zou doorverbinden probeerde ik de yoghurt uit Katies oren te peuteren, wat slechts gekrijs als resultaat had toen Jack aan de telefoon kwam.

'Het is me gelukt.'

'Wat?' vroeg hij afwezig; hij werd afgeleid door ritselende papieren op de achtergrond.

'Het programma. Ik ben toegelaten tot *De Bachelor*.'

'Dat is ongelooflijk,' antwoordde hij langzaam, terwijl het geritsel ophield.

Bedoelde hij ongelooflijk geweldig of ongelooflijk ongeloofwaardig?

'Ja, hè.' Het was ongelooflijk geweldig. 'Ik vertrek aanstaande zaterdag.'

'Wauw. Ik kan het gewoon niet geloven.'

Geloof het maar, makker, wilde ik zeggen, maar ik hield mijn mond.

'Ik zal Marta bellen en alles regelen. Weet je zeker dat het goed zal gaan met jou en Katie? Het is nog niet te laat om tegen Suzanne te zeggen dat ik ervan afzie,' bood ik aan, gevangen in mijn eigen innerlijke strijd tussen de wens aan het programma mee te doen en het schuldgevoel omdat ik Katie alleen liet.

'Het gaat vast prima. Maak je geen zorgen,' stelde Jack me gerust. 'Zo moeilijk is dat toch niet?'

Daar zou hij snel achter komen.

'Mammie gaat een reisje maken,' vertelde ik Katie toen ik haar die avond in slaap wiegde. Het was donker in Katies kamer, afgezien van de gele gloed die afkomstig was van haar nachtlampje. Ze was wat onrustig toen ze in mijn armen kwam liggen, maar ze kalmeerde door het ritmische zwaaien van de schommelstoel.

Ik wist weliswaar dat ik weg ging, maar niet hoelang mijn afwezigheid zou duren. Ik zou slechts één kans krijgen om het succes van Suzannes metamorfose te bewijzen voordat de bachelor de gelegenheid kreeg me bij de eerste kaarsceremonie weg te sturen. In het ergste geval zou ik alleen de auditie en nog twee dagen aanvullend materiaal voor mijn artikel hebben.

Ofschoon vijf weken niet erg lang was in het grotere geheel, leek het een eeuwigheid als ik eraan dacht Katie achter te laten. Ik boog me voorover, begroef mijn neus in haar fijne blonde haar en inhaleerde haar zoete babygeur.

'Mammie zal je allemaal leuke kaarten sturen en je de hele tijd bellen,' fluisterde ik in Katies halvemaanvormige oortje terwijl we schommelden in de donkere kamer. 'En pappie en Marta zullen goed voor je zorgen.'

Haar kleine buikje ging omhoog en omlaag terwijl ze haar duim in haar mond had. Ze was waarschijnlijk opgelucht door mijn geruststellingen. Ze sliep als een os.

3

'Stel je voor dat iemand me herkent en het programma belt!'
Het begon tot me door te dringen dat ik op het punt stond het
meest bekeken programma van een groot televisiestation te ontmaskeren als een programma dat prostitutie bedrijft op de landelijke televisie. De volgende dag zou mijn vliegtuig gaan en ik
begon nerveus te worden.

Suzanne legde haar gemanicuurde hand op mijn schouders en
verstevigde haar greep. Voor zo'n mager scharminkel had ze behoorlijk sterke handen.

'Sarah, het programma wordt van tevoren opgenomen. Tegen
de tijd dat de eerste aflevering wordt uitgezonden en het artikel is
verschenen, is het al te laat. We zullen geïnterviewd worden in alle ochtendprogramma's en *De Bachelor* zal meer publiciteit krijgen dan het televisiestation zich kan voorstellen. Je hoeft je nergens zorgen over te maken. Probeer alleen elk detail van je
aanmeldingsformulier te onthouden.' Ze liet haar hand van mijn
schouder glijden en deed een stap achteruit zodat ze me in de ogen
kon kijken. 'Je kunt het. Ik zou het jou niet gevraagd hebben als
ik je niet de beste voor deze opdracht zou hebben gevonden.'

Ik waardeerde haar vertrouwen in me, maar zij was niet degene die op weg zou gaan en de boel zou oplichten, zich voor zou
doen als iemand anders, of tenminste een jongere, betere imitatie van zichzelf.

'Je eerste taak zal zijn het vertrouwen van een aantal wijfies te
winnen, hun beste vriendin te worden. Ik wil dat onze lezers de
wanhoop op hun gezicht kunnen zien, hun lippen kunnen voelen
trillen als ze je vertellen over hun angst om alleen te zijn. Dan wil
ik weten waarom een volwassen man denkt dat hij werkelijk een
relatie kan hebben met een vrouw die tot zoiets bereid is. God

mag het weten, waarschijnlijk is hij gewoon iemand die acteur wil worden of in de showbusiness wil werken, en denkt hij dat hij de volgende Tom Cruise is. En de producers... die zullen het je moeilijker maken, maar probeer erachter te komen hoe ze werkelijk denken over hun zielige circusvertoning.'

Ik maakte aantekeningen in mijn spiraalschrift terwijl Suzanne afratelde hoe het ideale eindproduct eruit zou moeten zien. Maar over het verhaal zelf maakte ik me de minste zorgen. Ik wist ongeveer al wat ik zou gaan schrijven. Ik verwachtte niet dat de ervaring zelf iets schokkends zou opleveren, zoveel raketgeleerden konden er niet zijn die dolgraag door de bachelor ten huwelijk gevraagd wilden worden.

Ik keek op mijn horloge en besefte dat ik mijn trein zou missen als ik niet meteen zou gaan. Het was tijd om Suzanne en alle onzekerheden achter te laten.

'Ik heb het allemaal genoteerd. Ik weet wat het tijdschrift van me verwacht; ik weet zeker dat ik je niet zal teleurstellen.'

Ik stond op en trok mijn koffertje onder de stoel vandaan.

'Dat weet ik. En wat vindt Jack van dit alles?' vroeg ze, terwijl ik mijn notebook en PalmPilot pakte.

'Hij zegt dat hij er geen moeite mee heeft, maar ik denk niet dat het al tot hem is doorgedrongen hoe de situatie in elkaar zit.'

'Nou, wacht maar tot hij iedereen kan vertellen dat zijn vrouw een wijfie is geweest.'

Ik betwijfelde of Jacks collega-advocaten überhaupt naar het programma keken. De secretaresses, misschien.

'Op de een of andere manier denk ik niet dat zijn partners erg onder de indruk zullen zijn. Als het niet betekent dat hij zijn doorberekenbare uren kan vermeerderen zou ik evengoed kunnen optreden in *That's incredible* met onze eetborden in mijn onderlip. Het zou ze niks kunnen schelen.'

'Dat weet ik zo net nog niet; het idee van vierentwintig hete meiden die elkaar bestrijden is voor sommige kerels opwindend.' Suzanne grijnsde ondeugend, waarschijnlijk zag ze in gedachten een orgie van wijfies voor zich die elkaar met naaldhakken bewerkten.

'Het is duidelijk dat je niet vaak in een advocatenkantoor bent geweest.'

'Gelukkig niet.' Suzanne gooide met een dramatisch gebaar haar hoofd achterover en deed net alsof ze het zweet van haar voorhoofd veegde. 'In ieder geval wens ik je veel succes.'

Ze gaf me een schouderklopje toen ik haar kantoor uit liep. 'Bedankt.' Ik zou het nodig hebben.

Katie zat in een koffer op de grond en legde de binnenriemen van de koffer als stoelriemen over haar mollige beentjes. Iedere keer dat ze haar snotneus met haar handje afveegde kwam er weer een streep snot op haar wangetje bij. Mijn zinloze pogingen haar een Kleenex te geven hadden geresulteerd in een nest van gescheurde tissues onder in de koffer.

Ik was bezig mijn garderobe in een grotere koffer te krijgen die op het bed lag en propte waterbh's en slank makende onderkleding tussen cocktailjurkjes, topjes en broeken met uitlopende pijpen. Mijn nieuwe garderobe lag opgestapeld op het dekbed, genoeg outfits om vijf weken en allerlei activiteiten mee door te komen, variërend van een potje tennis tot een dansavond.

'Niet erop kauwen, liefje.' Ik pakte het bagagelabel uit Katies onderzoekende vingertjes. Ze nieste in mijn hand, waardoor ik opeens een handvol snot had. Ik had steeds gedaan alsof ze helemaal niet ziek was en of mijn vertrek niets met haar verkoudheid te maken had. Toen Marta er was had ze bijna de hele middag doorgeslapen, wat ik opvatte als een teken dat ze beter begon te worden. Ik had ongelijk. Nu was ik niet alleen een egoïstische moeder die haar kind achterliet om haar werk te doen; je kon nu bijna zeggen dat ik haar verwaarloosde.

Katies verkoudheid zou het avondprogramma dat ik had voorbereid in de war schoppen, een avond waarbij we eerst wat tijd als gezin met elkaar zouden doorbrengen, voordat Jack en ik samen een beetje volwassenenpret gingen maken. Toni en Teri hadden een paar kanten stukjes ondergoed voor me uitgezocht, waarvan ik Jack een voorvertoning wilde geven. We hadden al bijna twee weken geen seks gehad, vanaf het moment dat ik finaliste was geworden, maar ik verdomde het om vijf weken weg te gaan zonder eerst een beurt te krijgen.

Mijn nieuwe haardracht was een kleine verrassing voor Jack. Suzanne had het voorgesteld en had zelfs een afspraak voor me gemaakt met de 'was-nazi's', een zusterlijk duo dat beroemd was vanwege hun verboden-aan-te-raken, Braziliaanse bikinilijnen. Het was waarschijnlijk dat ik me een keer in een badpak zou moeten vertonen als ik de eerste aflevering zou overleven. De tweeling had een tweedelig badpak met een haltertopje uitgezocht en een paar hippe, roze met gele tropische bikini's met beugels en borstvullingen. Na één blik op de hoog uitgesneden slipjes moest ik het met Suzanne eens zijn. Het kostte slechts tien minuten om ongeveer elke schaamhaar met wortel en al uit te rukken, waarna een geschokte, zijdezachte huid overbleef.

Nadat Katie bijna was omgevallen door drie niesbuien, geloofde ik het wel en smeet de kleren gewoon in de koffer. Ze hadden vast wel strijkijzers in Californië en in het Hotel Ritz hadden ze ongetwijfeld een conciërge.

Het was tijd me op het diner te storten. Marta had alle boodschappen gedaan en ik moest mijn culinaire kunsten vertonen in de keuken.

Ik hakte uien, sneed aardappels en maakte worteltjes schoon; al die echtelijke plichten van een vrouw die ik meestal wist te vermijden dankzij Jacks onvoorspelbare werkuren. Ik keek steeds voor de zekerheid in het kookboek, een oud, gebonden exemplaar van Julia Child, dat ik bij mijn verloving van mijn moeder had gekregen, toen die nog de illusie koesterde dat ik een ideale huisvrouw zou kunnen worden.

Na een uur gooide ik de groenten, twee glazen wijn, een blik kippenbouillon en een paar kippenborsten in een grote ovenschaal, zoals het recept voorschreef. En toen begon ik te duimen. De nog bijna volle wijnfles stond naast het fornuis. Ik trok de kurk eruit en goot een rode straal in de schaal. Ik dacht dat als twee glazen wijn goed waren, een halve fles voor culinair genot moest kunnen zorgen, of in ieder geval voor een lekker tipsy gevoel.

Na een paar minuten trok de geur van *coq au vin* door het huis, het bosachtige aroma van bourgognewijn met uien en rozemarijn. Als Jack één stap door de deur zou zetten zou hij weten dat dit een bijzondere avond zou worden.

Toen ik Jack vertelde dat ik een bijzondere avond in petto had, zei hij dat ik overdreef. Ik zou hooguit vijf weken weg zijn. Hij had rechtszaken gehad die maanden duurden en waarvoor hij al weg moest voordat ik op was en op kantoor moest blijven tot 's avonds laat. Als hij met die zaken bezig was zagen we elkaar nauwelijks, behalve als hij in bed kroop of eruit ging. Dit was net zoiets, dacht hij.

Maar ik vond het nogal wat om hem en Katie zo lang alleen te laten. Hij beloofde dat hij vroeg thuis zou zijn, zodat we gezellig van het diner konden genieten voordat we ons aan andere zaken zouden wijden.

Katie zat in haar kinderstoeltje handen vol erwten van haar blad te pakken en ik was bezig de kaarsen op de eettafel aan te steken toen de telefoon ging. Het was Jack. Ik wist al wat hij ging zeggen voordat hij een woord had uitgebracht.

'Het spijt me; ik weet dat het jouw laatste avond is,' verontschuldigde hij zich, waarbij hij net zo teleurgesteld klonk als ik me voelde. 'De verdediging kwam opeens met het verzoek de zaak onontvankelijk te verklaren, op vrijdagmiddag, verdomme.'

Op de achtergrond hoorde ik hem de laden van zijn bureau dicht gooien.

'Ik ben om negen uur thuis. Ik beloof het je.'

Het was bijna halfzeven.

'Prima.' Ik kon niet veel sympathie voor hem opbrengen. 'Ik ben hier.'

'Sarah, ik zei toch dat het me spijt.'

Ik mompelde iets over dat het wel goed was en hing op.

De eerste fase van mijn avond was verpest. Op naar fase twee.

Om acht uur had ik Katie in bad gedaan, haar medicijnen gegeven en in haar pyjamaatje gehesen. Ze zat op mijn schoot en ik las haar voor, terwijl ze met haar mollige vingertjes de plaatjes van Poeh en Knorretje en Teigetje aanwees. Ik vroeg me af of ze besefte dat vanaf morgen Marta of haar pappie de gekke geluidjes zouden maken van Teigetje die op zijn staart rondhuppelde. En dat ik in het Ritz-Carlton Hotel in Laguna Niguel zou zijn. Me voorbereidend op het versieren van een onbekende man.

Ik wiegde Katie heen en weer tot ze in slaap viel, waarbij haar verstopte neus een fluitend geluid maakte bij elke ademhaling.

Toen ik terug liep naar de keuken om op te ruimen wierp ik een blik in de spiegel in de hal. Ik zag er nog steeds goed uit. Voorwaarts maar weer.

Het rook verbijsterend lekker in de keuken en het leek bijna zonde om zo'n heerlijke – en zeldzame – maaltijd in mijn door de vaatwasser scheefgetrokken Tupperware-doos te doen. Jack zou mijn smakelijke maaltijd niet te zien krijgen, maar in ieder geval kon hij er het hele weekend van eten. Toen het voedsel in de koelkast was opgeborgen en de keuken ontdaan was van de laatste resten van mijn gourmet kookkunsten, pakte ik de fles wijn en ging naar de woonkamer om te wachten.

En te wachten. Het leek tegenwoordig alsof ik degene was die altijd wachtte. Wachtte tot Jack thuiskwam van zijn werk. Wachtte tot hij zou bellen om me te vertellen hoe laat hij thuis zou zijn. Wachtte tot hij me een begroetingskus gaf of me slechts aankeek met een blik die zei dat we het gewoon te druk hadden om te praten.

Toen Jack halverwege het tweede jaar overwoog met zijn rechtenstudie op te houden, kon ik me niet voorstellen wat hij dan zou moeten gaan doen. Ik zat toen vijf maanden op de hogeschool, omringd door andere mensen die schrijver wilden worden of journalist, toekomstig advocaat en zakenman, en ik was nog niet zover dat de gedachte me aansprak verkering met iemand te hebben die dat allemaal wilde opgeven om in een bandje te gaan spelen. Natuurlijk was het cool om een vriendje te hebben die in een band speelde, mits hij daarnaast ook rechten studeerde.

Niet dat Jack echt van plan was de rest van zijn leven in een bandje te spelen. Hij dacht gewoon dat het een goede manier was om geld te verdienen terwijl hij kon bedenken wat hij verder wilde gaan doen. Maar ik wist dat zijn onverschilligheidheid over zijn rechtenstudie waarschijnlijk was ontstaan door het blokken voor het eindexamen en het vechten met klasgenoten om de beste zomerbaantjes. Na zes blikjes Heineken en een marathonsessie in mijn futonbed was hij het met me eens. Maar hij had toch nog anderhalf jaar te gaan voordat hij kon afstuderen en dan had hij nog jaren van zwoegen als toegevoegd advocaat voor de boeg, voordat hij partner kon worden. Hij wilde zekerheid dat ik bij hem zou blijven. Zul je op me wachten? had hij gevraagd, alsof hij me vroeg me op te offeren. Ik verzekerde hem dat ik zou wachten.

En dus bleef ik wachten.

Morgen zouden de rollen worden omgedraaid en zou Jack degene zijn die zat te wachten op mijn telefoontjes uit Californië, te wachten om erachter te komen wat ik uitspookte en met wie. We zouden eens zien hoe dat hem zou bevallen.

Ik stond voor de stereo-installatie te wachten tot Van Morrison klaar was met zijn liedje en stond gereed om de 'off'knop in te drukken toen Jacks koplampen de kamer in schenen terwijl hij de oprit opkwam.

Ik kende zijn routine uit mijn hoofd. Hij kwam altijd binnen door de keukendeur, gooide zijn sleutels op het werkblad en keek even wat voor post er was. Precies zoals ik verwachtte hoorde ik het bekende gerammel van de sleutels die op het granieten blad landden, waar ik me altijd wezenloos aan ergerde.

'Wat ben je laat.'

'Ik weet het. Sorry.' Hij kwam achter me staan en sloeg zijn armen om mijn middel. 'Mmmm, het ruikt lekker hier.'

'Dat was je diner.'

'Ik klap van de honger.' Hij wreef over zijn maag. 'Hoe ging het vandaag?'

'O, gewoon.' Ik maakte me los uit zijn greep en deed een paar stappen van hem vandaan. 'Ik had een bespreking in de stad met mijn redacteur, ik moest mijn koffer pakken, ik moest nog wat onderzoek afmaken, en Katie zit helemaal verstopt en krijste iedere keer dat ik even wegliep. Lief dat je het vraagt.'

Ik sloeg mijn armen over elkaar en Jack slaakte een zucht.

'Wil je zo onze laatste avond samen doorbrengen? Met ruzie maken?'

'Nee, ik wil alleen dat je toegeeft dat je het verpest hebt.' Alweer.

'Ik zei toch al dat het me speet. Het is niet dat ik niet hier wil zijn.' Jack trok zijn jasje uit en gooide het over de stoelleuning. 'Voor mij is het ook vrijdag. Ik wil liever bij mijn gezin zijn dan opgesloten in een bibliotheek rechterlijke uitspraken zitten lezen. Ik heb een baan.'

'Je doet net alsof ik een paar weken in Las Vegas wil gaan gokken. Ik heb ook een baan, weet je nog?'

Jack kwam naar me toe en nam mijn gezicht in zijn handen.

'Het spijt me. Ik wil vanavond bij jou zijn. Ik zal je missen.'

Jack keek me aan met uitputting in zijn ogen; het was te zien dat hij een week in de rechtszaal achter de rug had en weinig had geslapen. Ik aaide hem over zijn wang en voelde de schaduw van een baard die alweer te voorschijn kwam.

De klok op de schoorsteenmantel begon te slaan. Het was tien uur.

'Kom mee naar boven,' stelde ik voor, terwijl ik zijn hand pakte en hem voorging.

'En het diner dan?'

'We gaan meteen door naar het dessert.'

Ofschoon ik popelde om Jack uit de kleren te krijgen, liet ik toe dat hij me langzaam hielp met uitkleden. Ik genoot van zijn zachte aanraking, de manier waarop hij met zijn dikke vingers voorzichtig mijn broek losknoopte en die over mijn heupen liet glijden, waarbij hij mijn huid streelde.

Ik kon merken dat Jack onder de indruk was toen hij de ivoorkleurige, kanten bh en slipje ontdekte die Toni en Teri voor me hadden uitgezocht. Niet dat hij de tijd nam me dit te vertellen. Hij had ze in twee seconden uitgedaan.

Jacks warme huid rook nog vaag naar de aftershave die hij die ochtend had opgedaan en dit deed me denken aan vroeger, voordat hij partner was geworden en Katie was geboren. Toen we 's morgens met een kus afscheid van elkaar namen om vervolgens weer terug in bed te duiken.

Ik gleed met mijn tong over zijn sleutelbeen, snoof met diepe teugen zijn geur op en liet de zilte smaak van zijn huid door mijn mond rollen. Ik kon me de tijd nog herinneren dat hij geen reukwater gebruikte. Ik ging altijd naar hem luisteren als hij optrad in bars in Evanston. Dan rook hij naar verschaalde rook en smaakte naar goedkoop bier. Als ik toekeek terwijl hij op het podium stond en zijn vingers moeiteloos over zijn elektrische gitaar liet glijden, snaren bespelend waarvan ik me inbeeldde dat het mijn naakte lichaam was dat hij zo vaardig hanteerde, brandde ik van verlangen om alleen met hem te zijn; de manier waarop hij tijdens solo's zijn ogen dichtdeed en zijn hoofd liet hangen met een intensiteit die ik zo snel mogelijk in mijn bed wilde zien te krijgen.

Als hij tegenwoordig met klanten uit eten was geweest en stinkend naar sigarenrook en whiskey thuiskwam, wist hij dat hij eerst moest douchen voordat hij tussen de lakens kroop. Toen ik zesentwintig was vond ik het sexy; nu vond ik het weerzinwekkend.

We gaven elkaar een lange, diepe zoen en drukten ons zo dwingend tegen elkaar aan dat ik bang was dat we te snel gingen. Ik wilde dat dit langer zou duren.

'Hoor ik Katie?' fluisterde ik terwijl Jacks lippen over mijn hals gleden.

'Niet op haar letten. Ze valt wel weer in slaap.'

Ik probeerde me te concentreren op Jacks vingers die hun weg naar mijn dijen zochten. Ik legde mijn hoofd tegen de dunne haartjes op zijn borst en hoopte dat zijn snelle hartslag het gekerm van Katie zou overstemmen. Het werkte niet. Als moeder was ik biologisch niet geschikt een huilend kind te negeren.

'Ik kan het niet als ze huilt,' zei ik.

'Goed.' Jack rolde van me af. 'Ik ga haar wel halen.'

Ik trok de lakens en de sprei op tot mijn kin en keek toe toen Jack zijn ochtendjas aantrok. Zelfs de dikke badstof kon de tent niet verhullen die tussen Jacks benen vooruitstak toen hij wegliep.

Terwijl ik op Jack lag te wachten keek ik naar de rode gloed van de wekker: 10.23 uur. Over nog geen twaalf uur zou ik in het vliegtuig zitten, op weg naar de bachelor. Het leek onmogelijk.

'Er is niets met haar aan de hand.' Jack liet zijn ochtendjas op de vloer vallen en kroop bij me in bed.

'Heb je haar Huggy Bear gegeven?'

'Ik heb haar alle knuffels gegeven die op de plank lagen.'

'Heeft ze haar Huggy Bear?' vroeg ik nogmaals. 'Ze kan niet slapen als ze die niet heeft.'

'Dat weet ik niet. Alles is in orde. Ze huilt niet meer.'

Ik luisterde. Het was weer stil in huis.

'Weet je zeker dat het allemaal zal lukken als ik weg ben?' vroeg ik; ik had behoefte aan geruststelling, ik wilde zeker weten dat mijn dochtertje in mijn afwezigheid niet zou stikken door haar verstopte neus.

Jack gaf geen antwoord. Hij was zich langs mijn lichaam al een weg naar beneden aan het banen en gleed langzaam met zijn tong over mijn navel naar de plek waarvan geen terugkeer meer mogelijk was.

'Nou, gaat het lukken, denk je?' vroeg ik nogmaals.

Hij hield plotseling op met liefkozen en keek naar me op. 'Sarah, wil je nou alsjeblieft ophouden?'

Wat voor antwoord moet je op zo'n vraag geven als je man op het punt staat je oneindig genot te schenken? Nee, ik ben een vreselijk kreng en ik wil nu een antwoord?

Ik deed mijn ogen dicht en liet Jack zijn gang gaan.

4

$\mathcal{T}$oen ik uit de gate kwam op John Wayne Airport stond er een chauffeur klaar die me snel naar het Ritz-Carlton Hotel vervoerde.

De piccolo liet me in mijn kamer binnen en ik werd onmiddellijk ondergedompeld in luxe. De elegant ingerichte kamer was van het ornamenten plafond tot de paneeldeuren waarachter een welvoorziene bar schuilging, voorzien van donkere, houten belijsting. Het kingsize bed werd geflankeerd door rijk bewerkte, houten nachtkastjes en was voorzien van een dik bekleed hoofdeinde, dat de zware, gebloemde gordijnen en de prachtig beklede stoelen goed deed uitkomen. Geen speelgoed, geen snot, geen echtgenoot die weer eens te laat was. Wie zat er op de bachelor te wachten? Ik was nu al verliefd.

Ik nestelde me in de decoratieve kussens van chintz op het bed en zag een welkomstpakket staan, compleet met fruitmand en door het hotel aangeboden persoonlijke verzorgingsproducten. Morgenochtend om acht uur precies werd ik verwacht in de 'Pacific' vergaderzaal om te ontbijten en een oriëntatiegesprek te voeren. Daarna was ik tot vier uur vrij om de aantrekkelijke voorzieningen van het hotel te verkennen en me voor te bereiden op de cocktailparty; dan zouden we met limousines worden opgehaald en naar de bachelor gebracht worden. Nadat ik mijn koffer had uitgepakt en de telefoonbeantwoorder thuis had ingesproken om Jack te laten weten dat ik veilig was aangekomen, liep ik naar beneden om het hotel te bekijken. In de lobby liepen de gasten rond met tennisrackets, strandspullen en winkeltassen. Ik keek om me heen of ik misschien single vrouwen zag die ook hadden ingecheckt voor *De Bachelor*, maar ze hadden niet bepaald een grote H op hun borst gespeld. Als ze

geen trouwring droegen, geen baby bij zich hadden en niet boven de dertig waren, kon elk van die vrouwen doorgaan voor
een wijfie.

Nadat ik een rondje om het zwembad had gelopen, ging ik terug naar mijn kamer; ik wilde iets bij roomservice bestellen en
alvast wat aantekeningen voor het artikel maken. Ik liep door de
marmeren lobby en maakte een omweggetje via het cadeauwin-
keltje van het hotel. Er stond een rek met ansichtkaarten waarop prachtige golven, ongerepte zandstranden en oranje zonsondergangen stonden afgebeeld. Ik bekeek een paar kaarten tot ik
er eentje zag met het uitzicht vanaf het zwembad naar het strand.
Ofschoon het terrein rond het zwembad vol was met zonaan-
bidders en zwemmers toen ik er zojuist geweest was, toonde de
foto op deze kaart een leeg, sereen zwembad dat leidde naar een
verlaten strand. Ik overwoog de kaart naar Jack en Katie te sturen. Maar die zaten waarschijnlijk te zweten in de augustushitte.
Waarom zou ik zout in de wonde strooien?

De volgende ochtend zat ik op een ongemakkelijke, metalen stoel,
tussen twee blonde twintigjarigen in, te wachten tot een oudere
Hollywood-producer ons wat televisiewijsheden zou voorschotelen.

De man met de grijze paardenstaart die ik had ontmoet bij het
gesprek in Chicago stond aan het hoofd van de tafel met papieren te ritselen. De 'Pacific' vergaderzaal was echt zo'n zaal die gebruikt werd voor zakelijke bijeenkomsten. Hij bevatte invouw-
bare wanden zodat aangrenzende ruimten bij de zaal betrokken
konden worden. Hoewel er door smaakvolle kandelaars en gouden randen op het plafond veel moeite was gedaan om de sterie-
le sfeer van een hotelzaal te vermijden, was het een koele, onge-
zellige ruimte. Aan sommige dingen kon zelfs het Ritz-Carlton
niets veranderen.

De man met de paardenstaart schraapte zijn keel en ging op
een verhoging staan.

'Goedemorgen, dames. Ik ben Arnie Silverman en ben een van
de producers van het programma. Ik heet u hartelijk welkom en
wil even zeggen dat we het allemaal erg spannend vinden het nieuwe *Bachelor*-seizoen in te gaan.' Hij deed zijn bril af en wendde

zich tot een streng uitziende vrouw die links van hem zat terwijl hij met zijn bril in haar richting wees. 'Dit is mijn vrouw Sloane, en jullie hebben vast een aantal vragen, die we vanochtend hopelijk kunnen beantwoorden. Willen jullie pagina één van jullie boekje openslaan?'

In de zaal klonk het ritselen van omslaande pagina's toen de vierentwintig wijfies pagina één opzochten.

'Er zijn een paar dingen die jullie moeten weten met betrekking tot de cocktailparty van vanavond.'

Ik gluurde om me heen om te zien of ik een reactie op Arnie, onze dappere leider, kon opvangen. Iedereen zat recht voor zich uit te staren en ingespannen te luisteren. Als militaire recruten die zich voorbereidden op de strijd.

Arnie begon op te lezen wat er op zijn protocollijst stond.

'Jullie kunnen altijd, op elk moment, gefilmd worden. Vierentwintig uur per dag, zeven dagen per week. Er kan met verborgen camera's worden gewerkt. Zoals jullie al weten is het bezit en gebruik van opnameapparatuur, fototoestellen en laptops verboden. Het gebruik van mobiele telefoons wordt niet aangemoedigd, hoewel we begrijpen dat die nuttig kunnen zijn in een noodsituatie. Ze mogen alleen in de hotelkamers gebruikt worden en mogen in geen geval meegenomen worden naar afspraakjes en uitstapjes.' Hij keek ons over de rand van zijn bril aan om zich ervan te overtuigen dat iedereen goed luisterde en ging toen verder met zijn opsomming. 'Zolang je hier in het Hotel Ritz verblijft mag je tegen mensen die niets met het programma te maken hebben niets zeggen over waarom je hier bent of wat je hier doet. Diegenen van jullie die de derde kaarsceremonie halen zullen gedurende de rest van de opnamen worden ondergebracht in een afgeschermde bungalow. Tijdens de opname van het programma ben je verplicht met de andere deelneemsters en de producers te leven, activiteiten te ondernemen en samen te werken. Ordinair taalgebruik wordt afgekeurd en zal uit de film geknipt worden als het programma de lucht in gaat. Hoewel je gefilmd wordt moet je je zo normaal mogelijk gedragen. Tijdens afspraakjes gedraag je je overeenkomstig. Zoenen, strelen en seksuele activiteiten zullen worden geëdit naar de maatstaf van betamelijkheid. Met andere woorden, we zullen niet je tieten laten zien, al wil je dat nog zo graag!' De wijfies lachten beleefd. Ik haatte hen nu al, zowel de wijfies als de producers.

Arnie was klaar met zijn betoog en legde het boekje op het podium. Hij wendde zich tot Sloane alsof hij wilde zien of ze het ermee eens was en ging verder. 'Neem even de tijd om de rest van het boekje te lezen. Er staan nog andere belangrijke wetenswaardigheden in, waar ik nu niet in detail op inga. Ik wil er echter wel even op wijzen dat op pagina vijf staat wat de extra kosten van het hotel zijn voor zaken die overstijgen wat redelijkerwijs kan worden beschouwd als horend bij jullie verblijf hier. Op pagina zeven wordt uitgelegd hoe we omgaan met het toebrengen van schade aan bezittingen en het verhalen van de kosten; dus als je na een kaarsceremonie besluit je frustraties te botvieren op het hotelmeubilair, is het misschien handig eerst de aansprakelijkheidsclausule te lezen. En op pagina negen tot en met elf ten slotte staat de toelichting op geoorloofde en ongeoorloofde bezoeken aan de bachelor.'

Arnie zweeg en liet de angst voor de hand van de wet of in ieder geval van de diepe zakken van het rechtsbijstandsteam van het televisiestation bezinken bij zijn toehoorders. Ik wierp een blik om me heen en zag niemand die opstandig leek en in staat het tegen Arnie op te nemen; precies wat ik al had gedacht, niemand met een diploma rechtenstudie.

'Tot zover de belangrijke zaken. De rest van het boekje kun je op je gemak doorlezen. Ga nu een beetje plezier maken. We zien jullie om vier uur weer in de lobby.'

Ik bleef zitten terwijl de andere vrouwen opstonden om te vertrekken, zodat ik de kippenvoorraad van dit seizoen eens goed kon bekijken. Ze verschilden niet veel van de vrouwen bij de auditie in Chicago; ze leken iets beschaafder, met minder tattoos en piercings.

Ik zag een bekend hoofd met blonde krullen achter aan de wijfiesparade en wuifde haar toe.

'Sarah!' Bebe zwaaide terug en wees naar de gang.

Ik baande me een weg door het gangpad en trof Bebe aan bij de deur van het damestoilet.

'Is het niet geweldig? We hebben het allebei gehaald! Je moet me maar vergeven dat ik je zal verwaarlozen nu we hier zijn. Ik moet alle camera-shots pakken die ik kan krijgen. Dat begrijp je toch wel?'

'Natuurlijk snap ik het, uitzendtijd en zo.'

'Precies. Man, wat zijn die dingen toch ongelooflijk.' Bebe legde haar hand op mijn linkertiet en kneep erin. 'Ze voelen zelfs echt aan.'

Om exact vier uur verzamelden alle vierentwintig wijfies zich in de lobby van het hotel en werden een voor een begeleid naar zwarte, grote limousines. Ik ving een korte glimp op van de vrouwen voordat ze achter het getinte glas doken en wegreden. Ze zagen er beter uit dan gemiddeld, maar leken verder tamelijk normaal, of in ieder geval zo normaal mogelijk als je het over vrouwen hebt die op het punt stonden de jacht te openen op een onbekende man en het hele gebeuren lieten opnemen voor televisie.

Ik had de nachtblauwe jurk aangetrokken waarvan Toni en Teri hadden beweerd dat die me zou laten opvallen tussen de voorspelbare kleding die de andere vrouwen zouden dragen. Ze kregen gelijk.

Afgezien van mijn jurk bleek het uniform voor deze avond te bestaan uit zwarte of rode cocktailjurkjes die gebruinde schouders bloot lieten, sleutelbeenderen lieten uitsteken en een decolleté toonden dat had kunnen doorgaan voor de scheiding tussen de continenten. De vrouwen lieten weinig aan de verbeelding over en de geprefereerde mode-uiting was kort en strak.

Mijn Toni-en-Teri-keuze accentueerde mijn benen door een zachte chiffonoverslag die tot halverwege mijn dijen viel. De spaghettibandjes, die meer de breedte van *fettucini* hadden, liepen ongeveer vijftien centimeter omlaag naar de bovenkant van de jurk en gingen zachtjes over in een v-lijn waardoor de suggestie werd gewekt dat ik meer te bieden had dan je op het eerste gezicht zou vermoeden. Suzanne en haar team wilden dat ik er voldoende anders uitzag om de aandacht van de bachelor te trekken, maar het moest wel subtiel zijn. Ik moest zijn interesse prikkelen en hem naar meer doen verlangen. Ik denk dat de laatste keer dat ik me zo elegant had gevoeld, was toen ik *Sweet Child o'Mine* had geblèrd en getoast had op mijn einddiploma tijdens een diner-dansant van de afstudeerklas, afgezien natuurlijk van de keer dat de ambtenaar van de burgelijke stand ons tot man en vrouw had verklaard.

De vierentwintig limousines stonden achter elkaar in een smalle straat die langs het strand liep klaar om hun vrachtje te lossen. Om de twee minuten reed de volgende limo de ronde oprit op, die leidde naar het vrijgezellenhuis op de klif waar de bachelor tijdelijk zijn intrek had genomen. We kregen de instructie dat we voorzichtig moesten uitstappen en de camera geen blik in ons kruis mochten gunnen, en dan als deelneemsters aan een schoonheidswedstrijd naar de voordeur van het huis moesten schrijden. De bachelor zou daar op ons wachten en we moesten hem vriendelijk begroeten; een korte omhelzing of een kus op zijn wang was voldoende.

Nadat ik voor mijn gevoel uren uit het autoraampje naar het zeegras had zitten staren, begon mijn chauffeur langzaam het grindpad op te draaien. Ik voelde onverwacht de adrenaline door me heen jagen. Onwillekeurig gleed ik met mijn duim langs mijn linker handpalm, op zoek naar de vertrouwde ringen die normaal gesproken om mijn vinger zaten. Maar er zaten geen ringen, alleen gladde, onbedekte huid die duidelijk maakte dat ik beschikbaar was. Dankzij een dagelijkse portie bruin-zonder-zon was het lichte stukje huid waar de ringen gezeten hadden niet meer van de rest te onderscheiden. Ik voelde me merkwaardig kwetsbaar, bloot. Maar er was geen tijd voor onzekerheid. Het was *showtime*!

Toen de chauffeur het portier voor me opende, werd ik begroet door een verblindend wit licht waarvan ik niet alleen schrok, maar dat ook sterretjes voor mijn ogen toverde. Ik kreeg de neiging in mijn ogen te wrijven, maar ik wilde niet dat mijn mascara zou doorlopen. Dit was nou eenmaal televisie. Toen ik weer goed kon kijken, zag ik dat de cameraman op me inzoomde. Ik tuurde langs het stenen pad naar de voordeur, waar op vijf meter afstand een man in een blauw gestreept pak op me stond te wachten; een ongelooflijk stuk dat er net zo perfect uitzag als de producers hadden toegezegd.

De naam van de bachelor was Chris Masters. Student aan Stanford. Afgestudeerd aan Harvard. Uitstekend zeiler en skiër. Kran-

tenuitgever wiens familie een aantal kranten bezat in het noord-
westen van het land, om niet te spreken van de beginnende kranten die hij overal in het land opkocht. Hij was achtentwintig, een
meter vijfentachtig lang en hij had een brede grijns, uitstekende
jukbeenderen en bruine ogen. En hij had al zijn haar nog.

'Hallo, ik ben Sarah.' Ik stak mijn hand uit en kreeg daar onmiddellijk spijt van omdat ik beefde! En was dat mijn lotion of
was het werkelijk zweet dat in mijn handen stond?

'Hoi, Sarah, ik ben Chris. Leuk je te ontmoeten.' Hij glimlachte
breed terwijl de camera dichterbij kwam en ons filmde.

'Loop door,' beet de regisseur me toe vanachter Chris, waarmee hij een in mijn gevoel ongewoon lange, vaste handdruk ruw
onderbrak. Wilde de bachelor mijn hand eigenlijk niet loslaten?
Of was mijn hand zo zweterig dat onze handen aan elkaar geplakt leken?

Ik trok mijn hand terug en liep in navolging van het bevel van
de regisseur door de klapdeuren om samen met de andere vrouwen te wachten. In de huiskamer stonden cameralieden, de regisseur en een paar assistenten. Ze droegen allemaal dunne zwarte hoofdsets met microfoons. Ze negeerden de aanwezigheid van
al die elegant geklede vrouwen en zochten een strategische positie van waaruit ze de entree van de bachelor konden filmen.

Ik ontdekte Bebe die op de leuning van de bank zat met haar
benen zorgvuldig over elkaar geslagen, alsof ze voor de camera
poseerde. De overige vrouwen hielden haar met argusogen in de
gaten en enkelen van hen deden haar na en probeerden zelf ook
een paar poses uit. Ze leken allemaal zo beheerst, zo zelfverzekerd en vastbesloten, maar steeds als er een nieuw wijfie binnenkwam gleed hun blik naar de deur om de nieuwkomer in te schatten met het strategisch inzicht van een generaal die oorlog voert.

Toen het laatste wijfie zich bij ons in de verlaagde zitkamer
voegde, wachtten we alleen nog op Chris. De presentator stond
hem te interviewen achter de grote, verweerde, schuurachtige
deur, ongeveer drie meter van waar wij stonden.

Plotseling namen de cameramensen hun plaats in, ging de voordeur open en stapte de bachelor binnen – een lichtelijk nerveuze
koning die zijn harem komt inspecteren.

De cocktailparty zou twee uur duren en het was de bedoeling

dat we zouden rondlopen en kennis met elkaar zouden maken. Dat vond ik prima. Ik wilde tenslotte ontdekken wat een vrouw in vredesnaam bewoog mee te doen aan *De Bachelor*. Ik moest een paar vrouwen zien te vinden wier tong wat losser was geworden door de drankjes, om een begin te maken met het verhaal waarvoor ik hier was.

Ik pakte een glas champagne en wat aardbeien van een zilveren dienblad dat op de koffietafel stond en begon langzaam rond te lopen. Het interieur was zowel mannelijk als huiselijk; een combinatie van een dure skihut en een strandhuisje. Kale houten tafels waren opgevrolijkt met kaarsen en grote, ondiepe glazen schalen waren gevuld met water en drijfkaarsen en chenille plaids waren achteloos over de leuning van chocoladebruine leren stoelen gedrapeerd. Voor een *reality show* was het een stuk beter dan te stranden op een onbewoond eiland en kruipende beestjes te moeten eten.

'Wat een vreemde toestand, hè?'

'Zeg dat wel,' antwoordde ik, terwijl ik me naar de vrouw links van mij keerde, die in een strapless zwart cocktailjurkje geperst zat. 'Ik ben Sarah.'

'Ik heet Iris.'

'Waar kom je vandaan, Iris?'

'Uit de plattelandsstaat New Jersey.' Ze lachte erbij en ik glimlachte.

'Wat doe je in het dagelijkse leven?'

Iris aarzelde even en koos haar woorden zorgvuldig. 'Je zou kunnen zeggen dat ik in de informatie business zat. Ik heb nu even geen werk.'

'Dat is vervelend voor je. De economie is zwak, nietwaar?' Arm kind. Ze had waarschijnlijk haar laatste centjes uitgegeven aan dat worstenjurkje.

'Ja, zoiets.' Iris keek zenuwachtig om zich heen. 'Ik ga op zoek naar de wc voordat ik het in mijn broek doe. Ik zie je nog wel.'

Ik keek Iris na terwijl ze zich een weg baande door de menigte wijfies. Het leek erop dat de vrouwen best vriendelijke gesprekjes met elkaar voerden, maar ik kon zien dat elk wijfie zich bewust was van haar rivales. Hun blik flitste door de ruimte, op zoek naar de vrouwen die de grootste bedreiging vormden en in de gaten houdend hoeveel minuten ze met de bachelor stonden te praten. Ze keken naar de bachelor met de pijnlijk hongerige blik van een anorexialijder die een schaal met snoepjes ziet staan; ze berekenden de minuten met Chris alsof het calorieën waren; ze snakten naar zijn aandacht. Iedere keer dat hij zich verplaatste naar een ander meisje, waarbij een camera hem voorging en elke beweging vastlegde, leek de menigte een collectieve zucht van verlichting te slaken, dankbaar dat hij niet op de knieën was gezonken en verklaard had dat het programma afgelopen was, want hij had de vrouw van zijn dromen gevonden.

Zodra er een camera in de buurt van een groep vrouwen verscheen, schudden ze hun haar naar achteren, haalden hun tong over hun lippen om die te laten glanzen en brak er geforceerd gelach door de beleefde gesprekjes heen. Er werd net zoveel met de camera geflirt als met de bachelor.

Drie vrouwen leunden tegen de indrukwekkende vleugel en stonden hun beurt af te wachten. Dit was mijn kans, mijn persoonlijke focusgroep.

'Hallo, ik ben Sarah Divine,' zei ik, terwijl ik op het groepje afstapte.

'Hé, hallo,' antwoordde een slanke roodharige met een zuidelijk accent. 'Ik ben Holly Simpson uit Memphis. En dit zijn Vanessa en Dorothy.'

Ik knikte de twee andere vrouwen toe die hun champagneglazen hieven alsof ze een toast uitbrachten. Vanessa, de bruinste, langste en meest exotische van de twee, knikte verveeld terug en keek de andere kant op. Dorothy leek door haar korte, dikke haar en gedrongen lichaam werkelijk op Dorothy Hamill, een gelijkenis die ik vast niet als eerste opmerkte.

'Wat een mooi huis, vinden jullie niet?' vroeg ik, in de hoop een gesprek op gang te krijgen. Er werd niet veel gepraat. Er werden alleen veel visuele messen door de kamer geworpen in de richting van degene die op dat moment zo gelukkig was met de bachelor te spreken.

'Hij mag er zelf ook wezen,' antwoordde Vanessa, die haar ogen niet van de bachelor kon afhouden. Ze droeg een mouwloze, rode jurk die op een kimono leek; de glanzende satijnen stof schiep een lichtval en schaduwen waarom haar lichaamsrondin-

gen vroegen onder de strakke knopenrij en het opstaande kraag-
je. Vanessa was sexy en afstandelijk tegelijk, zoals een buikdan-
seres die je naderbij lokt met haar blote huid en vaardige bewegingen en vervolgens haar gezicht achter haar sluier verbergt
zodat je haar niet helemaal kunt zien. Door Vanessa met een buik-
danseres te vergelijken zou je ervan uitgaan dat ze een buik hád
en als haar geishajurk iets duidelijk maakte, dan was het wel dat
Vanessa's buik net zo plat en strak was als haar glimlach.

'En waar kom jij vandaan? Wat voor werk doe je? Waarom
ben je hier?' ondervroeg Holly me.

Vanessa en Dorothy keken toe en wachtten op de informatie
waarmee ze me konden inschatten

'Ik kom uit Chicago en werk in de pr.'

'En waarom ben je hier?' herhaalde Holly.

'Waarschijnlijk om dezelfde reden als jullie.' Ik was toch degene die de vragen moest stellen?

'Omdat mannen honden zijn,' zei Vanessa zonder een spier te
vertrekken.

Holly en Dorothy keken haar met een bezorgde blik op hun
gezicht aan.

'En ik ben al te lang hun speeltje geweest,' voegde Vanessa er
aan toe.

Ik liet een lachje ontsnappen, en Holly en Dorothy volgden
met tegenzin mijn voorbeeld.

Nu het ijs was gebroken luisterde ik naar de verhalen van de
drie vrouwen. Vanessa was makelaar in Washington. Ze was verloofd geweest met een voormalige cliënt, een oudere man die ze
had ontmoet toen hij op zoek was naar een huis in Georgetown
– zijn vrouw had bij de scheiding hun boerderij aan de rivier de
Potomac toegewezen gekregen. De dag nadat hij zijn nieuwe huis
in Georgetown had gekocht, had hij het met Vanessa uitgemaakt
en had toegegeven dat het hem alleen om een lagere commissie
te doen was geweest. Hij had zevenduizend dollar bespaard en
het had Vanessa zeven maanden van haar leven gekost.

Dorothy was kok in Atlanta. Ze werkte 's avonds, waardoor
ze niet in de gelegenheid was om mannen te ontmoeten of om uit
te gaan. De mannen die haar mee uit vroegen stelden altijd voor
dat ze voor hen zou koken, ze zei dat dat hetzelfde was als een

tandarts uitnodigen op vrijdagavond een gratis zenuwbehandeling te doen.

En Holly werkte in een winkel van Victoria's Secret in Memphis.

'Reken erop dat de bachelor iets bijzonders te zien krijgt als hij me een avond mee uit neemt.' Ze knipoogde naar ons terwijl een blos zich over haar met sproeten bedekte gezicht verspreidde.

Ik kon me de nasaal sprekende, zuidelijke roodharige met het Nicole Kidman-kapsel niet goed voorstellen als een verleidster in tangaslip, maar ik geloofde haar op haar woord.

'O, kijk nou!' Holly greep Vanessa bij haar gebruinde arm en maakte sprongetjes. 'Daar is hij. Hij komt hierheen! Kun je mijn string goed zien in deze jurk?'

Ik ging er snel vandoor, voordat Holly me kon vragen of haar tepels wel goed zichtbaar waren.

Terwijl ik daar liep voelde ik de blik van de bachelor op me rusten. Er hing in de kamer een sfeer van de wanhoop van single vrouwen die duidelijk dachten dat ze geen andere opties hadden. Ik wist dat ik niet in staat zou zijn me met diezelfde intensiteit aan hem op te dringen. Opeens kreeg ik een uitdagend idee en besloot het risico te nemen. Met de meest zelfbewuste, ongeïnteresseerde tred die ik kon opbrengen liep ik doelbewust de kamer uit.

Buiten ruiste een avondbriesje door de palmbomen die het leistenen terras omringden. De bachelor had zijn eigen vrijgezellenverblijf gekregen, compleet met jacuzzi, zwembad en een stenen pad dat vanaf de klif regelrecht naar het strand leidde. Angst voor water zou in deze situatie niet erg van pas komen.

De achterkant van het huis bestond vrijwel geheel uit glas. Door de openslaande deuren over de hele breedte kwam je op het terras dat aan het zwembad grensde. Achter het zwembad liep een stenen muur om het terrein, waarachter de zee lag.

In het schijnsel van de voetlichten die om het tropische landschap waren aangebracht probeerde ik te bepalen of, en zo ja, wat ik zojuist te weten was gekomen. Vanessa was een cynicus. Dorothy koesterde hoop. En Holly was berekenend. Het enige wat ze gemeenschappelijk hadden was het feit dat ze erop rekenden dat de bachelor hun vertrouwen in de mannen nieuw leven zou inblazen.

'Mooi uitzicht.' Een diepe stem zweefde over mijn schouder.

Ik draaide me om en zag de bachelor staan, die zijn blik gefixeerd had op de rozerode zon die langzaam de oceaan in zakte. Een punt voor de oude dame!

'Waarom sta je hier in je eentje?' vroeg hij, terwijl hij zijn blik naar mij verplaatste.

'Dat zou ik jou ook kunnen vragen.'

'O, tja.' Hij haalde zijn schouders op en ontweek mijn blik. 'Ik heb tegen de cameraploeg gezegd dat ik naar de wc moest en ze maakten een pad voor me vrij alsof ze de Rode Zee waren. Ik had gewoon even wat frisse lucht nodig.'

'Ik ben Sarah,' stelde ik mezelf voor en ik stak mijn hand uit.

'Dat weet ik nog. Ik ben Chris.' Hij schudde me stevig de hand en keek achterom. Aan de andere zijde van de openslaande deuren zochten drieëntwintig opgemaakte ogen de kamer af, hun voelhorens gespitst.

'Het overvalt me allemaal een beetje. Ik wist eigenlijk niet wat me te wachten stond.' Chris gleed met zijn grote, stevige hand door zijn haar.

Ik wist dat dit mijn kans was hem aan een verhoor te onderwerpen en erachter te komen waarom een man vijf weken lang op jacht ging naar een echtgenote. Ik moest mijn journalistieke instincten de kop indrukken, want vanavond was het de bedoeling de ceremonie te doorstaan zonder uit het programma gegooid te worden. Mijn geduld zou beloond worden met een kaars en een extra week de tijd om de gedachten van de wijfies te doorgronden; ik was ervan overtuigd dat er nog heel wat bewegingsruimte in hun hoofd beschikbaar was.

'Ik weet wat je bedoelt; het is voor ons allemaal nieuw.' Ik wierp hem een glimlach toe en hij leek zich een beetje te ontspannen.

'Ik denk dat ik maar terug ga. Ik heb nog een uur om de kudde uit te dunnen.' Hij liet een zenuwachtig lachje ontsnappen. 'Sorry, dat was niet aardig.'

Inderdaad. Een punt voor de bachelor.

'Dat geeft niet. Ik begrijp wel wat je bedoelt.'

'Nee, het was een hatelijke opmerking. Ik hoop dat je me geen eikel vindt.'

'Hoe kan ik je nu al een eikel vinden? Volgens mij hebben we daar minstens twee gesprekken voor nodig.'

Hij hield zijn hoofd scheef en zag eruit alsof hij bezig was een antwoord te bedenken.

'Ik maak gewoon een grapje,' zei ik en ik moest wel om die arme jongen lachen. Misschien was hij toch niet zo'n lul.

Chris glimlachte en ik merkte een kuiltje op in zijn linkerwang, een erg aantrekkelijk kuiltje.

'Nou, dan hoop ik dat we de gelegenheid krijgen voor dat tweede gesprek, zodat we jouw theorie kunnen uittesten. Misschien zal ik de uitzondering op de regel blijken te zijn.'

Chris begon in de richting van het huis te lopen, waarbij zijn gestalte een lange schaduw wierp op het terras toen hij vlak bij de deur was.

'Hé, Sarah,' riep hij me toe terwijl hij zich omdraaide. 'Ik vond het leuk je te ontmoeten.' Hij zwaaide even, deed de terrasdeuren open en werd opgeslokt door de felle lichten en de kudde kakelende wijfies.

'Goed gedaan, Sarah,' klonk een waarderende stem.

Ik draaide me om in de richting van een donker hoekje in de tuin, waar Arnie en een cameraman uit de schaduw te voorschijn kwamen.

'Waar komen jullie vandaan?' Was Arnie bezig me te bespioneren?

'Ik zag dat Chris achter je aan liep. Wij zijn via een zijdeur weggegaan,' zei Arnie, terwijl hij naar de cameraman gebaarde dat hij weer naar binnen moest gaan. 'Die opmerking over dat hij een eikel was moet er natuurlijk uitgeknipt worden, maar alles bij elkaar heb je het prima gedaan.' Arnie stak zijn duimen in de lucht.

'Stonden jullie te kijken? En te luisteren?'

Arnie wees op de bloembakken en de bomen. 'Microfoons. Overal.'

Overal?

Arnie liep terug naar het huis terwijl ik met mijn mond vol tanden bleef staan.

'Sarah, let een beetje op je taalgebruik,' riep hij, zonder de moeite te nemen zich om te draaien en me aan te kijken. 'We zitten op prime time, vergeet dat niet.'

Ik zou het niet vergeten. Hoe zou ik dat kunnen vergeten, nu ik het slachtoffer was geworden van Arnies commandotechnieken?

5

'Dames?' Er kwam een man de kamer binnen die sprak met een Frans accent en hij bleef wachten tot we stil werden. Hij zag eruit als een fotomodel, met scherp omlijnde gelaatstrekken, donker haar dat door gel op zijn plaats werd gehouden en een slank postuur, waardoor hij veel meer een mooie jongen was dan ruig en aantrekkelijk, zoals de bachelor. 'Ik ben Pierre, jullie presentator tijdens de reis naar de liefde van dit seizoen.'

Hij liep de kamer door en ging naast Chris staan.

'Chris zal zich nu terugtrekken in zijn studeerkamer,' kondigde Pierre aan. 'Als hij terugkomt zullen we beginnen met de kaarsceremonie.'

Alle ogen volgden Chris toen hij de presentator achterna liep, een lange, betegelde gang in, die was afgebiesd met wat leek op indiaanse afbeeldingen van copulerende dieren, en om een hoek uit het zicht verdween.

Ik had opnamen van het programma gezien en wist daardoor wat zich daar achterin afspeelde. Chris en de presentator waren sectie aan het verrichten; ze bespraken welke vrouwen hem bevielen en welke hem tegen de haren instreken. Daarnaast had hij ingelijste foto's van ons allemaal om zijn geheugen op te frissen als hij zich niet meer alle sprankelende conversaties kon herinneren die hij had gevoerd.

Terwijl Chris bezig was in zijn studeerkamer ons lot te bepalen, zaten wij te wachten als gevangenen die zich voorbereidden op de gang naar de elektrische stoel. Overal in de kamer waren vrouwen bezig met een van twee dingen: of ze deden vreselijk hun best net te doen alsof het ze niets kon schelen of ze zaten handenwringend om zich heen te kijken en beloofden de goden dat ze nooit meer iets slechts zouden doen als ze nu werden uitgekozen.

Ik zat bij Vanessa, Dorothy en Holly op een leren bank tegenover de crèmekleurige, marmeren schouw. Al was het buiten minstens twintig graden, toch brandde er een klein vlammetje in de open gashaard, om het effect te verhogen.

Toen er een camera mijn richting op wees, ging ik een beetje rechterop zitten. Als een camera je vijf kilo zwaarder deed lijken, leek het me dat je er zeker tien bij kon rekenen als je in elkaar gezakt op de bank zat. Trouwens, er zou geen kijkerspubliek zijn dat een wijfie met een bochel zou steunen.

'En, wat denken jullie?' vroeg ik de drie vrouwen.

'Ik denk dat hij zijn hoofd moet laten nakijken als hij die trut daarginds eruit pikt.' Vanessa wees naar een hoek van de kamer waar een groepje vrouwen samendromde bij een blondine die haar neus stond te snuiten. De camera vrat haar op, de lens zat zowat in de neusgaten van het meisje. De omringende vrouwen gaven haar om de beurt een klopje op de schouder en mompelden wat positieve gedachten; ze maakten gebruik van de gelegenheid om de indruk te wekken dat ze teamspelers waren. Niemand leek de kracht te onderschatten van de sympathie van het publiek, al zou het programma pas over vier maanden worden uitgezonden.

Maar zelfs terwijl ze tegen de huilende vrouw zeiden dat ze heus zou worden uitgekozen, wierpen ze heimelijke blikken in de richting van de gang.

'Zie je die daar?' Holly gebaarde discreet naar een vrouw die alleen stond. Ze had lang, glanzend zwart haar dat ze als een sluier gebruikte om haar ene oog mee te bedekken en over haar schouder te draperen als een oosterse sjaal. 'Dat is Claudia. Houd haar in de gaten. Ik heb gehoord dat ze alles zal doen om te winnen.'

'Hoe kun je dat in vredesnaam nu al weten?'

Holly haalde haar schouders op, waardoor het dunne kanten bandje van haar nachtgewaadachtige jurk van haar schouder gleed. Ze liet het bandje zo zitten zonder de moeite te nemen het terug te doen en hield haar blik op Claudia gericht.

Ik zou de tijd moeten vinden met Claudia te praten. Als het waar was wat Holly beweerde, zou ze goede kopij opleveren.

'Wat doe je als je niet wordt uitgekozen?' vroeg ik, terwijl ik me tot Vanessa wendde.

'In ieder geval zou mijn reeks van nederlagen niet worden onderbroken.'

'Ach, doe niet zo somber,' berispte Holly haar, terwijl ze even haar blik van Claudia afwendde. 'Als ik niet word uitgekozen, dan heeft hij duidelijk niet de kans gekregen mijn ware ik te leren kennen. Het zou een grove fout van hem zijn.'

'Holly, je hebt maar zeven minuten met die man gesproken,' hielp ik haar herinneren.

'Ja, maar als je het weet, weet je het.'

'Het enige wat ik weet is dat ik een extra lang verlof heb opgenomen om hier vijf weken te kunnen zijn, en als ik na twee dagen al terug vlieg naar Atlanta zal ik overkomen als een volkomen loser,' zei Dorothy, waarna ze zweeg. 'Kijk.'

De vrouwen namen hun plaats weer in terwijl de presentator kleine, naar vanille geurende kaarsen begon uit te delen. Toen hij bij onze bank kwam stonden we alle vier op en gingen bij de andere wijfjes in de halve cirkel staan die werd gevormd.

'Dames, als Chris besluit je kaars aan te steken en jij zijn gebaar accepteert, mag je blijven. Diegenen onder jullie die niet willen blijven, kunnen dit aangeven door de kaars uit te blazen. Wie besloten heeft weg te gaan en wie niet geselecteerd wordt, kan via de voordeur vertrekken en naar het hotel gaan, waar je je spullen zult pakken en onmiddellijk zult uitchecken.'

Tjonge, dit was romantisch. Ik had schimmelinfecties gehad die lang niet zo onverbiddelijk waren.

Holly gaf me een por tussen de ribben en gebaarde dat Chris eraan kwam. Hij bleef bij de vleugel staan, waar de presentator hem een bijzonder grote, met rood lint omwikkelde kaars overhandigde. Ik vroeg me af of er meer mensen in de kamer waren die de kaars op een enorme, gloeiende penis vonden lijken.

Chris schraapte zijn keel om ons voor de eerste keer als groep toe te spreken.

Ik zag dat de regisseur in zijn microfoontje stond te fluisteren om zijn troepen in actie te brengen. Meteen begon een van de camera's op Chris in te zoomen. Ze probeerden waarschijnlijk zijn oprechte gezichtsuitdrukking te vangen, zodat de bachelor zou overkomen als een aardige vent. Ze lieten beeld na beeld zien van huilende vrouwen die achter elkaars rug stonden te smoezen en listen verzonnen om te winnen, maar de bachelor was altijd de goeierik.

'Ik wil alleen even zeggen dat ik ervan heb genoten jullie allemaal te ontmoeten. Ik vond dit niet meevallen en ik hoop dat ik niemands gevoelens zal kwetsen.'

Het was voor hem niet meegevallen? Hij had geen idee wat deze meisjes moesten doormaken; ze hadden hun hele toekomst in zijn handen gelegd en oefenden waarschijnlijk in gedachten al steeds de woorden 'mevrouw Chris Masters'. Voor hem was het simpel; het enige wat hij hoefde te doen was een paar vrouwen uit de groep pikken en gaan slapen, in de wetenschap dat er nog steeds vijftien vrouwen over waren die zich voor hem in het zweet zouden werken. De vrouwen die niet werden uitgekozen zouden met hangende pootjes en gebrandmerkt als onaantrekkelijk naar huis gaan.

Desondanks lieten de wijfies een overdreven medelijdend gemompel horen voor zijn moeilijke, innerlijke strijd.

Chris haalde diep adem en liep naar de cirkel toe. Bij elke stap die hij deed hield Holly haar adem in. Ik hoopte maar dat ze niet van haar stokje zou gaan. Ofschoon het goed materiaal voor het artikel zou kunnen zijn.

Zijn eerste keuzen waren niet verrassend: Samantha, een springerige blondine uit Santa Barbara, de gevreesde Claudia, een paar slanke, nietszeggende schoonheden en wat vrouwen die, merkwaardig genoeg, menselijk leken. Eindelijk, na de kaarsen te hebben aangestoken van twee wijfies die hun verrukking openlijk lieten blijken, stond hij aarzelend voor mijn neus. Na me even in de ogen te hebben gekeken hield Chris zijn kaars voorover zodat hij de lont van mijn eigen, naar vanille ruikende bachelorsmagneet kon aansteken. Ik staarde terug en bedankte in gedachten dat schattige kuiltje. Ik was binnen.

Een gevoel van opluchting trok door me heen. Ik slaakte een dankbare zucht en zag tot mijn grote schrik dat mijn vlammetje flakkerde, naar zuurstof snakte en bijna uitging. Chris had al een paar passen van me vandaan gezet, maar bleef opeens staan, terwijl hij me aankeek met een blik die een kruising was tussen nieuwsgierigheid en ongeloof. Drieëntwintig vrouwen gaapten me met opengesperde ogen aan. De cameralenzen waren op me ge-

richt en zelfs de mond van de regisseur hing open terwijl hij af-
wachtte wat mijn volgende stap zou zijn. Snel hield ik mijn hand
om mijn kaars om het vlammetje te beschermen tegen nog meer
ondoordacht geblaas. Het bleef branden. Ik glimlachte Chris geruststellend toe en hij liep door naar het volgende meisje.

Toen het moment van waarheid voorbij was stonden er negen
wijfies met onaangestoken kaarsen. Een van hen was de woe-
dende Bebe.

De cameraman richtte zijn lens op de presentator die zijn positie naast Chris innam.

Pierre duwde Chris een beetje opzij en zette zijn handen op een
flamboyante wijze in zijn zij. 'Ik wil niet zeiken, maar je staat in
mijn licht,' zei Pierre zeurderig met een nasaal New Yorks accent.
'Make-up! Ik begin te glimmen!'

We keken allemaal geschokt toe toen Pierre, de beminnelijke
Franse presentator, voor onze ogen veranderde in een flikker uit
Queens. Suzanne zou het geweldig vinden!

De regisseur steunde zijn hoofd in zijn handen terwijl een zor-
gelijke vrouw zich naar Pierre haastte en zijn voorhoofd poeder-
de.

'Draaien maar!' schreeuwde de regisseur. De vrouw van de make-up dook uit beeld en de flitsende Pierre kwam weer te voorschijn.

'De vijftien overgebleven wijfies zullen de komende week be-
steden aan het beter leren kennen van Chris, voordat hij weder-
om tussen jullie moet kiezen. Willen degenen die vanavond niet
zijn gekozen nu vertrekken?'

Terwijl acht andere teleurgestelde wijfies zich gereed maakten
om weg te gaan, marcheerde Bebe furieus recht op Arnie af.

'Dit is een vergissing! Je kunt me niet wegsturen! De camera's
zijn dol op me! Ik ben beter dan al die anderen; mijn god, het
zijn niet eens haar eigen tieten!' Bebe wees boos naar mij. Naar
mij! De enige vrouw die ik vaag had leren kennen voordat ik naar
Californië was gegaan had zojuist verraden dat ik een Mega Bra
droeg. Alle ogen flitsten naar mijn stoutmoedige rondingen. Ik
sloeg mijn armen over elkaar en pretendeerde dat ik gefascineerd
werd door het weefpatroon van het oosterse tapijt.

Arnie sloeg een arm om Bebe heen en begeleidde haar haastig

naar de deur. Ik had durven zweren dat ik Holly hoorde gniffelen. Een aantal wijfies die mochten blijven troostte de afgewezen meisjes met omhelzingen en kusjes die vaker in de lucht terecht-kwamen dan op hun wangen, of dat was in ieder geval zo onder het toeziend oog van de camera's. Ze probeerden zich allemaal gracieus te blijven gedragen; de wijfies die een brandende kaars vasthielden werden gefeliciteerd en er werd emotioneel gereageerd op het vertrek van de anderen, alsof ze zusjes waren die elkaar na lange tijd hadden weergevonden in plaats van vrijwel totaal onbekende vreemden. Ik had gehoopt dat ik een paar van de ver-trekkende vrouwen had kunnen spreken, maar die werden snel naar buiten gestuurd, vergezeld van twee cameramensen die het vernederende moment live moesten filmen. Ik kreeg niet de kans met hen te praten voordat ze werden weggestuurd, en Suzanne zou daar niet blij mee zijn.

Toen de voordeur voor de laatste keer dichtsloeg en het zwa-re koperen slot werd dichtgedraaid, ging Pierre weer door.

'Een toast, dames!' Hij hief een glas champagne terwijl er obers in smoking aankwamen met bladen vol champagne en de glazen uitdeelden aan de achtergebleven wijfies. 'Op onze bachelor en onze wijfies. Mogen jullie de ware liefde ontdekken.'

Pas over vijf dagen zou de volgende kaarsceremonie worden gehouden. Ik hield mijn glas omhoog en sloeg toen dankbaar de inhoud van het glas achterover.

Terwijl de afgewezen wijfies vol schaamte naar de klaarstaan-de limousines liepen, blies de rest van ons hun kaars uit.

'O, ik voel me zo opgewonden,' zei Holly dweperig. 'Ik kan niet geloven dat de bachelor ons allemaal heeft gekozen.'

'Die knul heeft duidelijk smaak.' Vanessa reageerde een beet-je stekelig toen Holly haar wilde omhelzen.

Ik kon niet geloven dat ik was geselecteerd, dat ik kon door-gaan voor een vrouw die werkelijk opgewonden zou raken bij het idee dat ze haar echtgenoot via de tv zou vinden of, liever ge-zegd, dat de echtgenoot mij zou vinden. Ze waren er allemaal in getrapt, hoewel ik bijna zeker wist dat ik een van de vertrekken-de wijfies naar me zag kijken en Sloane op mij attent maakte, als-of ze wilde zeggen: die daar, die nepblondine bij de bank, waar-om is zij hier nog steeds?

De presentator schonk iedereen nog een rondje champagne in en moedigde ons aan een praatje met Chris te gaan maken, waarna hij het terras op stommelde om een sigaret te gaan roken.

Nu er nog slechts vijftien vrouwen over waren, was het gemakkelijker iedereen in de gaten te houden, en het leek erop dat niemand Chris uit het oog verloor. Ik keek toe terwijl hij elke vrouw apart nam voor een persoonlijk gesprekje. Hierbij werden hoofden geïnteresseerd opgeheven, werd haar naar achteren geschud en hing de gelukkige aan zijn lippen om maar geen woord te missen. Het was een schouwspel dat thuishoorde op een schoolbal. Het enige wat ontbrak was de muziek van de Thompson Twins op de achtergrond.

Hij leek de vrouwen altijd aan het lachen te maken en ik vroeg me af of hij iedereen dezelfde grapjes vertelde. Ik zou de andere meisjes naderhand moeten vragen wat hij tegen hen gezegd had.

'Hoi.' Chris doemde naast me op, juist toen ik een blokje kaas in mijn mond had geprop.

Ik knikte en wees op mijn uitpuilende wang.

Hij legde zijn hand op mijn schouder en boog zich naar me toe terwijl zijn hand discreet de microfoon op zijn revers bedekte. 'Ik denk dat het je wel zal lukken je "eikeltheorie" uit te testen,' zei hij bijna fluisterend.

Ik slikte het blokje kaas door en nam een slok champagne om het weg te spoelen.

'Dan moet je maar hopen dat dit niet geldt als gesprek nummer twee,' fluisterde ik plagend terug, onder de indruk van mijn vermogen zo snel zo'n gevat antwoord te bedenken.

We stonden elkaar toe te grijnzen en waren nogal tevreden over ons eigen snedige gevoel voor humor, toen de presentator aankondigde dat het tijd was voor Chris om te vertrekken. Hij nam Chris mee de gang in en ze verdwenen.

Ik had het gered. Ik had niet bepaald aangetoond dat ik verstand van kaarsen had, maar de bachelor vond me aardig. Ik stond te popelen om het Suzanne te vertellen. Ik moest Jack bellen. Ik zou nog een week in Californië blijven.

Terug in mijn hotelkamer hoorde ik onverstaanbaar gebrabbel aan de andere kant van de lijn, gelardeerd met een paar woorden die ik werkelijk kon verstaan: mammie, papa en sap. Terwijl ik op mijn bed lag, omringd door de luxe van het Ritz-Carlton Hotel, klonk Katies stemmetje vreemd en ver weg. Ver van me verwijderd.

'Heb je dat allemaal gehoord?' vroeg Jack, die de hoorn had overgenomen.

'Ja, ik heb genoeg gehoord. Hoe voelt ze zich?'

'Iets beter. Hoe gaat het met jou?'

'Goed. Sorry dat ik zo laat bel.' Ik keek de kamer rond, argwanend naar elke plant of versiersel dat een microfoon kon bevatten. Ik bedekte het mondstuk van mijn mobieltje met mijn hand en dempte mijn stem. 'Ik wilde gewoon even met jullie kletsen.'

'Geeft niks. Het spijt me van vrijdagavond,' zei hij, terwijl zijn stem zachter werd.

'Ja. Ik heb er ook spijt van.' Ik pakte mijn portefeuille en haalde er een foto van Katie en Jack uit. Had ik ze werkelijk gisteren nog gezien? 'Ik mis jullie,' fluisterde ik.

'Wij missen jou ook. Maar dat is spannend, nog een week. Suzanne zal wel in de wolken zijn.'

'Als ze de voicemail heeft gehoord wel.'

'En kun je materiaal verzamelen voor het artikel?'

'Ik heb nog niet veel tijd met de vrouwen doorgebracht, maar ik denk dat ik de komende week meer kans zal krijgen met hen te praten. Tot nu toe gaat het ongeveer zoals we verwachtten.' Ik keek op de wekker op het nachtkastje en zag dat het al laat was. 'Katie moet naar bed, en ik moet ophangen. Ik moet nog in mijn dagboek schrijven, bedoel ik,' voegde ik eraan toe, terwijl ik een verdacht uitziende ijsemmer op mijn bar bekeek.

'Ja, 'tuurlijk, je dagboek. Wat wordt er deze week voorgeschoteld? Schootdansen?' grapte hij.

'Niet dat soort schandelijkheden. Alleen maar een paar dagtochtjes om ons vertrouwd te maken met de bachelor en alle anderen. Ik zal aan jullie daar thuis denken.'

'We zullen ook aan jou denken. Ik hou van je.'

'Ik ook van jou,' zei ik, terwijl ik me voor de eerste keer sinds ik in Californië was eenzaam voelde. 'Wil je tegen Katie zeggen dat ik van haar hou en haar een dikke kus van me geven?'

Nadat de verbinding was verbroken bleef ik de telefoon even tegen mijn oor houden, en klapte mijn telefoon toen met tegenzin dicht.

Tussen de oriëntatieronde, me optutten voor de cocktailparty en de andere vrouwen ontmoeten had ik de hele dag alleen maar aan de bachelor gedacht. Het was alsof het aangestoken krijgen van mijn kaars het enige was wat telde. Maar nu ik nog een week in de wacht had gesleept, was er werk aan de winkel.

Toen ik de ijsemmer en de planten had geïnspecteerd om me ervan te overtuigen dat er geen afluisterapparatuur in mijn kamer was geplaatst, pakte ik mijn aantekeningenblok en installeerde me aan het bureau. In tegenstelling tot andere opdrachten die ik voor *Femme* deed, kon ik bij deze opdracht mijn mensen niet interviewen met pen en papier in de aanslag. Deze opdracht was afhankelijk van mijn herinnering van de gesprekken en gebeurtenissen, uren nadat die hadden plaatsgevonden. Ik was van plan elke avond alles zo snel mogelijk op papier te zetten, voordat ik iets zou vergeten.

Ik moest mijn gedachten op een rijtje zien te krijgen om te bepalen welke richting het verhaal op ging. Waar moest ik beginnen? In een bepaald opzicht begreep ik de motivatie van de vrouwen beter dan die van de bachelor. Hem kon ik niet goed doorgronden.

Chris Masters. Hij was charmant en zag er goed uit, als je hield van het type puur Amerikaans/succesvolle zakenman. Oké, wie hield daar niet van? Dus deze man leek perfect, dat moest ik hem nageven. Maar waarom deed hij dan aan dit programma mee? Je zou denken dat hij de vrouwen zowel voor de camera als daarbuiten voor het kiezen had.

Ik had verwacht dat hij wat soepeler zou zijn, een beetje gladjes, bijna flikflooiend. Maar dat was niet het geval en hij kwam beslist niet over als een speler die gewend was vrouwen te versieren. Af en toe leek hij het zelfs niet prettig te vinden dat hij zo in de belangstelling stond. Aan de andere kant was hij pas achtentwintig. Misschien leerden mannen die dingen pas naarmate ze ouder werden. Als hun penis ook minder goed ging werken.

De vrouwen waren ongeveer wel wat ik had verwacht. Niemand had een grotere maat dan 38, ze hadden een mooi gebit, een smetteloze huid en elk haartje zat op zijn plaats. Ze konden zo in *Friends* spelen. Voor zover ik het kon beoordelen zetten de vrouwen echt hun beste beentje voor, ik had geen enkele vrouw aan haar neus zien krabben of de hele avond aan een korstje zien pulken. Niet dat ik in mijn neus zat te peuteren waar iedereen bij was, maar ik had tenminste een excuus voor mijn onberispelijke gedrag. Als ik zou worden weggestuurd uit het programma, dan zou dat het einde van mijn artikel zijn. Je zou verwachten dat die andere vrouwen zouden willen dat de bachelor hen zou kiezen vanwege hun echte persoonlijkheid, niet omdat ze een imitatie-barbiepop waren die les had gehad bij Emily Post.

Twee uur lang was iedereen gewoon te goed om waar te zijn. Maar ik neem aan dat dat in het begin altijd zo is.

Toen Jack en ik elkaar ontmoetten, zat ik hem niet op zijn huid omdat hij te laat kwam. En hij was te laat. Ons eerste afspraakje was op een zaterdagmiddag bij een footballwedstrijd van Northwestern, en ik heb twintig minuten op hem staan wachten bij het hek van het stadion voordat hij eindelijk buiten adem kwam aanrennen en zich verontschuldigde. Hij was zijn portemonnee vergeten en was helemaal teruggegaan naar zijn appartement om die te zoeken. Zijn wangen waren knalrood en zijn adem vormde wolkjes in de koude herfstlucht en hij zag er zo lief uit dat ik mijn schouders ophaalde en zei dat het geen punt was.

Een jaar lang deden we alles samen als we niet aan het studeren waren of in de klas zaten. Hij ging er niet van uit dat ik elke zaterdagmiddag wilde doorbrengen bij een footballwedstrijd en ik zeurde niet als hij geen nieuwe rol toiletpapier ophing als hij het laatste stukje van de rol had gebruikt. We leefden vreedzaam samen in een staat van wederzijds overeengekomen onschuld; we wisten wel dat de foutjes er zaten, maar we hadden gewoon geen haast om ze op te sporen.

In feite was de cocktailparty niet zoveel anders dan elke willekeurige eerste ontmoeting, hoewel men zich openlijker anders voordeed en de cameraploeg alles op film vastlegde.

6

Toen ik de volgende ochtend wakker werd, stroomde de Californische zon naar binnen door het raam bij het balkon. 's Morgens hield ik altijd het meest van Jack, als ik naast me voelde, mijn lichaam nog zwaar van de slaap met mijn hoofd vol vervagende dromen, en zijn plek koel en onbezet was. In die vroege uurtjes als ik Katie gevoed had, wenste ik dat hij bij me was en we samen een kopje koffie konden drinken uit de dunne, fragiele kopjes die we als huwelijkscadeau hadden gekregen en in de eetkamerkast hadden opgeborgen in afwachting van een speciale gelegenheid om ze te gebruiken. Ik stelde me voor dat we aan de tafel op het terras zaten, onze handen in elkaar verstrengeld op de tafel naast een mandje met verse croissants, als een stel in een advertentie van Ralph Lauren. Maar toen veranderde dit ongemerkt en stukje bij beetje; zijn onderbroek die hij slordig naast de wasmand op de vloer had laten liggen, een natte handdoek op de badkamervloer, kruimels van zijn ontbijt op de keukenbar waaraan ik me suf ergerde en waardoor die ochtendgevoelens langzaam verdwenen tot er bijna niets meer van over was. En dat alles vóór negenen.

Hier in het Hotel Ritz begonnen die ochtendgevoelens weer de kop op te steken, maar ze werden in bedwang gehouden door de onbekende omgeving, het vreemde bed en de niet vertrouwde kamer die geen herinneringen aan Jack bevatte en daarom geen verlangen opriep terug te vorderen wat verloren was gegaan.

Vanochtend zouden we met de hele groep de producers beneden treffen om te ontbijten, voordat we in een bus zouden worden geladen en als kinderen op schoolreis naar Disneyland zouden worden vervoerd. Ons balboekje was voor de hele week ingevuld. Voor morgen stond er een feestje aan het zwembad bij

Chris thuis op het programma, woensdag zouden we bij zonsopgang gaan zeilen in de Grote Oceaan en ten slotte zouden we donderdag gaan paardrijden in de bergen. Allemaal bedoeld om een band met elkaar op te bouwen voordat Chris de groep weer zou reduceren.

Voor in de bus stonden Arnie en Sloane op en draaiden zich naar ons toe. Ze moesten begin vijftig zijn, maar blijkbaar was dat nog niet tot Arnie en Sloane doorgedrongen. Ik had Arnies broodmagere gestalte en zilveren paardenstaart herkend van de auditie in Chicago, maar ik had Sloane pas persoonlijk leren kennen in de lobby van het hotel.

Sloane was niet bepaald een moederfiguur voor de wijfies. Haar zakelijke bobkapsel was pikzwart geverfd, zonder een enkel kleurtje of golfje dat zou kunnen suggereren dat ze niet een en al zakelijkheid was. Over haar door een plastisch chirurg behandelde voorhoofd viel een kortgeknipte pony en haar voorhoofd was altijd glad en rimpelloos, zelfs als ze enthousiast met scheldwoorden strooide en bazig optrad tegen de cameramensen en de rest van de ploeg.

'Dames,' riep Arnie om onze aandacht te krijgen.

Er werd 'sssst' geroepen toen de vrouwen probeerden elkaar stil te krijgen en hun aandacht te richten op onze dappere leider.

'Dames, als we in Disneyland aankomen zal Chris ons daar opwachten,' legde Arnie uit, waarbij zijn knarsende stem door de bus resoneerde. 'Maar het is onze taak om erachter te komen waar hij zich bevindt.'

Er klonk gefluister toen de groep zijn bedoeling probeerde te doorgronden.

Terwijl hij zich vasthield aan de stoelleuningen baande Arnie zich een weg door het gangpad naar het midden van de bus. Arnie droeg cowboylaarzen, een Wrangler spijkerbroek en een suède blazer; hij had zich blijkbaar nog niet gerealiseerd dat de *Urban Cowboy* look al een jaar of twintig geleden uit de mode was geraakt. Ofschoon Sloane Arnies interesse in de kleedgewoonten van het wilde Westen niet deelde, was ze zelf ten prooi gevallen aan de mode die in de jaren tachtig in films werd gedragen, met haar Annie Hall stropdas, vest, mannenoverhemd en zwabberende lange broek met omslagen.

Toen de bus een hoek om ging klampte Arnie zich uit alle macht vast aan een beklede hoofdsteun voordat hij zijn evenwicht en zelfbeheersing terugvond.

'Op deze manier leren jullie elkaar een beetje kennen, terwijl je ondertussen kunt genieten van het spelletje "Op zoek naar de bachelor".' Hij keek achterom naar Sloane, die op een potlood zat te kauwen en op een klembord zat te turen. 'Er zullen geen winnaars zijn, dus maak gewoon plezier. Het doel is dat jullie het naar jullie zin hebben en meer over Chris te weten komen. We hebben hem de vrije hand gegeven in alle onderdelen van Disneyland en gezegd dat hij iets moest uitkiezen wat het beste past bij zijn persoonlijkheid. Als we er zijn zetten we jullie af bij de ingang en verder moeten jullie het zelf uitzoeken.'

Overal om me heen begonnen te vrouwen te speculeren over waar Chris zou zijn en strategieën te bedenken om hem als eerste te vinden. Maar terwijl kastelen en de Space Mountain tot de verbeelding van de anderen spraken, kreeg ik een brok in mijn keel.

Dorothy stak haar arm over de leuning heen en tikte me op de schouder.

'Hé, wat is er met je?' vroeg ze zachtjes, terwijl ze het gekakel om zich heen liet voor wat het was.

Ik haalde mijn schouders op. 'Niks, ik ben gewoon een beetje nerveus, denk ik,' wist ik met een flauw glimlachje uit te brengen.

'Nou je hoeft je nergens druk om te maken. Ik ben al vaak in Disneyland geweest; dit keer kan nooit heel anders zijn. Ik help je wel de weg te vinden.'

Ik bleef zwijgen, bang dat de opdringerige tranen die ik probeerde te bedwingen, zouden gaan stromen als ik mijn mond opendeed.

'Kom op, Sarah, alles is in orde. Maak je niet ongerust; als je me nodig hebt ben ik er.'

Ze gaf me een geruststellend kneepje in mijn schouder, draaide zich om en ging weer meedoen aan het plannen van de jacht op de schat met de andere vrouwen.

Ik kon haar niet vertellen dat het niet mijn zenuwen waren

waar ik last van had. Het was schuldgevoel.

Ik was voor het laatst in Disneyland geweest toen ik acht was, en het plan was pas weer te gaan als Katie oud genoeg was om vrijwel overal in te kunnen. We hadden gepland dat het een gezinsuitje zou worden. In plaats daarvan stond ik nu op het punt al Katies favoriete figuren te zien, om maar te zwijgen van de suikerspinnen en heerlijke ijsjes. Ze zou het geweldig gevonden hebben.

'Hij zit vast in het kasteel van Assepoester. Hij is tenslotte onze prins op het witte paard,' zei Iris.

'Het Indiana Jones avontuur,' vond Samantha. 'Omdat hij onze flitsende held is.'

Zo ging het maar door tot ik al bang werd dat iemand de Dumbo-show zou voorstellen omdat Chris flaporen had. De cameraman die in de bus zat nam alles op, zich ervan verzekerend dat de zinloze suggesties van de wijfies onuitwisbaar op film werden vastgelegd om aan het publiek getoond te worden.

Toen de mondelinge raadspelletjes ophielden onthulde niemand het startpunt dat ze bedacht had. Dus toen de bus bij de ingang stilstond en we onze plaats innamen bij het hek, had ik geen idee welke kant ze allemaal op zouden gaan. Ik had gehoopt een paar van de vrouwen te kunnen volgen, maar zodra Arnie had gezegd: 'Nu', ging iedereen een andere richting uit. Aanvankelijk probeerde de groep vrouwen rustig te blijven en kalmpjes naast elkaar te blijven lopen, maar toen Holly onstuimig met haar dansende rode krullen haar pas versnelde, stoof de groep uiteen op zoek naar de bachelor.

Niet een van de vastberaden bachelor-jagers merkte iets op van de omgeving. De passagiers die bij het achttiende-eeuwse station stonden te wachten tot ze met de stoomtrein mee konden ontgingen hen. Ze bleven niet staan om in de etalages te kijken van de ouderwetse winkeltjes aan weerszijden van de nagebouwde Main Street. Met verbeten gezichten en vooruit starende blik zagen ze niet eens de door mensenhanden gemaakte bergen en rondwervelende karretjes hoog in de lucht. Het drong in het geheel niet tot de vrouwen door dat ze in een sprookjeswereld waren.

Ik bleef achter en zag de groep uit elkaar vallen als kwikzilver; aanvankelijk vormden ze een grote klont, maar daarna verspreidden ze zich in kleinere deeltjes tot er individuele, vage gestalten overbleven die wegrenden met een cameraploeg achter zich aan.

Ik had niets bedacht om de bachelor te vinden. Maar ik had wel een plan. Ik wilde een cadeautje voor Katie kopen. Misschien kon ik daardoor mijn schuldgevoel sussen.

In het Toontown winkeltje vond ik wat ik zocht: een pluchen Teigetje met een gekrulde staart, precies goed voor Katies kleine vingertjes en waarmee je lekker kon meppen. Met mijn Teigetje in de hand ging ik verder om te kijken of ik een paar wijfjes kon vinden. Ik had bedacht dat ik zou beginnen bij Fantasyland, dat klonk als de ideale plek om een stelletje vrouwen te vinden die op zoek waren naar de perfecte man.

Toen ik langs Donald Ducks bootje, de *Miss Daisy*, liep zag ik een vriendelijk wezen met een wollige vacht driftig naar me zwaaien.

'Hallo, jij daar,' riep Poeh, terwijl hij me een zachte hand gaf. De persoon die in het enorme kostuum verborgen zat deed zijn best authentiek te klinken, maar hij klonk meer als een zuidelijke Scooby-Doo dan als Katies geliefde Poeh.

'Hallo, Poeh.'

'Wat doe je hier zo helemaal in je eentje?' vroeg Poeh, terwijl zijn zwarte, enorme ogen me aanstaarden.

'Ik loop gewoon een beetje rond, ik ben de boel aan het verkennen.'

'Waarom kijk je dan zo treurig?'

'Omdat het waarschijnlijk veel leuker is met een kind dat dit alles weet te waarderen.' Ik wees naar alle roetsjbanen om ons heen.

'Wat lief.'

'Ja, zo ben ik. Een echte lieverd.'

Poehs buik schudde van het lachen.

'Hoe vind je het om hier te wonen, Poeh? Behandelen ze je goed?'

'Het eten is prima, maar Mickey is soms erg lastig. Kun je een geheimpje bewaren?' Poeh hief zijn grote, bonten klauwen op en sloeg ze om zijn nek alsof hij van plan was zichzelf te wurgen.

Dat kon er ook nog wel bij, getuige zijn van Poeh die zelfmoord wilde plegen in de aanwezigheid van honderden kinderen.

Ik stak mijn hand uit om hem tegen te houden, maar het was al te laat. Poehs hoofd zat niet langer vast aan zijn lichaam. Toen ik de fluweelzachte neus en zwarte glazen ogen naar beneden zag komen keek ik woedend om me heen of ik nietsvermoedende kinderen zag. De teloorgang van Poeh en aan stukken geslagen kinderdromen, dit was nu net iets wat ouders ertoe bracht rechtszaken aan te spannen.

Toen ik zag dat de kust vrij was richtte ik mijn aandacht weer op Poeh en sloeg mijn hand voor mijn open mond, want in plaats van Poeh bleek Chris voor me te staan, met een enorme buik en gele poten.

'Grote hemel,' kon ik eindelijk uitbrengen toen ik van de schrik bekomen was. 'Waarom heb je je als Poeh verkleed? Heb je enig idee hoeveel vrouwen op de Space Mountain staan te kotsen, op zoek naar jou?'

'Het leek me eigenlijk leuker om een beetje rond te lopen en ze allemaal te zien. Er hangen zeker zes meisjes rond in het Assepoesterkasteel, alsof ze op de bus staan te wachten of zoiets.' Chris liet een lachje ontsnappen dat helemaal niet bij Poeh paste. 'Het is een beetje surrealistisch.'

Chris had Poehs hoofd onder zijn arm terwijl we stonden te praten, en alerte ouders leidden hun kinderen een andere kant op.

'Dus ik ben de grote winnaar,' verklaarde ik.

'Heeft Arnie je niet verteld dat er vandaag geen winnaars zijn?'

'Jawel, maar ik dacht dat hij gewoon aardig wilde zijn. Wat heeft het voor zin, als er geen winnaar is?'

Mijn antwoord leek Chris te bevallen. Hij knikte grijnzend.

'Je bent een bijzondere deelneemster, Sarah. Dat belooft interessant te worden.' Hij pakte Poehs hoofd vanonder zijn arm en tilde het boven zijn schouders. 'Nou, ik kan maar beter gaan zodat een paar andere meisjes de kans hebben die ouwe brombeer tegen te komen.'

Chris zette het Poeh-hoofd op en waggelde weg. Ik had niet eens in de gaten dat we gadegeslagen waren, tot twee mensen achter Poehs stompe staart aan liepen.

Een cameraman. En een geluidsman die een lange staaf vasthield waaraan een microfoon was bevestigd.

De regisseur kwam achter een lantarenpaal vandaan en stak zijn duimen naar me omhoog voordat hij de Poeh-optocht achterna ging.

Ons hele gesprek was gefilmd. En opgenomen. En ik was zojuist neergezet als een uiterst strijdvaardig wijfie. De volgende keer zou ik voorzichtiger moeten zijn.

Met mijn knuffel in de hand liep ik in de richting van Critter Country, op zoek naar wijfies. Maar hoe ik ook mijn best deed te genieten van het wandelingetje in het park, ik raakte het gevoel niet kwijt dat er achter elke vuilnisbak of etensstandje iemand van *De Bachelor* zat te loeren met een camera in de aanslag, in de hoop me te betrappen met toiletpapier op mijn schoenen.

Toen de laatste waterval van Splash Mountain in het zicht kwam, meende ik een bekend hoofd met donker haar in het water te zien duiken. Ik bleef staan en keek toe terwijl de boomstam en zijn berijders langzaam tot stilstand kwamen, hopend dat ik het juist had gezien.

'Claudia!' riep ik, wuivend naar de op de boomstam gezeten schoonheid die bezig was haar haar uit te wringen.

Ze zag me en kwam naar me toe lopen, waarbij ze een spoor van natte voetafdrukken achterliet.

'Wat doe je op Splash Mountain?' vroeg ik.

'Holly zei dat Chris hier ook was.'

'Heeft Holly dat gezegd?'

'Ja. Hij is waarschijnlijk al weg, want ik ben vier keer op en neer geweest en hij is nergens te bekennen.' Ze trok haar gympen uit en goot het water op de straat.

Natuurlijk was hij daar niet. Holly had geen idee waar Chris was, en als ze dat wel zou weten zou ze Claudia daar geen deelgenoot van maken.

Ik, daarentegen, wist wel waar Chris was, of in ieder geval wist ik dat hij vermomd was als een levensgrote Poeh.

'Natte bedoening, hè?'

Claudia haalde haar schouders op. 'Ja. Holly zei dat ik nauwelijks nat zou worden als ik voor aan de boomstam zou gaan zitten. Ik denk dat ze de achterkant bedoelde.'

Vast niet. Bij de aanblik van Claudia's platte haar en kletsnatte outfit, wist ik zeker dat Holly beslist vooraan had bedoeld.

'Als Holly wist waar Chris was, waarom is ze dan zelf niet hier, denk je?' vroeg ik.

Claudia knikte langzaam toen het kwartje was gevallen. 'Weet je, mijn vriendinnen hebben me gewaarschuwd voor wijfies zoals zij. Je hebt gelijk. Ik had beter moeten weten. Ze wilde me opvallend graag helpen.'

Ik kon Holly niet ongestraft laten wegkomen met het misleiden van Claudia. Wat kon het mij schelen als iemand anders Chris vond? Ik deed immers niet echt mee aan de strijd.

'Weet je, volgens mij zit Chris niet in een van de roetsjbanen. Volgens mij hoorde ik Arnie zeggen dat hij als Poeh verkleed was.'

'Poeh? Je bedoelt de beer?'

'Ja.'

Claudia keek me met een sceptische blik aan. 'Hoe weet ik dat jij me ook niet voor het lapje houdt?'

'Vertrouw me nou maar, Claudia. Trouwens, je hebt niets te verliezen. Je bent al kletsnat.'

'Als je me voor de gek houdt, Sarah, zal ik dat niet vergeten.'

'Dat doe ik niet.'

Claudia liep al weg op zoek naar Poeh.

'Hé, Claudia!' riep ik haar achterna.

Ze draaide zich om. 'Ja?'

Ik wees naar haar schoenen.

Ze glimlachte me toe en boog zich voorover om het toiletpapier te verwijderen dat tegen haar schoenen was gewaaid, en liep toen door.

De telefoon ging over en hoewel ik graag met Jack en Katie wilde praten, had ik eigenlijk geen zin mijn dag in Disneyland met hen te bespreken. Ik wilde hun stem horen, maar nu ik terug was in mijn hotelkamer, voelde ik me opgelaten. Hoe moest ik beschrijven dat ik met Poeh had staan praten en er toen achter kwam dat het Chris was? Ofschoon ik vond dat Chris had blijk gegeven van een merkwaardig gevoel voor humor, zou Jack Chris een idioot vinden, op welke manier ik het ook vertelde. En al wist ik dat het vreemd klonk, als ik dacht aan Chris in die dikbuikige vermomming, moest ik glimlachen. Hij had er zo belachelijk uit-gezien, en het kon hem niet eens schelen.

'Hoi, met mij,' begroette ik Jack toen hij na vier keer overgaan de telefoon opnam.

'Ha, die jij. Hoe gaat het in het land van zonneschijn en mooie mannen?'

'Het is er maar één, en veel gebeurt hier niet.' Ik hoopte dat hij me niet om nadere toelichting zou vragen.

'En, waar ben je vandaag geweest? Moet ik jaloers zijn?'

'Disneyland,' gaf ik toe.

'Nee toch. Katie zou het heerlijk gevonden hebben.'

'Ik weet het. Ik heb een Teigetje-knuffel voor haar gekocht. Mag ik haar even?'

'Hé, Katie, mammie heeft een Teigetje-knuffel voor je gekocht!' gilde hij. 'Ze zit in ons bad. Ik dacht dat ze het wel prettig zou vinden wat meer ruimte te hebben. Ik heb er bubbelbadzout in gegooid en de jets aangezet, maar aan haar gekrijs te horen is ze nog niet klaar voor een whirlpool.' Hij lachte en ik hoorde Katie op de achtergrond gillen. 'Je zou haar moeten zien. Haar kin zit vol met zeepsop, ze lijkt de kerstman wel.'

Jack, die Katie in bad deed? In aanmerking nemend dat hij vrij-wel nooit op tijd thuis was om haar in bad te doen, had ik ge-dacht dat hij ervan uitging dat kinderen altijd naar Mr. Bubble roken.

'Kon je vandaag wel van je werk wegkomen? Deden ze niet moeilijk?'

'Nee, eigenlijk niet. Ik weet niet eens zeker of het iemand is opgevallen. Ik heb mijn laptop. Ik ga nog wat werken als ze in bed ligt.'

'Dus jullie redden het wel zonder mij?' vroeg ik met een ge-mengd gevoel van opluchting en ergernis.

'Het gaat prima. Ik kan nu beter ophangen. Nog even en de hele badkamer zit onder het schuim.'

'Oké, ik hou van je. Zeg tegen Katie dat ik van haar hou.'

'Wij ook van jou. Da-ag.'

Ik begreep niet waarover ik me schuldig had gevoeld; ze had-den het prima naar hun zin zonder mij. Logisch. Ik had gedacht dat Jack zich door deze tijd heen zou moeten worstelen en eindelijk zou begrijpen wat het betekende voor ons kind te zorgen. En ik had verwacht dat Katie ontroostbaar zou zijn in mijn afwezigheid; dat ze de foto van mij die ik op haar commode had neergelegd tegen zich aan gedrukt zou houden alsof die haar leven zou redden. In plaats daarvan zaten ze te giechelen alsof een plons in het bad het toppunt van lol was.

En het maakte Jack niet eens iets uit dat ik met Chris naar Disneyland was geweest, of eigenlijk dat we met z'n allen naar Disneyland waren geweest. Ik hoefde helemaal niet uit te leggen waarom een vent in een Poeh-kostuum zo leuk was. En daarmee bedoel ik niet een leuk tekenfilmfiguurtje. Ik bedoel leuk in de zin dat je voor zo'n man kon vallen.

7

*A*ls Chris het al naar zijn zin had gehad toen hij ons in Disneyland zag rondrennen op zoek naar hem, was hij waarschijnlijk nu buiten zichzelf van vreugde toen hij vijftien aantrekkelijke dames halfnaakt zag rondparaderen tijdens het feestje bij het zwembad op dinsdag.

Als de camera's op Chris gericht waren, stapelden de vrouwen hotdogs en hamburgers op hun bord, schepten grote kwakken aardappelsalade en koolsalade op en graaiden handen vol chocoladekoekjes weg als dessert. Maar zodra de lenzen in hun richting wezen werden de volgeladen borden opzij geschoven en werden schalen met chips ingeruild voor stukken watermeloen en trossen druiven. Niemand wilde het magere meisje zijn dat alles kon eten zonder een grammetje aan te komen. En niemand wilde overkomen als iemand met een eetstoornis. Beide imago's waren niet bevorderlijk voor het opwekken van sympathie bij de kijkers.

En bovendien zat niemand erop te wachten dat er sesamzaadjes tussen haar tanden zaten, net als de camera inzoomde voor een close-up! Er was genoeg tijd om te eten als de camera's niet draaiden.

We werden een voor een apart genomen voor gesprekjes voor de camera; ontroerende, kleine momenten waarin we werden geacht onze onzekerheden en geheime gedachten bloot te leggen.

Toen het mijn beurt was, vroeg de regisseur me wat ik van de andere meisjes vond. Ik richtte mijn blik op het zwembad dat voor me lag, en waarin geen vrouw te bekennen was. In plaats daarvan lagen ze op ligstoelen, met ingevallen magen die holten creëerden onder trots zwellende bikinitopjes. Wat ik van de andere meisjes vond? Ze gaven me het gevoel dat ik een vetzak was.

'Ik denk dat we bezig zijn een sterke vriendschap te ontwikkelen,' zei ik zo overtuigend mogelijk tegen de knipperende camera. 'We zitten in een unieke situatie en die brengt ons elke dag dichter bij elkaar.'

Ik verwachtte half dat de regisseur zou beginnen te lachen, maar hij knikte alleen en gebaarde dat ik door moest praten.

'Ik neem aan dat we met elkaar strijden om de bachelor, maar we hebben toch een onderlinge band.'

Ik wist niet meer wat ik verder nog moest vertellen, maar de regisseur wachtte tot ik mijn verhaal zou vervolgen, dus wauwelde ik door. 'We hebben dezelfde hoop en dromen,' voegde ik eraan toe en dacht dat het nu wel klaar was. Wat zou ik nog meer kunnen verzinnen als antwoord op een dergelijke, inhoudsloze manier van vragen stellen?

'En wat zijn die hoop en dromen?' vroeg hij, terwijl de camera doordraaide.

Ik hoopte slechts dat ik lang genoeg in het programma zou blijven om het artikel te kunnen afmaken en ik droomde van de dag dat ik de bachelor achter me kon laten.

Maar de regisseur wachtte op mijn antwoord alsof hij Bob Barker was die een deelneemster aan een schoonheidswedstrijd ondervroeg.

'Eh, vrede over de hele wereld?' stamelde ik.

De regisseur riep *cut* en zei dat ik kon gaan, maar eerst gaf hij me een advies. 'De kijkers willen weten wie je werkelijk bent, Sarah,' zei hij. 'Laat iets meer van jezelf zien.'

Mijn sarong bleef stevig om mijn heupen zitten tijdens mijn interview. En daar zou hij ook blijven zitten, als het aan mij lag. Holly, daarentegen, had er geen problemen mee zich te ontbloten.

'Wat is er aan de hand, Sarah? Hou je niet van de zon?' vroeg Holly, terwijl ik vanaf een ligstoel zat te kijken hoe de meisjes wedijverden om Chris' aandacht.

'Ik zit gewoon te wachten tot er iemand in het zwembad springt. Heb jij het niet warm? Je transpireert niet eens.'

'Ik heb me goed voorbereid,' stelde ze me met een knipoog gerust.

'Hoe heb je dat gedaan, behalve door broodmager te zijn?' vroeg Vanessa zachtjes.

'De beste waterproof make-up,' vertrouwde Holly me toe, terwijl ze Vanessa's opmerking naast zich neerlegde. 'Wil je wat spullen gebruiken? Ik heb ze bij me.'

Ik voelde het zweet tussen mijn borsten door lopen en in mijn navel terechtkomen. Een goede close-up daarvan op film kon ik niet gebruiken. 'Nou, ik zweet me kapot. Graag, waar is het?'

Ik liep achter Holly aan het huis in en toen ik terugkwam was ik klaar voor een koele duik. Ik overtuigde me ervan dat Chris omringd was door een stel wijfies, deed vlug mijn sarong af en ging snel het water in, bij het ondiepe gedeelte. Het water was heerlijk verfrissend na het gepuf aan de rand van Chris' zwembad.

'Komen jullie niet in het water?' riep ik Holly en Vanessa toe, terwijl ik in mijn beste Esther Williams imitatie met gestrekte tenen ronddreef. 'Het is heerlijk.'

Ik zwaaide hen gedag en dook; mijn gezicht koelde af toen ik onder water naar het diepe zwom. Toen ik happend naar adem boven kwam, was ik niet alleen.

'Hallo daar,' begroette Chris me watertrappelend, terwijl de waterdruppels van zijn schouders gleden. Opeens veranderde zijn opgewekte gezichtsuitdrukking. 'O, lieve hemel, wat is er met jou?'

'Wat?'

'Je gezicht.' Hij stak zijn hand uit en gleed met zijn vinger langs mijn wang. 'Je zit helemaal onder de modder of zoiets.'

Hij liet zijn hand zien. Die was zwart. Alsof er mascara op zat, mascara die niet waterproof was.

'Het komt allemaal in het zwembad terecht. Je hebt een handdoek nodig.'

Toen Holly zag dat Chris een handdoek voor me pakte in plaats van weg te rennen, haastte ze zich naar me toe en hielp me uit het zwembad. 'Het spijt me zo, Sarah! Ik heb waarschijnlijk de verkeerde make-up meegenomen. Kun je me vergeven?'

Ik pakte de handdoek van Chris aan en veegde mijn gezicht af, waarbij inktachtige vlekken achterbleven op de badstof.

'Echt, Sarah, het was een ongelukje. Je gelooft me toch wel?' smeekte Holly, die eruitzag alsof ze het meende.

Ik kreeg de neiging haar met haar magere kontje en al het

zwembad in te duwen, maar ik kon mezelf niet laten kennen. Niet als ik mijn verhaal wilde schrijven. Ik kon me niet veroorloven vijanden te maken als ik Suzanne haar inside-primeur wilde geven. Maar Holly zou in het vervolg moeten oppassen. Zelfs ik had mijn grenzen.

'Ja, hoor, Holly, niets aan de hand.' Ik glimlachte liefjes maar staarde haar koel in haar babyblauwe ogen en hoopte dat de boodschap overkwam: nog één poging om me onderuit te halen en dan zou er wel iets aan de hand zijn.

Vergeleken bij mijn mascara-ramp verliep de rest van de middag saai. Niemand dook onder en kwam boven met krullend haar. Er waren geen bommetjes en geen koppeltje duiken. Het was allemaal zeer beschaafd. Als een braaf feestje in het landhuis van Playboy.

Het zeilavontuur op woensdag was iets spannender dankzij de sterke wind, die prima was om snel te varen maar een ramp voor het zorgvuldig gekapte haar van de wijfies. Terwijl de wijfies en de cameraploeg zich met doodsangst vastklampten aan het dek, zeilde Chris het schip als een voormalig lid van het America's Cup Team (wat hij, hoorden we later, ook bleek te zijn).

Op donderdag verruilde Chris zijn stoere Hugh Hefner rol voor die van de Lone Ranger. Terwijl de wijfies op afgepeigerde bruine en karamelkleurige paarden werden gezet om een ritje over het strand te maken, had de regisseur Chris op een witte hengst laten plaatsnemen.

Dorothy keek argwanend naar haar paard toen de productie-assistent zijn handen uitstak om haar in het zadel te helpen.

'Ik heb nog nooit paardgereden,' bekende ze, terwijl ze een stap achteruit deed.

'Er is niks aan. Blijf maar bij mij,' bood Samantha aan, die hoog op haar gevlekte merrie zat. Met het blonde haar weggestopt onder een bruine stetson en de afgedragen cowboylaarzen stevig in de stijgbeugels, leek Samantha zich volledig op haar gemak te voelen op het paard.

'Het lukt je wel,' stelde ik Dorothy gerust, terwijl ik mijn eigen ruin in bedwang probeerde te houden.

'Kun jij rijden?' vroeg Samantha hoopvol. 'Ik rijd al sinds ik een klein meisje was. Mijn familie heeft een paardenfarm in Santa Barbara.'

'Ik heb het nog maar een paar keer gedaan,' zei ik. Samantha trok een teleurgesteld gezicht, alsof ze had gedacht dat we paardrijmaatjes zouden zijn. 'Maar ik ben dol op *Mr. Ed*!'

We reden met z'n allen achter Chris aan naar het strand. Te zien aan de manier waarop hij moeiteloos de teugels hanteerde, wist hij duidelijk met paarden om te gaan. Ik was dus niet verbaasd Chris en Samantha er samen in galop vandoor te zien gaan, terwijl de rest van ons met veel moeite hen probeerde bij te houden.

'Houdoe. Ik ben Rose.' Een atletische brunette kwam naast me stappen terwijl ik uit alle macht probeerde mijn paard uit het water te houden.

'Hoi, ik ben Sarah uit Chicago,' stelde ik mezelf voor, onderwijl aan de teugels rukkend in de hoop dat mijn verwijzing naar mijn stedelijke achtergrond mijn onervarenheid met paarden zou verklaren.

'Weet ik. Ik herken je van de auditie.'

'Je kunt je mij herinneren?' Was ik zo opvallend?

'Eigenlijk herken ik die twee daar.' Ze knikte op het ritme waarin mijn borsten op en neer wipten.

'Tja, ach, na Bebe's openbaring weet iedereen dat ze een beetje hulp hebben gekregen van een Mega Bra. Het spijt me, ik kan me niet herinneren dat ik jou in Chicago heb gezien.'

'Dat verbaast me niet.' Ze leek in het geheel niet beledigd te zijn dat ik haar niet herkende. 'Geen neusring. Geen zwoegende boezem. Ik denk dat ze mij hebben gekozen omdat ik de "doorsneevrouw" vertegenwoordig; misschien hadden ze iemand nodig die eruitziet alsof ze echt de wc-eend gebruikt die het programma sponsort.'

'En, doorsnee-vrouw, wat brengt jou hier?' vroeg ik, blij dat ik met een normaal persoon kon praten en ondertussen pogend mijn vierhoevige vriend te laten zien wie de baas was.

'O, dat verhaal heb je waarschijnlijk al duizenden keren gehoord. Ik heb vier jaar een relatie gehad. Ik zeg tegen hem dat ik de relatie wil bestendigen. Hij zegt dat hij nog niet zover is dat hij zich wil binden. Ik maak het uit. Hij komt met hangende pootjes terug en zegt dat hij niet zonder me kan. Alles is rozengeur en maneschijn. Ik zeg dat ik de relatie wil bestendigen en de ellende begint weer van voren af aan.'

'Getver. Dus nu heb je het definitief uitgemaakt?'

'Voorgoed, vier weken geleden.' Rose wierp een blik om zich heen en wendde zich toen met een ondeugende grijns weer tot mij. 'Tenzij je het nachtelijk telefoontje meetelt dat ik een week voor het programma pleegde.'

'Maar je wilt niet naar hem terug?'

'Hij heeft de melk lang genoeg voor niks gekregen. Nu is het tijd dat hij de koe koopt of verhuist naar een ander graasgebied.'

Ik had altijd een hekel aan dat spreekwoord gehad, maar het illustreerde de situatie wel goed.

'Ze kan echt goed rijden, vind je niet?' Rose wees naar Samantha, die naar ons toe kwam galopperen. Toen ze vlakbij was hield ze haar paard in en ging over in een elegante draf.

'Is dit niet geweldig?' zei ze hijgend, waarna ze een gillende kreet slaakte en ervandoor ging in de richting van de stal.

'Dat kind heeft een hoop energie, maar ze heeft ook goede ideeën. Ik ga ook terug. Ga je mee?' Rose wendde haar paard.

'Ik denk dat ik nog even verder ga, dan zie ik je straks wel. Die ouwe Rusty en ik beginnen net aan elkaar te wennen.'

Nu Samantha op weg terug was naar de stal, had ik even de kans Chris alleen te spreken. Ik pakte de teugels stevig vast en spoorde Rusty aan. Binnen een paar minuten was ik de worstelende Holly gepasseerd die haar paard niet leek te kunnen wegtrekken van een kluwen zeewier, een gebruinde cheerleader die de vrouwen en een cameraman die de pech had niet bij haar vandaan te kunnen komen aanspoorde, en Iris uit New Jersey, die het rijden op haar paard blijkbaar had opgegeven en er nu naast liep.

'Je ziet er goed uit op dat paard,' riep ik Chris toe, terwijl ik hem naderde en hoopte dat mijn paard me niet zou af gooien als ik probeerde vaart te minderen.

'Dat geldt voor jou ook.'

Ouwe Rusty gehoorzaamde me en bleef naast het paard van Chris lopen. Het was slechts een kwestie van tijd voordat een van de andere vrouwen ons zou inhalen, dus vuurde ik meteen mijn eerste vraag op hem af.

'Wat heeft je bezield om aan dit programma mee te doen?' vroeg ik, de stilte verbrekend die was gevallen. 'En wat vind je van vrouwen die aan dit programma meewerken om een echtgenoot aan de haak te slaan?'

'Hé, wat krijgen we nou? Een quiz?'

'Sorry.' Snel toomde ik mezelf in. Hij zou waarschijnlijk niet openhartig worden tegen iemand die overkwam als een nieuwsgierige kip. 'Ik vind het gewoon verbijsterend dat de kijkers dit programma zo graag zien, en dat er honderden vrouwen om jou hebben gevochten, zelfs voordat ze wisten wie je was.'

'Nou, jij was een van hen. Wat heeft jou bezield om aan het programma mee te doen?'

Een onverzadigbare redactrice? Het verlangen de bachelor te ontmaskeren? Een betaalde vakantie in een luxe resort?

'Het leek me wel leuk.'

'Nou, zie je wel. Dat dacht ik ook. En vind je het inderdaad leuk?'

'Ik weet niet of leuk het juiste woord is om het schrijnende gevoel in mijn dijen te beschrijven, maar ik heb dan ook nog nooit zoiets groots als Rusty bereden.' Terwijl de woorden uit mijn mond rolden wenste ik meteen dat ik ze weer terug kon nemen. De camera had me voor de zoveelste maal zeldzaam in vorm gesnapt. Alle kijkers van *De Bachelor* zouden zich afvragen wat het formaat was van de dingen die ik wel gewend was te berijden. Ik hoopte dat Jack dit niet verkeerd zou opvatten.

'Echt waar?' zei Chris lachend. 'Die ouwe Rusty zou de rest van ons wel eens een minderwaardigheidscomplex kunnen bezorgen.'

Toen de cameraman voor ons in hysterisch lachen uitbarstte, leek het erop dat de enige die het gevaar liep een minderwaardigheidscomplex te ontwikkelen, ikzelf was.

8

$\mathcal{T}$egen het einde van de week waren we ofwel uitgeput, ofwel verbrand door de zon of hadden een pijnlijk achterwerk door de harde zadels, of alledrie. Vrijdag was een welkome onderbreking van Arnie en Sloanes carnaval van vriendschap: die dag hadden we vrijaf om ons te kunnen voorbereiden op de kaarsceremonie die 's avonds zou plaatsvinden.

Op vrijdagochtend kreeg ik mijn ogen pas om halftien open. Ik had een droomloze slaap gehad waardoor ik me verfrist voelde na een week die niet alleen lichamelijk slopend was, maar ook geestelijk. In Disneyland rondlopen, me vasthouden aan de railing van een zeilschip en drie uur lang een paard in toom houden was niets vergeleken bij het observeren van veertien vrouwen, een man en twee producers, onderwijl over koetjes en kalfjes pratend met mensen die slechts een paar weken in mijn leven zouden figureren.

Ik had deze dag nodig. Ik had behoefte aan wat tijd voor mezelf. Als ik vanavond niet door de kaarsceremonie heen zou komen, moest ik toch een verhaal voor Suzanne hebben. Tot nu toe leek Holly te voldoen aan het beeld dat ik me van tevoren over de vrouwen had gevormd. Het zou gemakkelijk zijn over haar te schrijven, omdat ze helemaal aan het stereotype beantwoordde: een op het eerste gezicht lieftallige zuidelijke schone, die begon te giechelen als ze de bachelor zag, terwijl ze binnensmonds rotopmerkingen maakte over de andere vrouwen. Dorothy daarentegen was niet zo'n voor de hand liggende schoonheid als de meeste andere meisjes en leek het hele gedoe een beetje te wantrouwen. Ze was tevens de enige die me een vriendschappelijke hand leek toe te steken. Door haar compacte, atletische gestalte en het korte, vrijpostige, jaren zeventig kapsel dat zat weggestopt achter haar oren was ze de minst intimiderende vrouw van het gezelschap. En dan had je nog Samantha, die wel het juiste uiterlijk had, maar zich daarnaast zorgeloos en vrolijk gedroeg. Ze deed net alsof we gewoon een stelletje meiden tijdens zomerkamp waren en leek bijna verbaasd als de bachelor op het toneel verscheen. Alsof ze al was vergeten wat we hier eigenlijk kwamen doen. Ofschoon Holly aanvankelijk Claudia had aangewezen als grootste bedreiging voor haar status van getrouwde vrouw, leek Samantha beter aan dat criterium te voldoen. Alsof haar sprankelende persoonlijkheid niet genoeg was, had ze ook nog een lichaam dat de meesten van ons alleen in tijdschriften hadden gezien.

Met Holly zou ik beginnen.

Ik sloeg de dekens terug en pakte de hotelbadjas van de stoelleuning. De zware gordijnen hadden de ochtendzon buitengesloten en toen ik ze opentrok om het balkon op te gaan werd ik begroet door het schelle licht. Ik graaide mijn zonnebril van de toilettafel en ging aan het bureau zitten schrijven.

Hoe graag ik ook een hekel aan Chris wilde hebben, het lukte me niet. Hij was gewoon zo verdomde aardig! Waar we ook waren, hij probeerde elk wijfie evenveel tijd te geven, hij liet nooit zijn voorkeur blijken en probeerde nooit iemand met opzet jaloers te maken. Hij gedroeg zich als ambassadeur voor alle single mannen door zijn eigen sekse bij een gezelschap van vreemden zo goed mogelijk te vertegenwoordigen.

Natuurlijk was het tamelijk bizar dat hij aan dit programma meewerkte. Maar hij leek het niet te doen om in Hollywood te belanden, zoals Suzanne had gedacht. En het was ook niet zo dat hij uit de vierentwintig vrouwen met wie we begonnen waren, alleen de vijftien mooiste had uitgekozen; niet dat er ook maar één bij zat die in de verste verte onaantrekkelijk was. Was het mogelijk dat de bachelor gewoon een aardige vent was, op zoek naar de ware liefde?

Ik smeet mijn pen neer op de glazen tafel. Waar was ik mee bezig? Had ik soms een zonnesteek opgelopen en had het paard alle gezond verstand uit mijn hersens geschud? Natuurlijk was hij niet op zoek naar de ware liefde! Het was verdomme een tv-programma!

Ik had een douche nodig en ontbijt. Nu meteen.

Onderweg naar het restaurant kwam ik Iris tegen, die op weg was naar het zwembad en ving ik een glimp op van vijf wijfies die zij aan zij op barkrukken zaten als een vuurpeloton. En het was nog niet eens twaalf uur 's middags. Ik kon het hun niet kwalijk nemen. Ik had eigenlijk ook wel trek in een drankje.

Holly en Claudia flankeerden het groepje aan weerszijden. Samantha, Dorothy en Vanessa zaten tussen hen in en probeerden waarschijnlijk de vrede te bewaren.

Toen ik dichterbij kwam merkte ik dat er niet werd gepraat; ze zaten zwijgend toe te kijken hoe de barkeeper drankjes mixte.

'Hallo, meiden, mag ik erbij komen zitten?'

Vanessa rekte haar hals om te zien wie deze vraag stelde.

'Natuurlijk, pak een kruk. Chuck laat ons zien wat hij allemaal heeft geleerd op de cocktailschool.' Vanessa keek de barkeeper aan. 'Wat is dat gele geval met wodka en citroensmaak?'

'Elektrische limonade.'

'Mmmm, dat is lekker.' Claudia likte haar lippen goedkeurend af en nam een slok van haar bloody mary.

Dorothy en Samantha zaten door korte rietjes aan hun bevroren Margarita's te zuigen, waarbij ze nauwelijks de tijd namen om adem te halen. Holly zat elegant aan haar witte wijn met spa te nippen.

'Denk je dat Arnie en Sloane een drankje tijdens een ochtendfuifje zullen beschouwen als kosten die horen bij ons verblijf hier?' vroeg ik Vanessa, terwijl ik een lange telstrook pakte waarop was bijgehouden hoeveel schade Arnies onkostenrekening al had geleden.

'Het lijkt me zeer redelijk om te verwachten dat we ons na een week Bachelor-kamp even moeten ontspannen. En het is gebruikelijk dat met je eigen peloton te doen.'

'Ik wil hetzelfde als zij.' Ik wees naar Vanessa's elektrische limonade.

Vanessa knikte me goedkeurend toe. 'Goeie keus.'

Ik dacht dat als ik me bij het groepje zou voegen, ze in ieder geval wel een poging zouden doen een gesprekje op gang te brengen. Dat had ik verkeerd gezien. Niemand was blijkbaar van plan het onderling overeengekomen zwijgen te verbreken.

De barkeeper zette mijn alcoholische limonade op een cocktailservetje en schoof het naar me toe. Er werd nog steeds geen woord gezegd. Ik nam aan dat we hier alleen waren om te drinken.

Ik pakte het gekoelde glas, roerde er even in en nam een slok. De ijsblokjes bleven tegen mijn bovenlip zitten, die na een paar slokjes gevoelloos werd.

'Jullie zijn nogal stil,' merkte ik uiteindelijk op. Wat een briljante opmerking.

'We zijn uitgepraat.' Dorothy pakte haar Margarita en liet de laatste druppels die nog in het glas zaten in haar mond lopen. 'Vier dagen over koetjes en kalfjes praten vind ik wel genoeg.'

Samantha knikte instemmend.

Die koetjes en kalfjes konden de pot op. Ik had informatie nodig.

'En, nu Arnie en Sloane niet boven op onze lip zitten, wat vinden jullie nou echt van Chris?' probeerde ik, in de hoop dat er iemand zou toehappen.

'Hij ziet er beslist goed uit,' merkte Holly op, terwijl ze langzaam haar vinger over de rand van haar glas liet glijden. Ze had haar haar losjes opgestoken en door de twee losse slierten aan de zijkant van haar gezicht zag ze eruit als een ouderwets Gibsonmeisje.

'Dat vind ik ook,' zei Samantha. 'Maar dat gedoe in Disneyland was een beetje vreemd, vind je niet?'

'Hij zette ons min of meer voor gek, toekijkend terwijl we allemaal in de rondte renden op zoek naar hem en zich inmiddels rotlachend in dat gele berenpak.' Vanessa reikte naar het schaaltje pinda's dat op de bar stond.

'Hij was Poeh,' wees ik haar terecht.

'Ja, zal wel.' Vanessa pakte een handjevol noten. 'Ik stond te wachten bij de kano's van Davy Crockett, ik dacht, hij komt uit Seattle dus hij zal wel van buitenluchtactiviteiten houden. Wie had kunnen denken dat een volwassen man liever als een verdomde tekenfilmfiguur zou rondlopen dan in een kano een verraderlijke rivier afzakken? Dat is toch raar.'

'Ik vind het wel leuk,' antwoordde Holly, terwijl ze glimlachend in haar glas keek.

Claudia bracht haar drankje naar haar mond en aarzelde toen. 'Tja, ach, jij komt uit Memphis; jij denkt nog steeds dat Elvis werd ontvoerd door buitenaardse wezens.'

Het werd weer stil terwijl we allemaal zagen hoe Holly's gezicht betrok.

Claudia keek van links naar rechts en gebaarde met haar handen in de lucht. 'Wat nou? Ik maakte maar een geintje. Het was een grapje.'

'Ik ga naar de fitnessruimte,' zei Samantha om de spanning te verbreken. 'Gaat er iemand met me mee? Ik kan je een geweldige nieuwe step-oefening laten zien waar ik mee bezig ben.'

Claudia knikte en ze sprongen allebei van hun kruk af, een beetje wiebelig.

'Tot vanavond,' riep Samantha ons vrolijk toe, terwijl ze door de lobby zigzagde en zich aan Claudia's schouder vasthield.

Toen ze eenmaal uit het zicht verdwenen waren deed Holly eindelijk haar mond open. 'Wat een trut.'

'Holly, ze maakte een grapje,' zei Dorothy, hoewel we volgens mij allemaal wisten dat het meer als een steek onder water had geklonken dan als een grapje.

'Niet waar, Dorothy,' zei Holly verontwaardigd. 'Ik ben toch niet gek; ik weet het heus wel als iemand me probeert de grond in te boren. En ook nog door Elvis te belasteren.'

'Nou ja, heb jij nog de kans gehad veel met Chris te praten, Sarah?' vroeg Dorothy, terwijl ze Holly liet praten.

'Net zoveel als de anderen, denk ik.'

'Dat weet ik nog zo net niet,' onderbrak Holly me. 'Het leek erop dat Claudia meer dan haar deel kreeg van Chris' tijd.'

'En, wie zullen het halen, denk je?' Dorothy richtte haar aandacht weer op mij.

Ik moest zeggen dat Samantha volgens mij de beste kans maakte. Ze was opgewekt, als je buurmeisje, maar ook sexy op een niet-bedreigende manier. Haar slordige blonde haar en waterige blauwe ogen gaven haar een uitstraling van eeuwig optimisme, een uitstraling die werd versterkt door haar spontane lach die af en toe in gesnuif eindigde. Ze zou een bastaardkind kunnen zijn van Meg Ryan en Cameron Diaz.

'Ik denk dat Samantha er goed voor staat.'

'Ja, dat denk ik ook.'

'Wisten jullie dat ze lesgeeft in aerobics?' vroeg Holly, die de achtergrond van elke vrouw die aan het programma meedeed grondig had onderzocht.

'Echt waar?' vroeg Vanessa. 'Dat verbaast me niet echt. Ze zag er fantatstisch uit in bikini.'

'En, wat denk je van mij?' piepte Holly. 'Denk je dat ik het zal halen?'

We aarzelden alledrie, terwijl ze ons verwachtingsvol aankeek.

'Hallo, dames,' klonk een mannenstem. Het was Joe, een van de cameramannen. 'Ik had dit laten liggen.' Hij hield een zwart elektriciteitssnoer met zilverkleurige uiteinden omhoog.

Toen Vanessa Arnie talmend in de gang zag staan, was ze niet overtuigd. 'Heeft Arnie je gestuurd om ons te bespioneren? Wat, geen camera?'

Joe liet een nerveus lachje horen. 'Om eerlijk te zijn, heeft het Ritz Hotel geen toestemming gegeven voor verborgen camera's en microfoons, uit angst dat gasten rechtszaken zouden aanspannen en zo, en we kunnen jullie niet filmen in de openbare ruimten van het hotel zonder te verraden dat we met dit programma bezig zijn, dus heeft Arnie gevraagd of ik hierheen wilde gaan om te zien of ik jullie zover kon krijgen deze kleine bijeenkomst voort te zetten in een privéruimte in het restaurant.'

Vanessa draaide zich om en schudde opvallend nee in de richting van Arnie. 'Zeg hem maar dat we hier blijven. Zelfs een dier in de dierentuin krijgt af en toe wat tijd voor zichzelf.'

Joe haalde zijn schouders op en gebaarde naar Arnie dat het hem niet gelukt was.

'Ik begrijp wat je bedoelt, maar Arnie zal er niet blij mee zijn. Ik laat jullie nu met rust. Het ziet er naar uit dat jullie het nu meer naar je zin hebben dan met draaiende camera's om je heen.'

'Blijf nog even.' Vanessa schoof met haar blote voet een stoel naar achteren. 'Ga zitten.'

'Dat hoeft niet, ik blijf wel staan.'

Vanessa haalde haar schouders op. 'Wat je wilt.'

Joe ging naast Dorothy staan, die naar zijn benen staarde die zo bruin waren dat het haar er als gouden draadjes op glansde. Joe kon doorgaan voor de tegenpool van de bachelor. Hij was hooguit een meter zestig lang, droeg nylon surfershorts en een verschoten T-shirt waarop stond *If it swells, ride it.* Hij had een baard van een paar dagen en moest zich nodig scheren, maar doordat hij gebruind was en zijn haar lichter was geworden door de zon, had zijn stoppelbaard meer weg van Brad Pitt dan van een dakloze surfer.

'En, hoe staan wij er voor vergeleken met de oogst van vorig jaar?' vroeg Dorothy, die een beetje glazig en scheel keek.

'Je weet dat ik daar niet over mag praten.' Joe trok de aandacht van de barkeeper en bestelde een biertje.

Holly zwaaide een koperkleurige krul over haar schouders en richtte haar aandacht op Joe. 'Vertel dan eens iets over Chris. Wat zegt hij tegen de presentator als wij niet in de buurt zijn?'

'Oké, ik merk wel dat jullie informatie uit me willen peuteren. Je weet dat ik daardoor mijn baan zou kunnen kwijtraken.' Hij maakte aanstalten om te vertrekken.

Dorothy probeerde hem vast te grijpen, waarbij ze bijna van haar kruk viel. 'Nee, wacht nou even.'

Joe bleef staan; eigenlijk moest hij wel, in aanmerking nemend dat Dorothy twee vingers om zijn kraag had geslagen en het niet veel scheelde of ze trok zijn hemd uit.

'Nou, vertel ons dan gewoon wat je van hem vindt,' stelde ik voor. Misschien kon Joe me een beetje helpen. 'Vanuit het standpunt van een man.'

'Eigenlijk is hij best aardig. Beter dan de bachelor van het vorige seizoen. Dat was een klootzak.' Joe pakte zijn biertje aan van de barkeeper en legde een biljet van vijf dollar op de bar. 'Chris is cool. Ik weet niet wat ik er nog meer over moet zeggen.'

'Zou je zelf ooit aan het programma willen meedoen?' vroeg ik hem.

Joe wilde net een slokje Budweiser nemen, maar zijn arm bleef in de lucht hangen.

'Ik?' Hij lachte, alsof ik iets grappigs had gezegd. 'Ik denk niet dat ik het soort man ben dat ze willen hebben.'

Ik stond op het punt te vragen waarom, maar we wisten allemaal het antwoord wel. Geen Stanford. Geen business school. Geen familie-imperium. Al had hij niet de juiste achtergrond, met zijn uiterlijk was niets mis, uitgezonderd zijn lengte dan.

'Ik denk dat je een geweldige bachelor zou zijn,' zei Dorothy met dubbele tong, terwijl ze zo breed grijnsde dat haar ogen bijna dicht waren.

'Volgens mij kunnen jullie haar beter even op een ligstoel leggen zodat ze even kan slapen.' Hij verplaatste zijn blik naar Dorothy, die haar hoofd op de bar had gelegd om even uit te rusten. 'We willen geen vrouwen met katers vanavond bij de kaarsceremonie.'

Hij had gelijk. Over minder dan vier uur moesten we ons allemaal verkleed hebben en klaar zijn voor de derde ronde van Operatie Bachelor.

'Ik breng haar wel naar haar kamer,' bood Vanessa aan.

'Dat is een goed idee. En ik ga dit naar mijn kamer brengen.' Joe hield zijn biertje omhoog. 'Jullie zijn niet de enigen die een belangrijke avond voor de boeg hebben. De cameraploeg moet alles hebben klaargezet als jullie arriveren, en ik wil geen wazige beelden maken.'

We keken hem na toen Joe wegliep. Zijn nonchalante, zelfbewuste tred was vol vertrouwen, maar ontspannen, de zelfverzekerde manier van lopen van een man die niets hoefde te bewijzen. Joe voelde onze ogen waarschijnlijk in zijn rug branden, want bij de lift draaide hij zich om en riep: 'Neem de volgende keer een foto. Daar doe je langer mee.' Hij barstte in lachen uit en zwaaide nog even toen de liftdeur dichtschoof.

'Hij is een echte man,' zei Dorothy mijmerend, terwijl ze haar kin op haar hand liet rusten.

'Ja, als je van landlopers houdt,' voegde Holly er misprijzend aan toe.

'Laten we haar naar boven brengen,' stelde Vanessa voor. 'Sarah, wil je me helpen?'

We gooiden elk wat geld op de bar als fooi en lieten het aan Holly over het kamernummer van Arnie op de rekening in te vullen.

'Schaats jij?' vroeg ik Dorothy, terwijl ik boven de muziek van Muzak probeerde uit te komen die in de lift klonk.

'O, lieve hemel, houd daarover op alsjeblieft! Heb je enig idee hoe vaak me dat gevraagd wordt? Ik heb al zo vaak een ander kapsel geprobeerd. Maar ik vind het prettig als het kort is.'

'Ik ook, hoor,' viel Vanessa haar bij, terwijl ze haar gewicht verplaatste om Dorothy overeind te kunnen houden. 'Het staat je geweldig.'

'Weet je, Dorothy Hamill is niet bepaald de drromvrouw voor elke vent. Al zou ik mijn been boven mijn hoofd kunnen optillen en draaien als een tol, dan heb ik altijd nog die vreselijke dijen.'

'Er is niks mis met je dijen, Dorothy,' stelde Vanessa haar gerust.

'Ze hebben de vorm van een bougie. Het valt niet mee de hele dag omgeven te zijn door roomsauzen; als je experimenteert met nieuwe ideeën voor voor- en nagerechten moet je veel proeven, weet je.' Ze keek Vanessa en mij aan met een om begrip vragende blik.

'Natuurlijk is dat zo,' zei ik tegen haar.

Dorothy hing tegen Vanessa aan, die haar best deed onze olympische look-alike niet op de grond te laten glijden. Terwijl ze daar zo samen stonden, hadden ze door kunnen gaan voor zusjes, niet omdat ze op elkaar leken, maar omdat Vanessa voor Dorothy leek te willen zorgen zoals een ouder zusje dat voor haar jongere zusje zou doen. Vanessa's harde uiterlijk stond in schril contrast met Dorothy's ongegeneerde stroom van bekentenissen.

'Ik geloof dat ik even moet gaan liggen.' Dorothy deed haar ogen dicht en slaakte een zucht. 'Ik ben moe.'

'Rustig maar. We zullen je lekker instoppen en dan kun je even rusten voor vanavond.' Vanessa aaide Dorothy over haar korte haar.

'Bedankt.' Dorothy keek eerst naar Vanessa en toen naar mij. 'Jullie zijn geweldig.'

Toen ik terug in mijn kamer kwam zag ik het rode lichtje op mijn mobieltje knipperen. Het bleek een boodschap dat ik tante Suzy moest bellen, de codenaam voor Suzanne.

Ik pakte de telefoon en draaide het nummer van *Femme*.

'Ik was zo blij met je berichten; ik vind het heerlijk dat je me op de hoogte houdt,' zei Suzanne opgetogen. 'Sorry dat ik je niet eerder gebeld heb, maar we zitten tegen de sluitingsdatum van het volgende nummer aan. En, hoe gaat het?'

Ik deed verslag van de activiteiten en de gesprekken met Chris in de afgelopen week.

'Heb je wat gedronken?' vroeg ze; er klonk een geamuseerde lach in haar stem.

'Een beetje. Een paar meiden zaten aan de bar.'

'Super. Zijn ze lam geworden en heb je ze wat goed materiaal voor het artikel kunnen ontfutselen?'

'Ik krijg wat ik nodig heb.' Min of meer.

'Hoe verwacht je het er vanavond bij de ceremonie af te brengen?'

Ik liep het balkon op en deed de schuifdeuren achter me dicht, nog steeds niet zeker of Arnie geen afluisterapparatuur had geplaatst. 'De bachelor heeft me niet apart genomen en me zijn eeuwige liefde verklaard terwijl de anderen de paarden terug naar de stal brachten, als je dat soms bedoelt. Maar ik denk dat ik net zoveel kans maak als de anderen.'

'Nou, dat is al heel wat. Ik moet ervandoor, maar je weet toch dat we allemaal met je meeleven hier?'

Dat wist ik. En ook ik leefde met mezelf mee.

9

*T*oen de presentator Chris het groene licht gaf, leek het meer alsof hij met de zwart-wit geblokte vlag het startsein voor een autorace had gegeven. Chris kwam onmiddellijk in beweging en liep doelbewust recht vooruit, mijn richting op. Hij zou niet alleen mijn kaars aansteken, hij nam mij ook nog als eerste. Ik hield mijn kaars recht en stak hem iets naar voren. Ik wilde niet dat er kaarsvet op mijn linnen jurk terecht zou komen. Toni en Teri hadden me gewaarschuwd dat je dat er haast niet uit kreeg. Ik probeerde oogcontact met Chris te maken, maar hij was te sterk geconcentreerd op waar hij heen liep, naar mij en vervolgens twee stappen rechts van mij. Naar Rose, die naast me stond.

Ik haalde diep adem en bleef met opgeheven hoofd en een glimlach op mijn gezicht geplakt staan en voelde een intens verlangen de kaarsvlam dertig centimeter omhoog te zien schieten en Chris' wenkbrauwen te zien verzengen.

Hij bleef voor Rose staan en al snel kwam bij het ene vlammetje een tweede. Roses kaars flakkerde in haar hand, wierp een warme gloed op haar gezicht en weerkaatste de glinstering in haar donkere ogen. Ze sloeg haar armen om Chris heen en omhelsde hem even, waarbij ze uitkeek dat ze zijn sportjasje niet in de fik stak. Toen ze terugstapte op haar plaats in de cirkel had ze een brede glimlach op haar gezicht. Naast mij stond ze. Naast het wijfie dat niet als eerste was gekozen.

Ofschoon we geen van allen naar adem hapten of enig teken gaven dat we niet cool en beheerst waren, wist ik dat we allemaal verbaasd waren. Claudia konden we nog wel begrijpen. Die vrouw was echt een stuk. Of Samantha, met haar aerobics-lichaam en speelse instelling, door wie zelfs de meest alledaagse taak werd opgevat als opwindend en leuk. Maar Rose?

Rose was niet de meest sexy, de aantrekkelijkste of zelfs spontaanste vrouw van de groep. Met haar atletische bouw en saaie bruine bopkapsel dat meestal zat verstopt onder een baret of haarband, sprong ze er nu niet bepaald uit als rivale. Chris deed ons allemaal versteld staan. Er was een vreemde eend in de bijt gekomen.

Eén wijfie afgewerkt en nog negen te gaan.

Ik observeerde de gezichten van de meisjes om te zien of ik tekenen van angst kon ontdekken of van het soort afgrijzen dat je in je maag voelt als je voorbereid bent op het ergste. Maar de meeste vrouwen in de cirkel hadden hun pokerface opgezet en glimlachten oppervlakkig, waardoor ze toonden dat ze wel wilden, maar dat ze niet al te enthousiast waren. Alleen Holly's vernislaagje vertoonde barsten die haar ware gevoelens verriedden. Ofschoon haar pas gestifte lippen het beste orthodontische werk omlijstten dat Memphis te bieden had en haar gepoederde wangen nog net een paar sproeten lieten zien, trok ze met haar rechter ooglid als een tl-buis die bijna kapot is.

Hoewel ik niet dacht dat mijn leven op het spel stond, zoals de meeste vrouwen, wist ik dat mijn artikel – om maar te zwijgen over mijn eigendunk – afhankelijk was van de vraag of ik dit monsterlijke ritueel zou overleven. Ik rechtte mijn rug en hield mijn buik in. Dat kon geen kwaad.

Samantha, Claudia, Iris en de tweelingzusjes Jackie en Josie werden benaderd door Chris' vlammende fallus, en ik begon me zorgen te maken. Ik had niet het lichaam van Samantha en was niet zo mysterieus als Claudia, maar ik was toch ook geen lelijkerd. Ik was minstens even aantrekkelijk als de andere overgebleven vrouwen. En als je mijn persoonlijkheid erbij betrok was ik zelfs aantrekkelijker. Het was ondenkbaar dat Chris de cheerleader van de universiteit van Arizona zou kiezen. Die had nota bene een belachelijke mascotte in de vorm van een boskat op haar enkel laten tatoeëren! Zo stom zou hij toch niet zijn.

De volgende die het vlammetje in ontvangst namen waren Dorothy en Vanessa. Ofschoon ieder die de vlam ontving opzettelijk niet naar de andere meisjes keek uit angst dat het zou lijken of ze zich verkneukelde, wierp Dorothy me een doelgerichte blik toe, toen Chris bij haar wegliep. Het dutje had haar goed gedaan.

Het was niet te zien dat ze een paar uur geleden nog over een hotelbar had gehangen. Ze wierp me een bemoedigend glimlachje toe, terwijl ze haar kaars in de hand had. Ze bedoelde het goed, maar het enige waar ze in slaagde was mijn stress opvoeren. Tegen de tijd dat Holly haar aangestoken kaars koesterde als een baby had ik het gevoel dat ik in een ring van vuur stond. Ik zou op de brandstapel van ongewenste vrouwen terechtkomen.

Het begon eindelijk tot me door te dringen dat ik niet zou worden uitgekozen. Het was nu wel zeker dat ik de tweede ronde niet zou halen. Die zakkenwasser. De Stanfordstudent, die imbeciel die op de Harvard Business School had gezeten, die idioot die een miljoenenbedrijf leidde was niet eens bij machte om even zijn pik niet achterna te lopen en een vrouw uit te kiezen die niet alleen intellectueel zijn gelijke was, maar ook een beest tussen de lakens (oké, ik geef toe dat daar geen recent bewijs van was, maar een jongen op school had dat een keer tegen me gezegd en ik geloofde hem op zijn woord).

Chris bekeek de zes overgebleven vrouwen, die het toonbeeld van achteloosheid vormden. Uiteindelijk deed hij drie stappen in mijn richting en bleef toen staan. Die vent deed net alsof hij de opdracht had de nieuw benoemde paus te zalven. Het was een spelprogramma! Maak een keus, verdomme!

Nog een paar stappen in mijn richting en toen hield Chris zijn kaars tegen de mijne aan. Ik kreeg een triomfantelijk gevoel, alsof ik de olympische toorts vasthad. Het was de helderste vlam die ik ooit had gezien; hij danste op de lont van mijn kaars en kondigde trots aan dat ik tóch begeerlijk was. Ik had het al die tijd wel geweten.

De presentator leidde de afgewezen wijfies de kamer uit, onder wie Miss Boskat Tattoo, en de rest van ons voelde een grote onderlinge band door onze status als uitverkorenen.

En toen waren er nog maar tien. Vier blondines, vier brunettes en een roodharige. En een journaliste die weer een week gewonnen had voor haar artikel. Hij had waarschijnlijk gewoon de beste voor het laatst bewaard.

Toen ik de volgende ochtend in de badkamer bezig was de laatste hand aan mijn make-up te leggen, werd er drie keer snel achter elkaar op de deur van mijn hotelkamer geklopt. Vanessa en Dorothy kwamen me halen om naar beneden te gaan. We moesten om elf uur in de lobby verzamelen om met de bus naar het huis van Chris te gaan, waar we de volgende opdracht te horen zouden krijgen. Ik legde mijn lippenpotlood neer en liep naar de deur.

Na het incident in de lift hadden Dorothy, Vanessa en ik een soort bondgenootschap gevormd, het soort vriendschap dat ontstond tussen vreemden die samen proberen te overleven, al weten ze dat er uiteindelijk maar één persoon in de reddingssloep past.

'Hoi, Sarah,' begroette Vanessa me terwijl ze binnenkwam. 'Dorothy zien we straks beneden. Ze wilde nog even met haar restaurant bellen. Het is een lieverd, vind je niet?'

'Ja, dat is ze zeker,' zei ik instemmend. 'Ik ben bijna klaar met me opmaken; ga even zitten.'

Vanessa maakte het zich gemakkelijk op mijn bed en trok haar gespierde benen als een spin onder zich op.

'Je ziet er leuk uit,' riep ik vanuit de badkamer, waar ik haar in de spiegel kon zien. Vanessa's lavendelkleurige zijden pantalon had veel weg van een pyjamabroek; hij zat om haar middel vastgesnoerd met een koord en paste bij haar strakke, lavendelkleurige topje. Haar donkere uiterlijk en haar vormden een contrast met de bleke, lila kleur, wat haar zachter maakte, alsof er een filter was gebruikt.

'Bedankt,' riep ze terug, verbaasd door het compliment. 'Ik weet dat mannen meestal niet van paars houden, maar ik dacht: wat kan mij dat schelen? Ik ben degene die het draagt.'

'Wat vind je van hem? Van Chris?'

'Geen commentaar.'

'Ben je niet van hem onder de indruk?'

'Nou, ik dacht dat ik die gozer met wie ik verloofd was kende, en dat was een vergissing. Ik ben niet van plan mijn oordeel te baseren op een duik in het zwembad en een treinritje met Mickey Mouse.'

'Poeh,' corrigeerde ik haar.

'Ook goed. Hij is goed begonnen. Laten we zien of hij dat kan volhouden.'

Met een zwaai van haar benen ging ze van het bed af en liep naar het balkon.

'Wie is dit?' vroeg ze, terwijl ze een fotootje omhooghield dat ze van mijn nachtkastje had gepakt.

Ik stak mijn hoofd om de badkamerdeur en werd geconfronteerd met mijn eigen onzorgvuldigheid. Ik moest razendsnel denken. Wat voor goede reden kon ik aanvoeren om een foto van een klein meisje bij me te dragen?

'Mijn nichtje,' antwoordde ik en ik legde snel de laatste hand aan mijn lippen, zoals Suma me had geleerd. Ik deed de dop op het potlood en ging naar Vanessa toe.

'Wat een schatje.'

'Ja.' Ik kwam dichterbij en pakte de foto van Katie uit Vanessa's hand. De foto was genomen op haar eerste verjaardag en ze had een roze gesmokt jurkje aan. 'Dat is ze zeker.'

Ik liep terug de badkamer in en Vanessa liep achter me aan.

'Hoe oud ben jij?' vroeg Vanessa, terwijl ze mijn gezicht in de spiegel kritisch bekeek.

'Zesentwintig,' antwoordde ik, in de hoop dat ze me zou geloven.

'Ik ben bijna dertig,' zei ze, terwijl ze een lippenstift uit haar tas viste.

Dertig. In mijn oren klonk dat jong, maar Vanessa sprak het uit alsof het stokoud was.

'Dat is niet oud.'

'Ja, dat kun jij makkelijk zeggen.'

Ze tuitte haar lippen en bracht een laag lippenstift aan.

'Laat ik je vertellen wat je in de komende vier jaar te wachten staat, voordat je de gevreesde drie-nul bereikt en je een sociale paria wordt.' Vanessa sprong op de commode en sloeg haar benen over elkaar. 'In de komende twee jaar zullen al je vriendinnen zich verloven en je uitnodigen hun huwelijk bij te wonen, gekleed in een monsterlijke jurk, die er alleen toe dient te benadrukken hoe mooi zij zijn op het moment dat ze de huwelijksbeloften uitwisselen met een of andere vent, van wie ze verwachten dat die hun op zijn witte paard in de richting van de ondergaande zon zal voeren, terwijl de zeepbel uit elkaar zal spatten zodra hij de wc-bril omhoog laat staan en vergeet dat het drie jaar geleden is dat ze elkaar voor het eerst hun liefde verklaarden. Vervolgens zullen je vriendinnen beginnen te praten over baby's krijgen en zullen daar zo geobsedeerd door raken dat ze je intieme en schokkende details zullen toevertrouwen, bijvoorbeeld hoe vaak ze hun vaginale afscheiding onderzoeken en bepaalde seksstandjes uitproberen waarvan beweerd wordt dat die precies het kleine dochtertje zullen produceren waarnaar je vriendin zo verlangt. De meesten zullen hun baan opzeggen, zich bij een speelgroepje aansluiten en je bestaan vergeten, behalve als hun echtgenoot voor de zoveelste keer laat thuiskomt en ze iemand nodig hebben tegen wie ze kunnen klagen dat hun man niet beseft hoe moeilijk het is om de hele dag thuis te zitten en een baby groot te brengen, en, jeetje, dat "we echt snel een afspraak moeten maken om te gaan eten of zo", maar dat ze het zo druk hebben, "misschien volgende maand."'

Ze schopte haar met kralen versierde sandaaltjes uit en ging als een indiaan in kleermakerszit zitten.

Vanessa deed het overkomen alsof alle vrouwen volledig in beslag werden genomen door de veranderingen die het huwelijk en het ouderschap teweegbrachten. Je hoeft niet te veranderen, wilde ik tegen haar zeggen. Jack was niet meer dezelfde man die hij was toen we verkering kregen, maar ik had niet toegestaan dat mij datzelfde was overkomen. Of wel?

'Wat afschuwelijk allemaal; waarom wil je dan net zo worden?'

'Dat wil ik helemaal niet.' Ze hield mijn wimperkrultang omhoog. 'Gebruik je dit ding echt?'

Ik knikte.

'Maar waarom ben je dan hier?' vroeg ik.

'Je wilt weten wat ik hier doe? Ik ben hier omdat ik een fantastische baan heb, financieel onafhankelijk ben, aantrekkelijk, slim en dat je zou denken dat ik lepra had als je had meegemaakt hoe mijn moeder reageerde toen die ouwe zak de verloving verbrak. Zij dacht dat hij mijn laatste hoop was.'

'Je bent hier vanwege je moeder?' Zoals Vanessa me daar op de commode in haar prachtige outfit zat te vertellen hoe ze zichzelf zag, was ze het toonbeeld van een vrouw die ijzersterk was, alles in de hand had en zeer zelfverzekerd was. Grappig dat haar moeder haar beschouwde als een vrijgezelle meisje dat problemen had aan de man te komen.

'Ja. Zij heeft het aanmeldingsformulier ingevuld, mijn foto opgestuurd en de hele rimram.'

'Maar je had er toch niet mee door hoeven gaan?'

'Nou, mijn jongste zusje heeft al twee kinderen. Als ik dit zou doen, kon mijn moeder tenminste met opgeheven hoofd naar de bingo van de kerk gaan.'

'Maar je komt op mij helemaal niet over als iemand die een man nodig heeft om gelukkig te zijn.'

'Ik heb geen vent nodig om gelukkig te zijn. Ik wil gewoon gelukkig zijn. Maar helaas ben ook ik opgegroeid met al die onzin waarmee ze ons volstopten. God verhoede dat ik werkelijk zou kunnen functioneren zonder vriendje of echtgenoot, zeker gezien het feit dat mijn eierstokken aan het verschrompelen zijn terwijl ik nu met jou praat. Het is nu of nooit. Mijn moeder zou het liefste zien dat het nu was.'

'Dus je wilt niet winnen?'

'Ja, best wel. Ik wil best winnen. Maar niet omdat ik met een trouwring om mijn vinger wil kunnen weglopen. Ik wil hier alleen maar vertrekken met mijn waardigheid en het bewijs dat ik een vent kan strikken als ik dat zou willen. Dan laten ze me misschien met rust en hebben ze geen medelijden meer met mij en mijn zielige leventje.'

Vanessa stond onder druk. Dat kon ik haar niet kwalijk nemen. Ik had meer dan genoeg 'experts' op dit gebied geïnterviewd voor mijn artikelen, en de oplagecijfers van *Femme* waren ervan afhankelijk. Geen wonder dat ze zich zo voelde, met al die artikelen over de afnemende vrouwelijke vruchtbaarheid, de krimpende mannenpopulatie en dat een vrouw die ouder dan vijfendertig is meer kans heeft door de bliksem te worden getroffen dan te trouwen.

Toen ik op mijn tweeëndertigste zwanger werd, waren er mensen die reageerden alsof het een wonderbaby betrof. Alsof ik het leven zou hebben geschonken aan een driekoppige hagedis als ik mijn bevruchting nog een dag langer zou hebben uitgesteld. Onze vrienden en familie hadden ons jarenlang op de huid gezeten en gaven ons het gevoel dat we een stelletje egoïsten waren omdat we eerst een paar jaar voor onszelf wilden hebben voordat we ons overgaven aan levenslang ouderschap.

Zelfs nadat ik in verwachting was geraakt lieten de mensen me niet met rust. Ze vroegen met gedempte stem of ik zou blijven werken na de geboorte, terwijl de eigenlijke vraag was of ik mijn zelfzuchtige behoefte aan carrière maken zou stellen boven het basisrecht van mijn kind op een toegewijde moeder. Ik antwoordde de bovenmatig geïnteresseerde vragensteller dan dat ik van plan was fulltime thuis te zijn en te schrijven als ik de kans kreeg. Dan slaakte hij of zij een zucht van verlichting, dankbaar dat ik niet de hedendaagse illusie koesterde dat een vrouw allebei tegelijk kon doen; er was nog hoop voor de mensheid.

'Weet die eikel dat je hier bent?' vroeg ik.

'Ik heb het hem in ieder geval niet verteld. Laat hij zich maar kapot schrikken als hij me op tv ziet.' Vanessa gaf me de mascararoller aan. 'En hoe zit het met jou? Wil jij ook iemand een schok bezorgen?'

'Ik?' Ik sperde mijn ogen open en bracht de mascara op mijn wimpers aan. 'Ik wil helemaal niemand een schok bezorgen.'

'Ja, ja, dat zal wel. Er moet ergens een vent rondlopen van wie je dolgraag wilt dat hij de tv aanzet en dan jou ziet, helemaal opgedoft en mooi, terwijl je de meest begeerde vrijgezel van Amerika verleidt. We willen toch allemaal bewijzen dat we een geweldige vangst zijn, dat al die kerels met wie we zijn uitgeweest ons niet wisten te waarderen toen ze de kans hadden?'

Ik dacht aan het commentaar van Jack. Dat hij vergeten was hoe het voelde om thuis te komen bij iemand die eerder een vriendin dan een echtgenote leek.

'Nou, ja dan, ik zou het niet erg vinden als een zeker iemand me zou zien en zou beseffen wat hij bezat,' gaf ik toe.

'Dat dacht ik wel. Hoe dan ook, ben je nou klaar? Dorothy staat beneden op ons te wachten. Over vijf minuten vertrekt de bus naar het huis van Chris.'

Terwijl de wijfies op de presentator zaten te wachten die onze volgende opdracht bekend zou maken, hadden we het ons gemakkelijk gemaakt op Chris' tijdelijke stoelen en banken. Nu er nog slechts tien van ons waren, was de stemming enigszins veranderd. Na een week in elkaars gezelschap te hebben doorgebracht, hadden we de kans gehad met elkaar te praten en onze positie in de groep te bepalen; in het geval van Holly en Claudia was die positie zo ver mogelijk bij hen vandaan. We hadden samen unieke dingen beleefd en al waren we niet echt vriendinnen geworden, we waren op zijn minst goede bekenden van elkaar. De vrouwen waren bereid om iets meer van zichzelf te laten zien, hun waakzaamheid te laten verslappen en erop te vertrouwen dat we allemaal in hetzelfde schuitje zaten. Althans, voorlopig.

Toen Arnie en Sloane met de regisseur stonden te praten, ging ik eens met Pierre praten. Onze Frans sprekende presentator uit Queens zou vast en zeker in staat zijn wat sappige details aan het artikel toe te voegen. Hij stond bij de terrasdeuren een sigaretje te roken en ik ging naast hem staan.

'Pierre?'

Hij draaide zich agressief naar me toe; zijn pols leek nauwelijk sterk genoeg om de dunne sigaret tussen zijn vingers te dragen. 'Wat wil je?' snauwde hij me met samengeknepen lippen toe; er was geen spoor meer van zijn Franse accent te bekennen.

'Ik wilde je gewoon even gedag zeggen; hoewel we erg veel tijd samen hebben doorgebracht zijn we eigenlijk nooit echt aan elkaar voorgesteld.'

'Er staat niet in mijn contract dat ik met jullie moet praten.'

'Het leek me gewoon leuk elkaar een beetje te leren kennen.'

'Liefje, ik heb hier geen tijd voor. Hoepel op.' Hij wapperde met zijn gemanicuurde handen en concentreerde zich weer op zijn sigaret.

Ik had Pierre een kans gegeven aardig te zijn. Nu leek het erop dat ik mijn creativiteit zou kunnen botvieren als het moment zou aanbreken de galante presentator te ontmaskeren als de homoseksuele, aan nicotine verslaafde Pete uit Queens.

De cameraploeg had zich verspreid in de kamer opgesteld en controleerde de apparatuur tijdens het wachten. Joe, die een versleten spijkerbroek en een ander verschoten shirt aanhad, zat op zijn knieën een aantal kabels bij elkaar te binden. Ofschoon hij ons een knipoogje had toegeworpen toen we binnenkwamen, gaf hij geen andere indicatie dat hij de dag daarvoor een borrel met ons had gedronken. Ik nam aan dat het niet de bedoeling was dat de ingehuurde krachten op al te goede voet met de wijfies zouden komen te staan. Het kijkerspubliek wilde niet een van de vrouwen zien flirten met een onopvallende, gewone Joe.

De regisseur mompelde iets in zijn microfoontje en wees nadrukkelijk naar de cameraman bij de voordeur.

Pierre gooide zijn sigarettenpeuk in een bloembak en hernam zijn positie voor in de kamer.

'Toen jullie hier aankwamen hebben jullie allemaal een korte vragenlijst ingevuld. Daarin waren onder meer vragen opgenomen waarvan de antwoorden zouden leiden tot een beter begrip van de bachelor over jullie karakter en over de dingen die jullie gemeen hadden. Uit jullie tienen hebben we de drie vrouwen geselecteerd wier antwoorden het beste bij Chris pasten, en die vrouwen zullen deze week met de bachelor uitgaan.'

Pierre gaf de camera de gelegenheid even op onze gezichten in te zoomen en vervolgde toen: 'En de drie gelukkigen zijn...' Hij zweeg even om het dramatische effect te verhogen. 'Rose, Dorothy en Sarah.'

Dorothy en ik keken elkaar aan. Ze haalde haar schouders op en beet op haar lip, waarschijnlijk om te voorkomen dat haar kaak tot op de grond zou zakken.

Ik denk dat we allebei een beetje verbaasd waren. Een beetje heel erg verbaasd.

'Sarah, jij bent als eerste aan de beurt. Chris zal je morgen om acht uur opwachten voor het hotel. Je zult dan horen waar jullie op deze speciale dag naartoe gaan.'

Ik knikte, alsof mijn toestemming er iets toe deed.

'Neem me niet kwalijk.' Dorothy verhief haar stem en stak haar hand op om de aandacht van de presentator te trekken.

Ik weet niet of Pierre ooit had verwacht te worden aangesproken door iemand anders dan de bachelor, want hij staarde Dorothy aan alsof ze een of ander heilig protocol had overtreden. Ik kon me niet herinneren of er iets in het boekje had gestaan over een spreekverbod als de presentator aan het woord was.

Pierre trok zijn wenkbrauwen op en keek haar misprijzend aan. 'Dorothy?'

'Waar is Chris?'

'Wat bedoel je?' De presentator klonk ijl en ongeduldig.

'Ik bedoel, waar is Chris? Waarom heeft hij ons dit niet zelf verteld?'

Samantha en Vanessa knikten instemmend en we lieten allemaal onze blik van Dorothy naar Pierre glijden. Alsof we het heen en weer gaan van een tennisbal tijdens een wedstrijd volgden.

'Zelf vertellen? Omdat dit mijn taak is,' legde de presentator op neerbuigende toon uit.

'Ja, maar het is zijn afspraakje,' zei Vanessa met schrille stem, terwijl ze uitdagend haar handen in haar smalle middel zette.

'Ja, dat is waar.' Pierre keek de kamer rond, zich waarschijnlijk voor het eerst realiserend dat er van ons veel meer waren en dat hij op het punt stond de sympathie van zijn toehoorders te verliezen. Ik begon dit pittige stelletje kippen aardig te vinden.

'Even wachten.' Hij stak zijn vinger op en repte zich naar de regisseur. Na wat gefluister liep de presentator de gang in.

'Wat gaat hij verdomme doen?' vroeg Vanessa aan de groep. De regisseur maakte een snijdend gebaar langs zijn hals, waarmee hij Vanessa probeerde duidelijk te maken dat ze haar taal moest kuisen.

'Die klootzak kan barsten,' mompelde ze binnensmonds, maar net duidelijk genoeg, zodat ik het kon horen.

Het geluid van zware voetstappen op de tegelvloer trok onze aandacht en toen we ons omdraaiden zagen we Chris, gekleed in korte broek en een golfshirt, aan komen lopen.

'Hier ben ik. Ik had me niet verstopt,' riep hij grijnzend.

'Ik dacht niet dat je je verstopt had. Ik vond alleen de manier waarop we over het afspraakje te horen kregen nogal onbeschoft. Ben jíj niet degene die ons zou moeten vragen?' vervolgde Dorothy, die Chris er niet zo gemakkelijk van af liet komen.

'Je hebt helemaal gelijk.' Hij stapte over de kabels van de camera heen en ging voor Dorothy staan. 'Dorothy, heb je zin om met me uit te gaan?'

'Nou, als je het zo lief vraagt,' antwoordde Dorothy plagend.

'En Sarah, Rose. Hebben jullie zin om met me uit te gaan?'

'Ja, hoor,' antwoordden we eenstemmig.

'Dat is dan geregeld,' zei Pierre. 'Dames, op de patio staan sandwiches klaar voor de lunch. Waarom gaan we daar niet heen?' Hij liep door de openslaande deur de warme Californische middag in.

Voordat ik in beweging kon komen greep iemand me vast.

'Wat was dat allemaal?' fluisterde Holly in mijn oor. 'Ze probeert alleen alle aandacht naar zich toe te trekken.'

'Dorothy? Onze Dorothy? Dat meisje dat zo ongeveer in slaap viel met haar hoofd op de bar en dacht dat haar heupen overeenkomst vertoonden met een bepaald auto-onderdeel?'

'Natuurlijk bedoel ik Dorothy. Al dat gedoe om Chris af te troeven. Dat was niet eerlijk.'

Ik wilde eigenlijk zeggen dat iemand die Chris wilde overtroeven hem niet op het matje zou roepen over zijn onbeschoftheid, maar schudde in plaats daarvan slechts met mijn hoofd en liep achter de stoet vrouwen aan naar de patio.

'Ja, toe maar, wat kan jou het schelen? Jij hebt een afspraakje,' hoorde ik Holly achter me zeggen.

Inderdaad. Dat was waar.

10

$\mathscr{D}$e portier hield de zware, glazen, met koper beslagen deur open die naar de zuilengang leidde en wees naar een auto die met draaiende motor op de oprit stond. Chris stond al op me te wachten. Hij zag eruit alsof hij volledig in zijn element was in de kersenrode Porsche 911 Cabrio.

Ik gooide mijn tas van canvas over mijn schouder en liep in de richting van de ronkende auto. Een cameraman stond in positie om mijn wandelingetje naar de auto vast te leggen en ik kreeg bijna het gevoel dat hij wachtte tot ik als zo'n griet in een MTV-videoclip op de motorkap zou kruipen.

'Mooie kar.' Ik liet me op de zacht leren zitplaats naast Chris zakken.

'Jammer dat we er alleen vandaag over mogen beschikken. Ben je er klaar voor?' vroeg hij, terwijl hij zijn Ray-Ban zonnebril afdeed en met zijn hand zijn ogen tegen de vroege ochtendzon beschermde.

Ik knikte bevestigend.

'Je ziet er geweldig uit.' Hij gaf een goedkeurend knikje in de richting van mijn benen.

'O, bedoel je dit dingetje?' zei ik gekscherend, terwijl ik de rok van mijn zonnejurk optrok tot boven mijn knieën.

Hij lachte me toe. Waar haalde ik dit soort teksten toch vandaan?

Chris greep de versnellingspook vast en zette zijn voet op het gaspedaal. De banden kregen greep op de straat en we spoten weg, waarbij we de cameraman achter ons lieten in een wolk van verbrand rubber. Degene die ooit had gezegd dat snelle auto's opwindend waren had overduidelijk in een Porsche gereden.

Ik onderzocht het zwartleren dashboard op verborgen camera's.

'Wat, geen camera's?' vroeg ik, toen ik er geen kon ontdekken.

'Ik heb tegen Arnie gezegd dat ik ervan wilde profiteren dat ik in een Porsche kon rijden. Ik heb hem ervan overtuigd dat de camera's door de wind en de herrie van de motor alleen gebrabbel zouden opvangen en me zouden betrappen op het overtreden van de snelheid.

'Ik heb nog steeds het gevoel dat we gevolgd worden,' zei ik, terwijl ik naar de helikopter boven ons wees.

Chris haalde zijn schouders op. 'Ze moeten toch iets te filmen hebben.'

'Waar gaan we heen?' vroeg ik, terwijl de wind bijna mijn woorden afsneed.

'Naar San Diego,' antwoordde Chris tegen de wind in, terwijl we over de snelweg, de 1-5, stoven. 'Hotel del Coronado.'

Hotel? Zo'n gebouw met bedden? Waar mensen sliepen? En seks hadden?

Ik trok een pluk haar weg die in mijn mond was gewaaid en probeerde mijn stem onverschillig te laten klinken. 'Ik dacht dat dit een dagtochtje was.'

'Dat is het ook, maar we kunnen doen waar we zin in hebben; tennissen, zwemmen, op het strand liggen.'

Ik hoopte dat ik er niet opgelucht uitzag. Maar ik was het wel. Het was pas de tweede week; uiteraard verwachtte men niet van ons dat we ons in een hotelkamer zouden terugtrekken voor een middagje tussen de lakens. Ik had de opnamen gezien van de uitzendingen van vorig jaar. Ik wist dat dat gedoe pas veel later aan bod zou komen.

'Heb jij zelf bepaald wie je op welk tochtje meeneemt?' vroeg ik, terwijl ik in gedachten het vragenlijstje voor deze dag af ging.

'Nee hoor. Ik ben niet meer dan een passagier in deze achtbaan. Ik heb alleen bepaald wie er met me mee mocht.' Chris draaide zijn hoofd naar me toe. 'Hé, waarom kijk je zo ernstig? Je zult het vast naar je zin hebben.'

Chris legde zijn hand op mijn schouder en ik sprong bijna op. Ik begon last te krijgen van de toenemende druk. Hoe kon ik lol maken als ik werk te doen had?

Ik haalde diep adem. Ik moest me zien te ontspannen.

Ik maakte het me gemakkelijk in de zacht leren stoel, liet mijn hoofd tegen de hoofdsteun rusten en stond mezelf toe van de rit te genieten.

Iets meer dan een uur later staken we de brug over naar het Coronado-schiereiland en hielden stil voor het hotel, een indrukwekkend, ouderwets resort. Het Victoriaanse gebouw glansde helderwit in de zon; de rode daken staken uit en omringden de van bovenranden voorziene ramen en op de hoge torens wapperden vlaggen. Het was een verbijsterende aanblik, als iets uit een oude film.

We werden gebracht naar onze privévilla die uitkeek over de Grote Oceaan. Het leek zo'n verspilling om over zoiets de beschikking te hebben en er niet de nacht door te brengen; niet dat ik met Chris de nacht wilde doorbrengen. Maar het was er prachtig. De villa schitterde in het licht en weerkaatste de perzikkleurige en blauwe kleurschakeringen van het tegenovergelegen zand en het water. Ik opende de glazen schuifdeuren die de woonkamer verbonden met de zonovergoten waranda en inhaleerde de zoutige lucht. Het zou normaal gesproken erg romantisch zijn, ware het niet dat de cameraploeg zich in allerlei bochten wrong om elke beweging die we maakten vast te leggen.

'Hoe komt het dat ik het geluk heb hier te zijn?' vroeg ik Chris, terwijl ik mijn ogen dichtdeed en de zon mijn gezicht liet verwarmen.

Chris liep naar me toe en kwam naast me aan de rand van de zonnewaranda staan.

'Jij was de enige die het antwoord wist op de vraag over Jimmy James and the Blue Flames. Hoe wist je dat?'

Ik slikte moeizaam. Het kwam door Jack. Ik had mijn afspraakje te danken aan Jack en het jarenlang luisteren naar Jimi Hendrix. Maar ik kon Chris moeilijk vertellen dat mijn echtgenoot dol was op muziek uit de jaren zestig.

'Mijn broer.'

'Nou, die heeft dan een goede smaak wat muziek betreft. Ik was geobsedeerd door Jimi Hendrix toen ik op de universiteit zat. Ik speel gitaar.'

Daar kom je wel overheen, dacht ik. Jack had zijn gitaar al jaren niet aangeraakt.

Maar hij was tenminste iemand van achtentwintig die niet

dacht dat Nirvana klassieke muziek was. En hij bespeelde een instrument. Chris was helemaal geen eendimensionaal fotomodel. Ik begreep wel wat die andere vrouwen in hem zagen. Shit, ik begreep zelfs wat ík in hem zag.

'Dat is cool. Ben je nog van plan me een serenade te brengen op het strand?'

'Je weet het maar nooit; wie weet ligt er wel een twaalfsnarige gitaar in de bagageruimte van de Porsche.' Hij stak zijn hand uit naar mijn gezicht en ik dacht dat hij me zou kussen. Maar hij veegde alleen een haarsliert van mijn gezicht en stopte die achter mijn oor.

Dat had niet veel gescheeld. Of wel? Waarom probeerde hij me niet te kussen?

'En, wat vind je er tot nu toe van?' vroeg ik, terwijl ik me weer naar de villa keerde. 'Is het bachelor spelen wat je ervan verwachtte?'

'Nou, eigenlijk is het niet zo gemakkelijk als het lijkt. Het is moeilijk een keus te maken uit al die vrouwen.'

'De meeste mannen zouden geen bezwaar tegen een dergelijk probleem hebben.'

Chris haalde zijn schouders op, pakte mijn hand en leidde me terug naar de villa. Stond het zweet in mijn handen of kwam het gewoon door de vochtige atmosfeer?

'Heb je zin in een potje tennis?' stelde hij voor, terwijl hij zijn vingers verstrengelde met de mijne.

'Ik heb geen racket meegenomen,' stamelde ik, geschrokken door zijn warme, zachte hand. Hij hield mijn hand vast!

'Niets aan de hand. Het televisiestation denkt aan alles.' Hij deed een kast open naast de voordeur en haalde er twee graphite rackets uit.

'Oké, maar ik moet je wel waarschuwen. Ik was aanvoerster van het tennisteam op de universiteit.'

'Dus je speelt vals?'

'Niet echt. Ik heb al eeuwen niet meer gespeeld.'

Chris trok een sceptisch gezicht. 'Hoelang is eeuwen?'

'Waarschijnlijk een jaar of tien.'

'Maar je zei toch dat je op de universiteit speelde.'

Shit, ik had moeten weten dat deze gozer goed in getallen was.

'O, nou ja, ik overdreef een beetje. Ik bedoel gewoon dat het lang geleden is.'

'Nou, we zullen eens zien of je het nog kunt.'

De cameraploeg repte zich naar de tennisbanen om de boel klaar te zetten en tegen de tijd dat we er arriveerden zou je gedacht hebben dat het U.S. Open gespeeld zou worden. Een van de cameramannen stond parallel aan het net, terwijl er nog twee bij de baselines stonden om onze serveerbeurten vast te leggen. Voor de verandering had ik niets tegen de opdringerige lenzen. Die zouden misschien zelfs van pas kunnen komen als we het niet met elkaar eens waren over de puntentelling. Wellicht hield mijn tennistrainster van zompige reality-tv-programma's. Ze zou het een kick vinden me te zien spelen.

Na een paar beverige forehands en lobs die meer op kindergepruts leken dan op volwassen spel, herinnerde mijn lichaam zich precies wat het moest doen. Mijn serveerbeurten gingen perfect, mijn returns vlogen rakelings langs het net en mijn lange backhands sprongen met grote kracht van de snaren af en ontweken Chris' racket. Niet dat Chris zijn best niet deed, integendeel. Hij had sterke, gespierde onderarmen en toen hij eenmaal besefte dat ik mijn eigen boontjes kon doppen, schroomde hij niet op vol vermogen te spelen. We joegen de bal over het net, doken naar de korte, slappe ballen aan het net en renden ademloos achter de lange ballen aan met een intensiteit die bijna seksueel leek.

'Game. Set. Match,' verklaarde ik eindelijk na hem negentig minuten te hebben afgestraft. 'Hé, jongens, willen jullie een shot van mij terwijl ik triomfantelijk over het net spring?'

Ik genoot van mijn moment in de spotlights. Eindelijk een gefilmd moment waar ik trots op kon zijn.

Toen we van de baan af liepen nam ik dankbaar een glas koud water van Chris aan. Uit dezelfde hand die ik minder dan twee uur geleden had vastgehouden. Het zweet droop van mijn borst in mijn sportbh. De spieren in mijn rechterarm deden pijn en ik had een brandend gevoel in mijn dijen. Ik voelde me geweldig.

'Ik dacht dat je jaren niet gespeeld had?' zei hij beschuldigend, terwijl hij zijn rood aangelopen gezicht met een handdoek afdroogde.

'Heb ik ook niet.'

'Wat was dat dan voor vertoning zonet?'

'Gewoon geluk gehad, denk ik.'

'Geluk gehad, ja, ja.'

Ik had me niet alleen herinnerd hoe ik moest spelen, maar ook hoe ik moest winnen.

'Ik klap van de honger. Er staat een picknick voor ons klaar op het strand,' zei hij, terwijl hij zijn glas weer vulde bij de waterkoeler langs de tennisbaan.

'Klinkt goed,' stemde ik in.

'Zullen we eerst even gaan zwemmen? Om af te koelen?' vroeg hij.

Ik knikte.

'Heb je je zwempak meegenomen?'

'Ja.'

Hij knipte met zijn vingers en glimlachte naar me. 'Verdomme.'

Nadat we als een stelletje kinderen in de aanzwellende golven hadden rondgedarteld, installeerden we ons op het strandlaken en doken in de picknickmand. Het was een klassieke picknick: gebraden kip, fruitsalade, brownies en limonade.

Vorige week tijdens het feestje aan het zwembad was de gedachte mezelf in bikini te tonen nog afschrikwekkend. Maar nu ik flink getranspireerd had en spieren waren ontwaakt die ik lang niet gebruikt had, voelde ik me gestimuleerd. Ik had mijn bikini met het driehoekige bovenstukje en het nautische motief aangetrokken en rende zonder bedenkingen samen met Chris de golven in. Zelfs nu ik met Chris op het strandlaken zat was mijn opwinding niet gezakt, maar ik zorgde er wel voor dat mijn buik niet over mijn bikinibroekje heen puilde toen ik nog een kippenborst pakte.

'Weet je wat zo geweldig is aan een picknick op het strand?' vroeg Chris, terwijl hij een stuk kip tussen zijn vingers hield. 'Je kunt je handen wassen in de zee.'

'Klopt. En als je moet plassen staat de grootste wc ter wereld tot je beschikking.' Ik gebaarde naar het water en besefte opeens dat ik zojuist aan de hele cameraploeg en miljoenen toekomstige kijkers had bekend dat ik er niets verkeerds in zag onze nationale kustlijn te bevuilen. Geweldig.

'Doen meisjes dat ook? Ik dacht dat alleen jongens dat deden.'

'Dat zul je van mij nooit horen.' Ik legde mijn stuk kip neer en pakte een brownie.

'Heb je zin om een stukje te lopen? Naar die rotsen daar?' Hij wees naar een hoge rotsformatie die uitliep in de zee.

'Best. Mag ik mijn brownie meenemen?'

'Ik zou er niet aan durven denken een vrouw van haar chocola te scheiden.'

Hij begon het voedsel in te pakken en terug in de mand te leggen.

'Mijn moeder heeft geen viezerik grootgebracht,' zei hij ernstig, en moest toen lachen. 'Nee hoor, maar ze hebben me gevraagd het op te ruimen zodat het niet het hele strand overwaait. Mijn moeder heeft wel iemand grootgebracht die de aanwijzingen opvolgt.'

We liepen naast elkaar over het strand, terwijl de voetafdrukken achter ons werden weggespoeld door de golven. Sinds we uit de villa waren vertrokken had Chris niet meer mijn hand vastgehouden. Misschien baalde hij ervan dat ik hem had verslagen bij het tennissen.

'Ben je boos dat ik alledrie de sets heb gewonnen?'

'Boos? Waarom zou ik boos zijn?' Hij schopte in het zand met zijn grote teen. 'Ik heb je in Disneyland toch verteld dat ik van mensen hou die competitief zijn.'

Wat nu? Als hij niet overstuur was omdat ik hem verslagen had, waarom had hij dan niet mijn hand weer vastgehouden? Ik kon het hem niet vragen; dan zou het lijken alsof ik wilde dat hij mijn hand vasthield. En dat wilde ik helemaal niet. Of wel?

'Ik vroeg het me gewoon af. Je hebt mannen die daar niet tegen kunnen.'

'Nou, zo ben ik niet. Ik ben een van die ruimdenkende kerels die het leuk vinden als ze van een lekker wijf op hun donder krijgen.'

Was ik een lekker wijf? Als iemand anders het had gezegd had het seksistisch geklonken en was ik tegen hem tekeergegaan omdat hij zo'n Neanderthaler was. Maar uit de mond van Chris was het een compliment. Of misschien wilde ik hem gewoon graag geloven.

'Zo ruimdenkend dat je via een tv-programma op zoek gaat naar een vrouw?'

Chris bleef naast me lopen, maar hij vergrootte de afstand tussen ons door zijn pas te versnellen en iets voor me uit te gaan lopen. Ik had verwacht dat hij meteen weer bij me zou komen lopen, maar in plaats daarvan ontstond er een ongemakkelijke stilte die vergroot leek te worden door de onafzienbare lucht en zee om ons heen.

Ik had het verpest. In precies één minuut was ik van een lekker wijf veranderd in een sarcastisch kreng.

'Weet je zeker dat je op die rotsen wilt klimmen?' vroeg ik toen we bij de golfbreker waren aangekomen.

Hij gaf geen antwoord en stapte op een glibberige grijze steen die bedekt was met zeewier. Ik nam aan dat dit zijn antwoord was.

Ik probeerde een rots te vinden waarop ik kon staan, maar ik zag alleen puntige stenen die mijn voeten zouden bezeren.

'Hier.' Chris stak zijn hand uit en trok me omhoog naar zijn rots. Hij was niet groot genoeg om met z'n tweeën op te staan en het slijmerige zeewier vormde niet bepaald een ideale plek om op te staan, dus stapte ik op de volgende, zodat ik oog in oog met Chris stond.

'Waarom doe je dat altijd?' vroeg hij, terwijl hij zijn ogen samenkneep.

'Wat?'

'Dat. Dat kattige weerwoord geven. Het lijkt wel of je, iedere keer dat je je ongemakkelijk voelt door het gesprek, me een kat geeft. Alsof je niet echt een gesprek met me wilt voeren omdat je bang bent dat je me aardig gaat vinden.'

'Ik vind je nu al aardig,' bekende ik voordat ik de woorden kon inslikken.

'Belet jezelf dan niet me beter te leren kennen. Ja, ik zit in het programma. Ja, ik doe mee aan het programma om een vrouw te krijgen. Maar ik ben geen vrouwenhater. Ik ben er niet op uit om te scoren bij vierentwintig *babes*...'

'Gewoon bij een lekker wijf,' onderbrak ik hem.

'Ja, misschien bij één lekker wijf,' gaf hij toe, terwijl er een grijns op zijn gezicht doorbrak.

'Wie is nu aan het katten?'

'Ik zeg alleen dat ik je aardig vind, Sarah.' Chris kwam dichterbij tot onze neuzen elkaar bijna raakten en ik de amberkleurige spikkeltjes in zijn chocoladebruine ogen kon zien. 'En ik hoop dat jij hetzelfde voelt.'

Ik knipperde met mijn ogen in het felle zonlicht en voordat ik mijn ogen weer open had voelde ik zijn lippen op de mijne, zacht aandringend tot ze uit elkaar gingen en onze tongen elkaar voorzichtig verkenden. Hij smaakte naar gebraden kip en zeezout en terwijl we elkaar kusten leunde ik naar hem toe en drukte zijn blote borst zo strak tegen de mijne aan dat ik de zandkorrels kon voelen die op ons lichaam zaten.

'Sarah, ik ga vallen,' zei hij op dringende toon en hij greep me om mijn middel.

Lieve hemel, die man begon verliefd op me te worden!

'Wat?' Ik trok me terug en Chris gleed naar achteren, terwijl hij zijn armen naar me uitstak om te voorkomen dat hij in het water zou vallen.

'Ik val bijna; de rots is glibberig, help me even omhoog.' Hij greep mijn hand en trok zich op naar de golfbreker.

'Sorry, hoor,' verontschuldigde hij zich, terwijl hij naast me kwam staan.

'Geeft niet,' zei ik bijna fluisterend; ik kon hem nog proeven.

'Dat was een lekkere kus.' Hij trok me weer naar zich toe en sloeg zijn armen om me heen.

'Hoor eens, zullen we weer teruggaan?' stelde ik voor, zonder me van hem los te maken. 'Het is waarschijnlijk bijna tijd om te vertrekken.'

Ik voelde dat Chris achter mijn rug op zijn horloge keek voordat hij zijn armen weer langs zijn zij liet hangen.

'Het is bijna zes uur. Wat vind je ervan om terug te gaan, naar de zonsondergang te kijken en een flesje wijn open te trekken?'

Als ik op scherpe, grillige rotsen al in de problemen kwam, wat zou er dan gebeuren op zacht, effen zand? Ik keek over zijn schouder naar het strand, dat vrijwel verlaten was. Chris en ik, alleen op het strand. Als je de cameraploeg even vergat die elke beweging vastlegde.

'Best,' stemde ik met tegenzin toe.

Chris pakte mijn hand en we sprongen van de rotsen op het zand en liepen terug naar het strandlaken.

'Komen zij erbij zitten?' vroeg ik, terwijl ik in de richting van twee overgebleven cameramannen knikte, die voor ons uit draafden als jonge hondjes.

'Het zal wel moeten.'

Een ontkurkte fles cabernet stond voor ons klaar bij het strandlaken.

'Ze laten niets aan het toeval over, hè?' zei ik, toen ik de dieprode rozenblaadjes opmerkte die langs de rand van het strandlaken waren gestrooid. 'Het enige wat nog ontbreekt is...'

'De gitaar?' raadde Chris, terwijl hij de twaalfsnarige gitaar vanonder een strategisch geplaatst badlaken uit trok.

'De gitaar,' herhaalde ik, voordat we allebei in lachen uitbarstten.

'In ieder geval hebben ze de jankende violen en ronddwalende minstrelen achterwege gelaten!'

'De avond is nog jong!'

Chris hield de gitaar vast en sloeg wat akkoorden aan terwijl we de lucht van kleur zagen veranderen in het licht van de ondergaande zon. Ik moest toegeven dat ik er enorm van genoot naar hem te luisteren en naar de ondergaande zon te staren. Het was een scène uit een film. Inclusief de tedere kus die hij zachtjes op mijn lippen plantte toen het duister inviel.

Nu had ik beslist een wijfies-verhaal voor Suzanne. Helaas was ik een van hen geworden en het openingsverhaal ging over mij.

Het was bijna middernacht toen Chris me weer bij het hotel afzette. Jack en Katie zouden al slapen. Het was te laat om hen te bellen, wat maar goed was ook. Ik was er nog niet aan toe Jack over deze dag te vertellen. De rit in een Porsche naar Coronado terwijl de bergen voorbij flitsten. Mijn overwinning bij de tenniswedstrijd. De picknick op het strand. Hoe kon ik uitleggen dat ik zoveel plezier had met een vent die ik verondersteld werd te ontmaskeren als een eikel en vrouwenjager?

Ik pakte mijn aantekeningenblok van het bureau en krabbelde een paar zinnetjes neer voordat ik ermee ophield. Het afspraakje van vandaag had me niet de ammunitie gegeven die ik nodig had om de bachelor af te maken. Het was een van de beste afspraakjes geweest die ik ooit had gehad.

Ik kroop in bed, deed mijn ogen dicht en probeerde te vergeten hoe ik van de kus van Chris had genoten. En hoopte dat ik de volgende ochtend iets interessanters te schrijven zou hebben dan: 'Vandaag ben ik op stap geweest met een andere man dan mijn echtgenoot en voelde me schuldig. Niet omdat ik ontrouw aan mijn echtgenoot ben geweest, maar omdat ik ervan genoten heb.'

11

'Wanneer komt Dorothy terug van haar afspraakje?' vroeg Holly, die aan het dunne gouden kettinkje om haar hals frunnikte, terwijl ze rondliep in mijn kamer en ieder detail met een kennersoog bekeek.

'Waarschijnlijk vanavond laat. De helikopter zou hen oppikken en ergens naartoe vliegen.'

Het eerste afspraakje had een Porsche. Het tweede een helikopter. Al zou er allemaal niets van terechtkomen, de bachelor reisde in ieder geval in stijl.

Toen die ochtend mijn telefoon rinkelde en ik opnam, dacht ik dat het Chris zou zijn om te zeggen dat hij het gisteren bij ons afspraakje zo naar zijn zin had gehad. Toen ik mijn hand uitstak naar de hoorn, stelde ik me hem voor, zittend op zijn bed, naakt op een katoenen boxershort na en terugdenkend aan ons afspraakje en de nachtkus die we hadden uitgewisseld. Maar het was Holly maar, die wilde weten of ik zin had met haar te gaan winkelen.

Nadat we hadden gepland dat zij naar mijn kamer zou komen, raakte ik de gedachte aan Chris in boxershorts niet kwijt. Totdat ik me herinnerde dat hij waarschijnlijk al was aangekleed om Dorothy op te pikken voor hun afspraakje. Nog geen acht uur nadat hij in zijn Porsche was weggestoven en ik naar mijn kamer zweefde terwijl ik hem nog op mijn lippen voelde.

'En, wat denk je dat ze zullen doen tijdens dit afspraakje, Dorothy en Chris?' Holly liet haar vinger over mijn kaptafel glijden, alsof ze controleerde of er stof op lag.

Ik reageerde met een ongeïnteresseerd schouderophalen, maar ik had het antwoord op die vraag zelf ook graag willen weten. Ik bedoel, als Chris in staat was iemand als ik te verleiden – en ik verkoos te geloven dat ik was verleid en niet gewild had dat zijn tong in mijn mond gleed – dan was het niet te voorspellen waar hij een andere vrouw toe zou kunnen brengen.

'Hoe was jouw afspraakje?' vroeg Holly kortaf.

'Het was leuk.' Ze hoefde het niet te weten. Laat haar maar spartelen.

'Ik zweer het je, het is niet eerlijk. Ik zou op dit moment in een helicopter moeten zitten, op weg naar een of andere exotische plek.' Holly sloeg haar armen over elkaar en liet zich mokkend weer op het bed vallen. 'Dat had ik geweest moeten zijn!'

Holly's dramatische uiting van door de bachelor veroorzaakt zelfmedelijden werd onderbroken door twee korte klopjes op de deur.

'Kun jij even opendoen? Ik heb ontbijt voor ons besteld. Het leek me beter met een volle maag te gaan winkelen.'

Holly slaakte een enorm diepe zucht en stond op om de deur open te doen.

'Op het balkon?' vroeg de vrouw van de roomservice.

Holly knikte en liet haar passeren door de glazen schuifdeuren.

Toen ik mijn tanden had gepoetst en bij Holly op het balkon kwam zitten, zat ze zorgvuldig haar nagels te vijlen, terwijl ze ondertussen slokjes van haar koffie nam.

'Wat is dat?' vroeg Holly, wijzend naar het aantekenblok dat ik op de tafel had laten liggen.

'Mijn dagboek.' Een heleboel mensen hielden een dagboek bij. Het klonk aannemelijk.

'Schrijf je ook over mij?' Ze was opgehouden met vijlen en wachtte op mijn antwoord.

'Natuurlijk niet. Ik schrijf gewoon op wat er gebeurt, dat soort dingen.' Ik maakte een achteloos gebaar, ging zitten en schoof het blok naar mijn kant van de tafel. 'Niks bijzonders.'

'Nou, ik denk dat bepaalde mensen een leuk bedrag op tafel zouden willen leggen om je te laten opschrijven wat er hier allemaal gebeurt.'

Oké, ho maar, dit kwam een beetje te dicht in de buurt. Ik pakte een glas vruchtensap en ontweek haar blik.

'Waarom zou je erover willen lezen als je het op tv kunt volgen?'

Holly dacht hier even over na. 'Omdat het opwindend is. En interessant, al vinden de meeste mensen ons zielepoten.'

'Vind jij het zielig?' vroeg ik, terwijl ik een slok sinaasappelsap nam, waarin veel te veel vruchtvlees ronddreef.

'O, nee! Ik vind het fantastisch. Ik kan bijna niet geloven dat het zo lang geduurd heeft voordat iemand op het idee kwam. Hoeveel vrouwen ken jij die zich elke ochtend aankleden in de hoop dat ze in de bus een of andere spetter ontmoeten? En hoeveel vrouwen gaan elke dag naar hun werk in de hoop dat die leuke vent van de financiële afdeling hen mee uit zal vragen? Of die in het weekend naar de sportschool gaan en ervoor zorgen dat ze eerst gedoucht hebben voor het geval dat die aantrekkelijke blonde kerel die vorige week hallo zei, er aan het gewichtheffen zal zijn? Hier gebeurt alles openlijk. Wij weten dat hij op zoek is naar een vrouw, en hij weet dat we op zoek zijn naar een man. Het is zoveel simpeler.' Ze pakte haar vijl en ging door met het vijlen van haar pinknagel. 'En veel efficiënter, qua tijdpad, bedoel ik.'

Efficiënt daten. Er zat wel iets in. Zolang ze bedoelde dat het kiezen van een huwelijkspartner ongeveer hetzelfde is als een winkeluitje naar Target en de voorkeur geven aan de snelkassa.

'En, hoe is het om in de pr te werken?' vroeg Holly, tevreden over haar toelichting op het briljante programmaconcept.

'Het is enig.' Nou ja, het wás enig. Samenwerken met een creatief team. Klanten binnenhalen op basis van een idee dat me onder de douche inviel. Uit eten gaan met klanten na werktijd.

'Waaruit bestaat het werk? Ik heb nog nooit eerder iemand ontmoet die in de pr zat.'

Ik moest terugdenken. Het was al meer dan twee jaar geleden sinds ik mijn baan als account-director had opgezegd.

'Ik help cliënten hun producten te promoten of mensen meer bewust te maken van hun bedrijf, dat soort dingen. We verzinnen nieuwe manieren om met de consumenten te communiceren, en zoeken naar mogelijkheden tot samenwerking met andere, gelijksoortige bedrijven.' Ik moest denken aan mijn macaroni-en-kaas cliënt die moest uitleggen waarom hun nieuwe productlijn die gebaseerd was op het thema van buitenaardse wezens raketten had die op penissen leken, compleet met raketaangedreven ballen en tweekoppige buitenaardse wezens die eerder op een paar tieten leken dan op marsmannetjes met grote uitpuilende ogen. 'Of soms moet ik alleen proberen de schade te beperken.'

'Jeetje, dat lijkt me spannend. Je zult wel dol zijn op je baan.'

'Ja. Dat was ik.'

Holly keek me niet-begrijpend aan.

'Ik bedoel, dat ben ik. Ik vind het heerlijk,' voegde ik er snel aan toe.

'Tja, ach, ik ben nooit zo'n carrièretype geweest. Ik wil alleen de gewone dingen – een man, een paar kinderen, lid zijn van de country club.' Holly hield op met nagels vijlen en keek me aan. 'Chris bulkt van het geld, weet je.'

'Ik weet dat zijn familie rijk is.'

'Ja, en wie gaat dat allemaal erven, denk je? Trouwens, hij heeft ongetwijfeld een of ander beheerd fonds waarvan hij geld krijgt.'

'Dus daarom vind je Chris aardig? Omdat hij rijk is?'

'Nou, dat is toch geen slechte eigenschap,' grapte Holly.

Toen ze merkte dat ik niet lachte ging ze rechtop zitten en werd serieuzer. 'Chris heeft alles wat ik zoek in een man. Hij ziet er goed uit, is succesvol en romantisch.'

Holly staarde met een dromerige gezichtsuitdrukking voor zich uit, met de glimlach en vage blik die mensen krijgen als ze bij de tandarts lachgas toegediend hebben gekregen. Ze stelde zich waarschijnlijk voor dat haar prins met haar wegreed in een door paarden getrokken rijtuig. Of minstens een limousine.

Het viel me op dat ze niets te berde had gebracht wat Chris ook maar in de verste verte beschreef als meer dan een televisie-persoonlijkheid. Niets over zijn gevoel voor humor, wat tamelijk scherp was. Of de manier waarop hij naar je leek te luisteren als je praatte, alsof hij werkelijk wilde horen wat je te zeggen had. Ze had het zelfs niet over het feit gehad dat hij goed was opgeleid en intelligent was. Holly was slechts geïnteresseerd in de aantrekkelijke man die zich kon veroorloven haar op dure dineetjes met kaarslicht te trakteren. Chris paste toevallig in dat profiel.

'Al die romantische dingen die Chris doet zijn allemaal verzonnen door de programmaleiding. Hij heeft er zelf eigenlijk niet veel mee te maken.'

'Dat maakt niet uit. Elke man die bereid is dat soort dingen te doen moet wel romantisch zijn.'

Ze verzuimde te vermelden dat hij die dingen ook nog met negen andere vrouwen wilde doen.

'Dus als je het volhoudt tot de laatste aflevering en hij je ten huwelijk vraagt, zeg je ja?'

'Ja, natuurlijk!' Ze gooide haar hoofd achterover en lachte. 'Jij niet, dan?'

'Dat weet ik nog niet,' antwoordde ik, terwijl ik in de richting van de zee keek, alsof ik werkelijk overwoog een huwelijksaanzoek te accepteren van een man die ik pas een week kende, en mijn echtgenoot en dochter thuis in Chicago zaten. Nu zou ik nog steeds niet weten wat ik zou zeggen als ik Jack en Katie niet had, maar Chris zou beslist in aanmerking komen.

'Nou, ik wel. En ik weet zeker dat ik het haal tot de laatste kaarsceremonie, en dat hij mij zal uitkiezen.'

'Hoe weet je dat?' Waar haalde dit meisje haar zelfvertrouwen vandaan? Ik was minstens tien jaar ouder dan zij en ze gaf mij het gevoel dat ik een beginneling was.

'Ik voel het. Wij waren voorbestemd elkaar te ontmoeten.'

Ik fronste mijn wenkbrauwen en nam een hap van mijn muffin.

'Liefje, ik weet wat mannen willen.' Holly leunde achterover in haar stoel, hield haar kop koffie met beide handen vast en schudde meewarig het hoofd, alsof ze het zielig voor me vond dat ik niets wist over de andere sekse. 'Al dat gezemel over het zoeken naar een gelijke, iemand die voor zichzelf kan zorgen. Allemaal onzin. Neem een willekeurige man en ik verzeker je dat hij thuis wil komen bij een vrouw die er lekker uitziet in een kort rokje, zorgt dat het eten op tafel staat, goed kan pijpen en alles aan hem te danken heeft.' Ze zette haar kopje op tafel en ging door met het vijlen van haar nagels. 'Ze zijn echt niet zo gecompliceerd als je weet waar je mee bezig bent.'

Holly was er zeker van overtuigd dat ze wist waar ze mee bezig was.

'Waarom heb je dan nog niemand?' daagde ik haar uit, terwijl ik toekeek hoe ze elegant op een nagel blies waar nog wat vijlsel op zat.

Holly legde de vijl neer, keek me aan en trok haar mondhoeken medelijdend omlaag voor de arme, onwetende vrouw die voor haar zat. Ze haalde diep adem voordat ze haar verhaal vervolgde, alsof ik meer tijd nodig had om geestelijk te verwerken wat ze me zou openbaren.

'Omdat, zoals ik je al vertelde, Chris en ik waren voorbestemd om elkaar te ontmoeten. Ik weet wat hij nodig heeft. Begrijp me niet verkeerd; ik ben niet naïef. Het enige wat ik wil zeggen is dat een man nog nooit een vrouw heeft verlaten die buiten de slaapkamer zijn ego streelde en de rest van hem streelde achter gesloten deuren.'

Holly was nogal bedreven in de kunst van het mannen verleiden. Ze werkte tenslotte bij Victoria's Secret.

Ik ging op een kruk aan het einde van de bar bij het zwembad zitten en bestelde ijsthee. Ik moest twintig minuten zien door te komen voordat ik Vanessa en Holly hier zou treffen. Onze winkelexpeditie van die ochtend had niet geleid tot aankopen, maar had mijn wantrouwen ten opzichte van Holly vergroot. Ze popelde om haar mening over elk wijfie te geven, waarbij ze haar gedachten over mij discreet wegliet. Vanessa had een uitgesproken mening en was afstandelijk; geen enkele man vond dat leuk. Dorothy had geen sex-appeal. Iris had volgens haar iets te verbergen. Rose was te verlegen. Claudia was een fel kreng. Al het andere buiten beschouwing gelaten wilde ik op vriendschappelijke voet met Holly blijven zodat ik haar in de gaten kon houden. Wie weet waartoe ze in staat zou blijken naarmate de competitie sterker werd?

Die middag speelde ze gastvrouw bij een lunch op het terras waarvoor alle vrouwen waren uitgenodigd. Iedereen behalve Dorothy, die met Chris op stap was. Ofschoon een gezamenlijke lunch een goed idee leek, was het in feite een gefilmd gedoe dat diende om wat achtergrondmateriaal te verzamelen voor de afleveringen van deze week. Terwijl er flitsen werden vertoond van mij of Dorothy of Rose die uit ons dak gingen met Chris, kregen de kijkers ook te zien wat de andere vrouwen uitspookten, wat naar ik vermoedde bestond uit het roddelen over de afwezige deelneemsters.

Sloane en Arnie zaten onder een parasol aan een tafel aan het andere eind van de bar in diep gesprek verwikkeld. Arnie had een smeulende sigaar tussen zijn tanden en ze spraken met gedempte stem. Ik probeerde op te vangen waarover ze het hadden, maar vanaf mijn zitplaats kon ik slechts een paar betekenisloze woorden horen. Onderzoekende journalistiek was niet mijn sterke punt, maar ik had genoeg afleveringen van *Magnum, P.I.* gezien om een oplossing voor mijn logistieke probleem te bedenken.

Ik gleed van mijn kruk af en liep in hun richting, terwijl ik ingespannen een lunchmenukaart bestudeerde. Toen ik bij de kruk kwam die het dichtst bij hun tafel stond gaf ik de barkeeper een seintje, ging aan de bar hangen, bestelde weer ijsthee en had de ideale afluisterplek veiliggesteld.

'Ze ziet er wel leuk uit, maar ze zal de kijkers niet boeien. Ze is niet spannend genoeg,' zei Sloane tegen Arnie.

'Ze is prima. Ze is wat verlegen en niet zo'n stuk als Claudia, maar Chris ziet iets in haar.'

'Dit is geen dating programma, Arnie; het gaat om de kijkcijfers,' wees Sloane hem terecht.

Arnie pakte een asbak, waarbij hij vanonder de parasol rondkeek terwijl hij zijn gebruinde arm uitstrekte.

Hij zag dat ik naar hem keek en zijn bewegingen stokte.

'Hallo, hoe gaat het?' vroeg hij vriendelijk.

'Prima, ik tref zo meteen een paar andere meisjes voor de lunch.'

'O, ja, op het terras. Jullie zullen best plezier hebben. De cameraploeg is al bezig de apparatuur op te stellen.'

Sloane wipte met haar stoel naar achteren om te zien met wie Arnie zat te praten.

'Hallo, Sarah. Waarom kom je niet even bij ons zitten tot de andere meisjes zijn gearriveerd?' Ze gaf een klapje op het kussen van de lege stoel naast haar.

Ik pakte mijn glas van de bar en ging bij hen zitten. Toen ik de stoel achteruittrok, schraapten de gietijzeren poten over de tegels als nagels over een schoolbord. Sloane leek in elkaar te krimpen, maar omdat ze haar gezicht in de plooi hield, wist ik het niet zeker.

'En, wat vind jij van Chris?' vroeg Arnie, puffend aan zijn sigaar.

'Tot nu toe lijkt hij geweldig, maar ik ben pas één keer met hem uit geweest.'

'Dat klopt; we waren nogal onder de indruk van jouw antwoorden op de vragenlijst. Volgens mij was Chris tevreden.' Sloane grijnsde me zo breed toe dat haar gespannen huid uitgerekt leek te worden als een tamboerijn, maar dan zonder de belletjes.

'Waarom zou hij niet tevreden zijn? Er zitten tien vrouwen achter hem aan.' Ik glimlachte gedwongen en Arnie lachte kakelend, waardoor wat sprietjes tabak mijn kant op vlogen.

Sloane fronste haar wenkbrauwen en gaf Arnie onder de tafel een linnen servet.

'En, Sarah,' begon Sloane. 'Hoe vind je onze bachelor?'

'Een stuk beter dan die van het vorige seizoen.'

'Ja.' Ze trok haar neus op, maar verder niet. 'Die laatste bleek nogal een ellendeling te zijn, hè?'

'Wat is er eigenlijk met hem gebeurd?' vroeg Arnie.

'Ik heb gehoord dat hij nu de hoofdpersoon in een spelletjesprogramma wordt,' zei Sloane, terwijl ze met haar rietje in haar mineraalwater roerde.

Arme Chad, niemand wist iets aardigs over hem te vertellen. Gelukkig dat hij dat spelletjesprogramma had.

Arnie haalde zijn broodmagere schouders op en richtte zijn aandacht weer op mij. 'En wat vind je van de andere meisjes? Zit er iemand bij met wie je buiten het programma bevriend zou blijven?' Arnie wierp me een knipoog toe en greep zijn knie beet toen Sloane hem tegen zijn schenen schopte.

'Kunnen we nog iets doen om je verblijf bij ons te veraangenamen?' Sloane veranderde van onderwerp.

'Nee, alles is prima in orde. Ik heb alleen wel een paar vragen.'

Ze wachtten allebei tot ik verder zou gaan.

'Ik wil graag weten waarom jullie mij hebben gekozen. En dat geldt trouwens ook voor de andere meisjes.'

'Sarah, wij hebben je niet gekozen, dat heeft Chris gedaan,' wees Sloane me terecht.

'Natuurlijk, maar hij heeft alleen de vrouwen voorgeschoteld gekregen die jullie hebben geselecteerd bij de regionale ronden.' Ik wendde me tot Arnie. 'Jij was erbij in Chicago. Welke selectiecriteria hebben jullie gehanteerd?'

Arnie schoof heen en weer in zijn stoel en keek Sloane vragend aan. Ze schoot hem te hulp.

'Chris heeft ons een lijst gegeven met eigenschappen die hij belangrijk vindt in een vrouw en we hebben de vrouwen genomen die daar het meest op aansloten.'

'Maar we lijken allemaal zo verschillend,' zei ik, met Holly en Vanessa in gedachten.

'Er is een aantal overeenkomsten.'

'Niet op de laatste plaats dat jullie er allemaal goed uitzien,' voegde Arnie eraan toe, waarop Sloane hem een woeste blik toewierp.

De gedachte dat Holly en ik overeenkomsten vertoonden was een beetje beangstigend.

'Kijk, daar zijn ze.' Arnie wees naar het andere einde van het zwembad, waar Holly, Samantha en Vanessa aan kwamen lopen.

'Nou, ik hoop dat jullie van de lunch zullen genieten. Sloane en ik komen straks even kijken hoe het gaat.' Arnie klopte met zijn sigaar tegen de rand van de asbak en bleef daarmee doorgaan tot de as eraf viel.

Ik stond op en draaide me om om te vertrekken.

'Wat denk je dat Dorothy in haar schild voert?' vroeg hij Sloane, luider dan noodzakelijk. Hij liet zijn vraag volgen door een kakelende lach. 'We moeten hun iets geven om tijdens de lunch over te praten,' zei hij met gedempte stem, en begon toen te hoesten.

Goed zo. Laat die vent stikken in zijn Cubaanse sigaar.

'Jezus, wat een griezels zijn Arnie en Sloane.' Vanessa trok een zuur gezicht terwijl we naar het terrasrestaurant liepen. 'Zoals ze ons observeren, alsof we laboratoriumratten zijn of zoiets, en ze zitten altijd met elkaar te fluisteren.'

'Ja hè, het lijkt wel alsof we een wetenschappelijk experiment voor hen zijn,' zei Samantha instemmend.

Ik was er niet van overtuigd dat Arnie en Sloane de hersens bezaten om wetenschappers te zijn, maar ze kwamen wel uiterst vreemd over.

Toen we in het terrasrestaurant arriveerden stond de cameraploeg al klaar. Een grote, ronde tafel was voor negen personen gedekt, met zilverpleet schalen die dienden als elegante achtergrond voor het perzikkleurige met witte porselein. Bij elk couvert stonden naast de lege wijnglazen al glazen met ijswater klaar, compleet met flinterdunne citroenschijfjes die de beslagen glazen garneerden.

'Dames, geniet er gewoon van en let niet op ons,' droeg Joe ons op.

Dat leek gemakkelijk genoeg, ware het niet dat ik voortdurend in de bloemstukken gluurde, op zoek naar de verborgen camera's.

Toen de rode cameralampjes opflitsten werd het stil aan de tafel. Joe stak zijn duimen naar ons omhoog, maar de conversatie kwam niet verder dan Samantha die me vroeg de bordjes aan te geven en Rose die zich verontschuldigde tegen Claudia omdat ze onder de tafel tegen haar voet gestoten had. Het weer leverde niet meer op dan tien minuten gebabbel; ik bedoel, het is altijd zonnig; wat kun je daar verder over zeggen? Ofschoon de inhoud van onze gesprekjes niet bepaald interessant voor de tv was, zorgde het feit dat we gefilmd werden ervoor dat Holly's zuidelijke accent nog uitgesprokener werd. En Vanessa dacht er zelfs aan haar vierletterige vocabulaire tot het minimum te beperken en verving haar geliefde vunzige woorden door uitdrukkingen als gossie, verdikkeme en lieve help. De conversatie was beleefd en afgemeten; de woorden werden zorgvuldig afgewogen voordat iemand besloot ze hardop uit te spreken. Het leek of we in een ruimte vol politici zaten.

Eindelijk kwam er een ober opdagen die ons van onszelf verloste.

'Een Cobb-salade, graag,' bestelde Holly als eerste.

'Salade,' zeiden de tweelingen Jackie en Josie eenstemmig en op zangerige toon.

'Salade.'

'Een cheeseburger, medium gebakken,' bestelde ik en ik overhandigde mijn menukaart aan de ober. Acht paar ogen richtten zich op mij, de opmerkelijke vleeseetster.

'Dat lijkt me lekker,' viel Vanessa me bij terwijl ze haar menukaart neerlegde. 'Doet u mij maar hetzelfde.'

'Een kalkoen clubsandwich, graag.' Rose was de volgende die bestelde.

Er werd niet één bestelling meer opgegeven voor iets groens met blaadjes. Ik durfde te wedden dat Holly spijt als haren op haar hoofd had van haar Cobb-salade.

Toen de gerechten arriveerden begonnen we te eten; er werd vrijwel geen woord gesproken en als Arnie en Sloane de band zouden bekijken zouden ze zich waarschijnlijk dood vervelen. De cameraploeg was al bezig hun spullen in te pakken, nog voordat de obers onze tafel hadden afgeruimd, alsof we nog niet wisten hoe armzalig we waren.

'Waar ga je naartoe?' vroeg Vanessa aan Joe.

'Arnie komt eraan om met jullie te praten. Ze hebben genoeg van de lunch.'

'Hoe weet hij hoe de lunch was? Hij is niet eens hier.'

'Maar nu wel,' antwoordde Arnie op aangename toon, terwijl hij de hoek omkwam. 'Ik heb zitten kijken in de redactiekamer en het was duidelijk dat jullie je niet op je gemak voelden. Sloane en ik hebben bedacht dat we jullie even een beetje de ruimte moeten geven.'

'Redactiekamer?' vroeg Holly niet-begrijpend.

'Gewoon een kamertje, waar we de film bekijken en zien hoe een en ander verloopt. Niks bijzonders,' stelde Arnie ons gerust. 'Maar goed, vermaken jullie je nu maar. Wij gaan allemaal weg.'

'En, hoe was jouw uitje met hem?' vroeg Samantha nadat de cameraploeg was vertrokken.

'Het was leuk.' Ik wist dat ze meer wilden horen, maar ik had geen zin veel te vertellen. Laten ze hun eigen afspraakjes beleven. Ik moest over hun ervaringen schrijven, niet over de mijne, die was al onuitwisbaar in mijn hersens gegrift.

'Leuk? Op bezoek gaan bij je grootmoeder is leuk. Jij bent uit geweest met de meest begeerde vrijgezel van Amerika; dat kan nooit alleen maar "leuk" geweest zijn,' voer Vanessa tegen me uit.

Als ik deze vrouwen zou vertellen hoe geweldig ons afspraakje was, hoe ik hem een poepie had laten ruiken bij het tennissen, we daarna op het strand hadden gepicknickt en daarna hadden zitten praten – alleen praten – over zaken die niets te maken hadden met hypotheken, autoreparaties of babysitters, zouden ze waarschijnlijk alleen een rotgevoel krijgen.

'Het was prima.'

'Details.'

'Hij is enig. Wat kan ik er nog meer over zeggen? Ik hoop dat jullie allemaal de kans krijgen met hem op stap te gaan.' Maar niet heus! Ik wilde helemaal niet dat iemand anders met Chris op een badlaken zou zitten terwijl hij haar aankeek alsof ze de interessantste persoon van de wereld was.

'Zou je met hem willen trouwen?' vroeg Holly, die misschien dacht dat ik nu een ander antwoord zou geven.

'Ik vind dat jullie allemaal veel te veel waarde hechten aan dat huwelijksgedoe. Dat is niet de oplossing voor alles, hoor.'

'Wie vraagt om een oplossing voor alles?' Claudia vouwde zorgvuldig haar servet op bij deze woorden. 'Ik zou gewoon een vent willen hebben die belt als hij zegt dat hij zal bellen.'

'Ja, dat snap ik, maar waarom moet je thuis blijven zitten wachten op hem? Hoe zit het met je baan, je vrienden, je familie?' vroeg ik, nu wat luidruchtiger en een beetje belerend. Het minste wat ik kon doen was hen laten profiteren van mijn levenswijsheid, zelfs als ze zich er niet van bewust waren.

Claudia was degene die inging op mijn feministische aanval. 'Ik zal beginnen met mijn baan, die ik kwijtraakte toen de directeur veroordeeld werd wegens verduistering van bedrijfsgelden, waarvan mijn pensioen niet het minste gedeelte was. En als kind van gescheiden ouders kan ik bepaald niet zeggen dat mijn familie het soort is waarvoor Hallmark-wenskaarten bestemd zijn. En vrienden? Mag ik jullie eens vragen...' Ze richtte het woord tot de aanwezigen aan de tafel, maar keek Holly aan. 'Hoeveel van jullie hebben echt hun best gedaan om hier vriendschappen op te bouwen? Niemand heeft mij vanmorgen gevraagd mee te gaan winkelen.' Claudia legde haar servet voor zich op het tafelkleed. 'Het leek me gewoon fijn om een man te ontmoeten die aan mijn kant stond, iemand op wie ik kon bouwen en die ik kon vertrouwen.'

Ik had de neiging Claudia te vragen of ze werkelijk dacht dat Arnie en Sloane Silverman in staat zouden zijn de juiste man voor haar te kiezen, maar ik hield mijn mond. Op de keper beschouwd had ze besloten een poging te wagen de liefde te vinden. Ik moest het haar nageven: ze was een dappere vrouw. Het leek erop dat alle anderen al hun geld op de bachelor hadden gezet.

'Ik ben het met Claudia eens.' Het lelijke eendje had gesproken. We wendden ons allemaal tot Rose, die tot op dat moment zwijgend het gesprek gevolgd had.

'Wat bedoel je, het ermee eens zijn?' vroeg Vanessa.

'Ik bedoel dat het er hier niet om gaat een echtgenoot te vinden. Het draait erom iemand te vinden die op dezelfde golflengte als jij zit. Iemand die wil geloven dat er ergens iemand bestaat met wie hij kan trouwen.' Rose keek ons een voor een aan terwijl we haar woorden tot ons lieten doordringen.

'Rose, waar kom je vandaan?' vroeg Holly, die haar ellebogen op de tafel liet rusten.

'Saint Louis.'

'Dat verklaart de overall,' mompelde Holly vanuit haar mondhoek.

'Nee, Holly, de verklaring voor de overall is dat hij comfortabel is,' antwoordde Rose, die Holly's opmerking wenste te pareren. 'Saint Louis is de verklaring voor het feit dat ik genoeg goede manieren heb geleerd om iemands kledingkeuze niet belachelijk te maken.'

'Ik bedoelde alleen maar...' Holly keek de tafel rond op zoek naar bijval, maar niemand reageerde. 'Ik dacht dat Missouri veel boerderijen had, meer niet.'

'Je hebt gelijk, er zijn boerderijen in Missouri.' Rose glimlachte naar Vanessa en gaf haar de schaal met nagerechten aan die werd gebracht. 'Kwarktaart?'

Vanessa stootte me onder de tafel aan en toen ik naar haar opkeek haalde ze haar schouders op en leek onder de indruk.

Geen wonder dat Chris Rose had uitgekozen. Er zat meer in haar dan je op het eerste gezicht zou denken.

Rose nam een hapje appeltaart voordat ze verder ging. 'Hoe dan ook, tot nu toe lijkt Chris een prima kerel, en ik ben bereid hem het voordeel van de twijfel te gunnen. Ik heb wel slechtere dan hij ontmoet.'

'Wat is het ergste wat een man ooit tegen jullie heeft gezegd?' vroeg Vanessa ons, voordat ze haar vork in haar limoentaartje stak.

Samantha stak onmiddellijk haar hand op, als een schoolmeisje dat dacht dat ze het juiste antwoord wist. 'Er was eens een vent en we waren al jaren gek op elkaar. Na een feestje bleven we eindelijk bij elkaar hangen en ik zei: "En, waarom juist vanavond? Hoe komt het dat we vanavond bij elkaar blijven?" verwachtend dat hij iets echt romantisch zou zeggen, natuurlijk. In plaats daarvan zegt hij: "Nou ja, alle anderen zijn al gaan slapen."'

We slaakten allemaal een kreunende zucht en barstten toen in lachen uit.

Voordat iemand iets kon zeggen nam Iris het woord. 'Daar kan ik nog overheen. Ik had ooit verkering met een vent uit Detroit, van wie ik niet echt kapot was, maar hij deed er moeite voor, weet je wel?' We knikten allemaal. Dat hadden we ook wel meegemaakt. 'Dus hij zegt: "Je bent erg droog, heb je glijmiddel in huis?" En ik zeg nee. En een minuut later zegt hij: "Het gaat goed, je wordt zeiknat, pop!"'

We gilden het allemaal uit van het lachen en er kwam een ober met een bezorgd gezicht aanrennen. 'Is alles in orde hier?'

'Het gaat prima,' zei ik happend naar adem, terwijl de andere vrouwen nog zaten te lachen.

Hij knikte, niet overtuigd, en trok zich weer terug.

'Jullie kunnen je wel indenken wat voor voorstellen wij krijgen,' zei Josie terwijl ze in de richting van Jackie knikte. 'Er was eens een vent die vroeg of hij seks met ons mocht hebben voor een spiegel, hij had het altijd al met een vierling willen doen.'

Iedereen barstte weer in lachen uit.

'Even serieus,' wist ik eindelijk uit te brengen. 'Waarom zijn jullie hier?'

Het werd stil aan de tafel en Jackie beantwoordde mijn vraag. 'Het zou leuk zijn als er liefde aan te pas kwam, maar ik wil gewoon een vent die niet verwacht dat ik een maaltijd voor hem kook, bij wijze van afspraakje. Ik ben chef-kok, geen verdomde gaarkeuken.'

Claudia glimlachte. 'Ik heb genoeg aan een kerel die niet flipt als je zegt dat hij op de natte plek moet slapen.'

'O, hou op.' Iris smeet haar servet op de tafel voordat ze verder ging. 'Het lijkt wel of ik alleen afspraakjes heb met sukkels van Wall Street die beweren dat ze op zoek zijn naar een echte vrouw maar die nog net niet om hun moeder roepen als ze klaarkomen.'

Weer kregen we een lachbui en ik sloeg mijn benen over elkaar en vervloekte mezelf omdat ik die sluitspieroefeningen niet serieus had genomen.

'Ik moet naar de wc,' fluisterde ik naar Vanessa, terwijl ik mijn tas pakte. Ik stond op en kneep mijn benen samen terwijl ik mijn stoel terugschoof.

'Sarah, ga je in je broek piesen?'

'Als ik zo hard blijf lachen wel.'

'Jasses! Wat ordinair!' Holly trok een vies gezicht en rekte haar hals om mijn achterste beter te kunnen zien. Dat nieuwsgierige kreng.

'Tja, dat krijg je als je een acht pond zware' – ik kon mezelf nog net inhouden – 'niersteen baart!'

'Grote hemel.' Rose sloeg haar handen voor haar mond uit medeleven. 'Wat verschrikkelijk.'

Vanessa leek niet overtuigd. 'Echt waar?'

Alle wijfies aan de tafel wachtten op mijn antwoord.

'Ja, hoor. Ik sta zelfs in een studieboek!'

Rond de tafel klonk troostend, begrijpend gemompel.

'Ga nou maar!' droeg Claudia me op, terwijl ze me wegwuifde. 'We willen niet dat je jezelf pijn doet!'

Ik liep achteruit naar de deur van het restaurant, draaide me om en vloog naar de dames-wc, dankbaar dat Arnie tegen de cameramensen had gezegd dat ze ons met rust moesten laten. In aanmerking genomen dat ik al vrijwel bekend had dat ik in zee pieste, was het laatste waaraan ik behoefte had dat de kijkers erachter zouden komen dat ik ook nog op stoelzittingen plaste. Ik wilde niet bekend worden als het wijfie die haar plas niet kon ophouden.

12

*H*et was drie dagen na mijn afspraakje en ik lag op een lig-stoel bij het zwembad met de rest van de wijfies. Onze lunch op het terras had ons een paar ongemakkelijke momenten opgele-verd, maar we hadden daardoor wel een glimp kunnen opvan-gen van de vrouwen die tot op dat moment niet meer dan pas-sagiers op dezelfde bus waren geweest. Claudia's verklaring van haar geloof in de liefde en Roses uiting van overtuigde zelfverze-kerdheid hadden nieuw licht geworpen op twee wijfies van wie we hadden gedacht dat we die het juiste etiket hadden opgeplakt en dit had ons nog nieuwsgieriger naar elkaar gemaakt. Die lunch had de weg vrij gemaakt voor een ontspannener samenzijn, waar-bij we allemaal lekker in de zon lagen onder het genot van een drankje en gebruik konden maken van ons betaalde verblijf voor-dat onze derde kaarsceremonie weer drie van ons zou laten af-vallen.

Ik had Chris niet meer gezien sinds hij me dinsdagavond had afgezet, wat me nu een beetje het gevoel gaf van de overgang van de snelheid van het licht naar een plotseling halt. Als dit een nor-male situatie voor een afspraakje was geweest – en met normaal bedoel ik als hij niet al met twee andere vrouwen een afspraak had staan – zou ik waarschijnlijk al twee dagen naast de telefoon hebben zitten wachten tot hij belde. Maar hij had niet gebeld. Of bloemen laten bezorgen. Of wat dan ook gedaan waarmee hij zou erkennen dat we iets bijzonders met elkaar hadden meege-maakt. En al probeerde ik er niet aan te denken, toch was ik te-leurgesteld. Maar het feit dat Chris niet eens de tijd kon vrijma-ken om het nummer van het hotel te draaien gaf me de mogelijkheid een excuus te vinden voor de manier waarop ik mijn waakzaamheid had laten verslappen en me aan zijn verleiding had overgegeven. Hij had me geen keus gelaten. Welke warm-bloedige vrouw die naast hem stond, onze huid vochtig van het zeewater, onze lichamen warm en soepel door de zon en een fel potje tennis, zou niet in de armen zijn gevallen van de zeer aantrekkelijke man die voor haar stond?

Oké, misschien was verleiden een beetje overdreven. Misschien was overvallen door de situatie een betere beschrijving van wat er was voorgevallen. En als ik toch accuraat wilde zijn, kon ik maar beter bekennen dat ik genoten had van onze eerste kus op de golfbreker, en dat de tweede kus op het badlaken was voorafgegaan door een licht overleunen door mij. Na onze kus bij de ondergaande zon was Chris op zijn buik gaan liggen met zijn hoofd op zijn hand terwijl zijn gespierde onderarm zijn lichaamsgewicht droeg. Ik lag op mijn buik naast hem met mijn kin op mijn over elkaar geslagen armen te kijken naar de kleurverandering van de zee. Onze ellebogen raakten elkaar af en toe lichtjes als we ons wijnglas pakten. Toen er nog slechts een klein slokje wijn in mijn glas resteerde, pakte Chris de wijnfles en hield die schuin, terwijl hij wachtte tot ik mijn glas eronder zou houden. Ik leunde naar hem toe en hield met mijn rechterhand mijn kristallen wijnglas naar voren alsof ik hem een bloem aanbood, en keek toe terwijl zijn ogen dichter bij de mijne kwamen en onze lippen elkaar raakten op het moment dat de cameraploeg de koplampen aandeed. Onze romantische zonsondergang was dan wel voorbij, maar we hadden nog tijd genoeg om samen in de jacuzzi te gaan zitten.

'Word eens wakker!' verstoorde Vanessa's stem ruw mijn gedagdroom. 'Waarom kijk je zo dromerig?'

'Ik keek helemaal niet dromerig!' snauwde ik terug.

'Kom nou, als ik nog een minuut had gewacht was je volgens mij gaan kreunen.'

'Je bent gek.' Ik draaide me om zonder de moeite te nemen Vanessa's opmerking te weerleggen. Niet dat ik dat kon.

'Vergeet niet dat hij nog twee andere afspraakjes heeft gehad,' bracht Vanessa me in herinnering.

'Ik zat niet aan Chris te denken.'

Aan de gedachte van Chris die de dag doorbracht met Rose of Dorothy had ik bepaald geen behoefte.

'Ja, ja, dat zal wel. Waar is die verdomde ober gebleven, trouwens?' vroeg Vanessa, die op haar ellebogen steunde om beter om zich heen te kunnen kijken. 'Die elektrische limonade gaat er veel te snel doorheen.' Ze ontdekte onze ober, gebaarde dat hij moest komen en bestelde nog een rondje.

'Zeg, Sarah, ik weet dat ik het waarschijnlijk niet mag vragen, maar wat heb je daar in vredesnaam in zitten?' Vanessa wees naar mijn borsten. 'Reddingsboeien?'

Ik legde mijn kin op mijn borst en bestudeerde het ondergelegen gebied: twee zwellende borsten, heerlijk weggestopt in schuimcups die zo perfect van vorm waren dat ze als soeplepels gebruikt hadden kunnen worden. De zoveelste poging van Toni en Teri om mijn bestaande lichaamskenmerken te verbeteren. Vanessa had gelijk – ze waren een beetje overdreven – letterlijk. Mijn borsten waren hoog opgeduwd en vormden twee gescheiden vleesbergen.

'Een beetje te veel van het goeie, hè?'

'Een beetje erg veel zelfs. Je hebt het helemaal niet nodig, weet je. Wat heeft je ertoe bewogen?'

Wat me ertoe bewogen had? Ik had gedacht dat Toni en Teri zouden weten wat de bachelor aantrekkelijk zou vinden.

'Gewoon benadrukken wat de natuur me geschonken heeft, denk ik. Het ziet er niet uit, vind je niet?'

'Ik wil je niet beledigen, Sarah, maar dat is zo. Mannen houden van natuurlijke borsten die zacht zijn, niet van onnatuurlijke.'

'De mijne zijn nep. Ik heb het laten doen toen ik achttien was,' zei Holly, terwijl ze onze aandacht vestigde op de forse meloenen die aan haar tengere gestalte vastzaten, met eroverheen een piepklein bovenstukje en vastgemaakt met wat op een stukje gouddraad leek. 'De mannen zijn er dol op.'

'Ja, hoor, natuurlijk.' Vanessa sloeg haar ogen ten hemel en ging weer achterover liggen op haar ligstoel terwijl ze door een gebogen rietje uit haar volle glas dronk.

'Nou, Dorothy, vertel ons eens over jouw afspraakje,' droeg Holly haar op, terwijl ze haar platte buik strelend insmeerde met naar kokosnoot geurende zonnebrandlotion. Met haar rode krullen weggestopt onder een strohoed met brede rand en de grote zonnebril die de helft van haar gezicht in beslag nam, zag Holly eruit als een zonnebadend filmsterretje uit de jaren vijftig – als ze in die tijd al goud metallic stringbikini's gehad zouden hebben.

'Wat wil je weten?' vroeg Dorothy, terwijl ze het laatste restje van haar eigen elektrische limonade opdronk.

'Alles!' beval Holly, extatisch omdat iemand eindelijk bereid was haar de vunzige details van een afspraakje toe te vertrouwen.

'Het begon allemaal met een helikoptervlucht naar Los Angeles,' begon Dorothy, en ze vervolgde het verhaal met een uitgebreid verslag over de dag winkelen op Rodeo Drive en de lunch in het Bel Air Hotel. 'Ik mocht allerlei outfits aanpassen bij Fred Segal en Giorgio, en toen gooide Chris zijn creditcard op de toonbank en zei dat ik er eentje mocht uitkiezen! Toen liep ik in mijn nieuwe pak de winkel uit, stapte in de Bentley met chauffeur en werden we naar de Hollywood Bowl gebracht om een privéconcert bij te wonen van het Los Angeles Symphony. Toen we uiteindelijk om een uur of negen terugkwamen in zijn huis, wees Chris naar de hemel, en toen ik omhoogkeek, zag ik een deken van sterren. Het was zo helder dat Chris zei dat het een ideale avond was voor de jacuzzi, dus voegden we de daad bij het woord.'

'Nee toch.' Ik ging rechtop zitten en keek Dorothy aan; ik kon niet geloven wat ze zojuist had gezegd. 'Hij zei precies hetzelfde tegen mij.'

'Echt waar?'

'Ja, maar dat was in de villa in Coronado.'

'Weet je zeker dat hij precies hetzelfde zei?'

Ik wist het zeker. Nadat we de zon hadden zien ondergaan waren we teruggelopen naar de villa, en toen we op de zonnewaranda stapten was Chris blijven staan en had me erop attent gemaakt dat het zo'n perfecte avond was. Perfect voor een plons in de jacuzzi voordat we terug naar het Ritz Hotel zouden gaan. Op dat moment was het net een leuk idee dat zomaar in hem was opgekomen. Nu leek het een versierpraatje.

Holly wist waarschijnlijk dat ik de hele scène in mijn hoofd afspeelde, want terwijl ze zat te wachten op mijn antwoord keek ze me met een tevreden, zelfgenoegzaam lachje aan. Zie je wel, zei ze met dat lachje, jij dacht dat jouw afspraakje zo bijzonder was, maar je bent geen haar beter dan wij.

'Ja, hoor,' bevestigde ik. 'Ik weet het zeker.'

'Hallo, meiden.' Rose zwaaide toen ze naar ons toe kwam lopen met een badhanddoek over haar schouder. 'Waar hebben jullie het over?'

'We vertellen elkaar onze ervaringen,' zei Vanessa en ze schoof een stukje opzij om plaats voor Rose te maken op haar ligstoel. 'Vertel ons eens over jouw afspraakje.'

Rose werd onbewust het middelpunt van alle aandacht toen we allemaal op de details wachtten.

'Het was geweldig, maar er is niet veel gebeurd. We hebben een paar kunstgaleries bezocht en hebben toen heerlijk gegeten aan het water in Malibu, we hadden allebei een verrukkelijke kreeftrisotto. Daarna zijn we naar zijn huis gegaan om een drankje te drinken. Er stond gekoelde champagne in een ijsemmer klaar toen we aankwamen.'

'Heeft hij toevallig voorgesteld om in de jacuzzi te gaan zitten?' vroeg Vanessa, die ons daardoor gelukkig de vunzige details bespaarde van Chris' sterrenkijkerijkunstje.

'Ja,' antwoordde Rose terughoudend; het was duidelijk dat ze zich afvroeg hoe Vanessa dat kon weten. 'Toen hebben we ons badpak aangedaan en hebben in de jacuzzi champagne zitten drinken. Hoe weet jij dat?'

'Onze vriend Chris weet wel hoe hij het aan moet pakken, hè?' Dorothy pakte een vol glas.

'Wat bedoel je?' Rose wendde zich tot haar. 'Heeft hij bij jou hetzelfde gedaan?'

'En ook bij Sarah.'

Rose staarde de groep vrouwen met grote ogen aan. 'Wil je me soms vertellen dat hij, minder dan vierentwintig uur nadat hij met jou heeft zitten zoenen in de jacuzzi, zijn tong in mijn mond heeft gestoken? In dezelfde tobbe met door hormonen versterkt water?'

Niemand gaf antwoord.

'Dat is nogal grof.' Rose schudde het hoofd. Aanvankelijk dacht ik dat ze kwaad zou worden, maar ze had een geamuseerde uitdrukking op haar gezicht. 'Die geniepige hond. Hij wist wel hoe hij ons moest bespelen, hè?'

Ik was bespeeld? Dat was onmogelijk. Al die aardige dingen die Chris had gezegd, de manier waarop hij luisterde als ik over mezelf vertelde. Dat kon hij niet van tevoren hebben geoefend. Niet dat het mij iets uitmaakte; ik deed immers net alsof, toch? Maar als hij ons allemaal op dezelfde manier de jacuzzi in had gepraat, betekende dat dan dat hij tegen Dorothy en Rose ook had gezegd dat hij op hen viel?

Ik wendde me tot Dorothy, even verontwaardigd als zij omdat hij ons allebei onzin had verkocht. Maar net als Rose had zij een geamuseerde grijns op haar gezicht.

'Maar je moet het hem nageven; hij heeft heerlijke lippen,' zei Dorothy.

'Dat kun je wel zeggen,' zei ik instemmend, iets te snel.

'En hij ziet er ook niet slecht uit in een natte zwembroek,' voegde Rose eraan toe.

'Laten we eerlijk zijn,' droeg Vanessa haar steentje bij. 'Hij is een lekker stuk.'

We knikten allemaal instemmend.

'Een toast.' Vanessa stond op en keek ons aan.

We hieven allemaal toastend het glas.

'Op Chris, hij is misschien niet origineel, maar hij is een lekker stuk.'

Het klinken van de glazen werd overstemd door instemmend gemompel en gelach bij deze heildronk op Chris.

We zaten werkelijk te toasten op een vent die drie vrouwen hetzelfde smoesje had verteld om hen in de jacuzzi te krijgen. En we vergaven het hem omdat hij een lekker stuk was. Of in ieder geval deden Rose en Dorothy dat. Ze waren vergevingsgezinder dan ik. Een perfecte avond om naar de sterren te kijken in een jacuzzi, me reet.

Holly begon nog meer vragen te stellen over de afspraakjes, maar we praatten eroverheen en stapten over op andere onderwerpen. Het was tot daar aan toe om er grapjes over te maken. Het was nog heel iets anders om stil te blijven staan bij het feit dat we ons zo gemakkelijk door de bachelor hadden laten verleiden onze kleren uit te trekken tot we nog slechts kleine stukjes lycra aanhadden.

Ik nipte aan mijn ijskoude elektrische limonade en bekeek de groep van negen vrouwen, van wie ik oorspronkelijk had gedacht dat ze materiaal zouden vormen voor een exposé over de droevige gesteldheid van de hedendaagse, single vrouw. Suzanne en ik waren ervan overtuigd geweest dat er meer dan genoeg drama en hysterie bij de vrouwen aanwezig zouden zijn om er een stuk over te kunnen schrijven. Maar hoe kon ik het schouwspel beschrijven dat zich voor me afspeelde, waarin alleen Holly ons mokkend onze afspraakjes misgunde en baalde dat ze niet meer te horen kreeg? Als je het feit dat we allemaal in het programma *De Bachelor* zaten even opzijzette, zou je denken dat we een stel vriendinnen waren die met elkaar vakantie vierden. Maar dat was echt alleen áls. Het feit lag er dat we in *De Bachelor* zaten. En dat we met elkaar wedijverden om een man, een man van wie zojuist was onthuld dat hij inderdaad de klootzak was die ik had gedacht. Ik werd getroost door het feit dat ik het eerste afspraakje had gehad, tot ik besefte dat hij, na tijd met mij te hebben doorgebracht, toch nog de twee andere vrouwen wilde kussen. En ik had in de veronderstelling verkeerd dat onze kus geweldig was geweest, onze kussen. Hier speelde ik onze dag samen opnieuw in mijn hoofd af als een of andere sentimentele filmmontage, terwijl ik voor hem slechts het afspraakje achter gordijntje 1 was.

Niet dat ik over mijn afspraakje zou schrijven. Suzanne verwachtte immers niet dat ik het onderwerp van het artikel zou zijn. Godzijdank. Ze verwachtte dat ik zou schrijven over de wijfies, iets wat me steeds minder aantrok. Ze waren lang niet zo weerzinwekkend gebleken als ik had gedacht. Eigenlijk vond ik ze aardig, als je Holly niet meetelde, die Suzannes beeld van de vrouwen in het programma het meest benaderde. Maar het idee Holly te beschrijven alsof ze de hele groep representeerde was misleidend. Schrijven over de driedubbel bedrieglijke bachelor, echter, was een ander verhaal.

Ik zou de ware aard van de bachelor onthullen en me er niet in het minst schuldig over voelen. Niemand is zo toornig als een bedrogen vrouw. Helemaal als ze erover schrijft in een landelijk tijdschrift.

Holly ging rond halfdrie naar haar kamer om zich op te tutten voor de kaarsceremonie, en wij zochten bijna met tegenzin een voor een onze spullen bij elkaar.

'Man, dit begint vervelend te worden,' klaagde Vanessa toen zij en Claudia wachtten tot de rekening kwam. 'Ik heb genoeg van al dat optutten, alsof we naar een schoolbal gaan of zoiets.'

'Zeg dat wel. Waarom kunnen we die vent niet gewoon in trainingsbroek en T-shirt onder ogen komen?' vroeg Claudia, die haar joggingbroek van de ligstoel pakte. 'Hij weet toch wel dat we niet de hele tijd in jurken met hoge hakken rondlopen.'

Claudia en Vanessa keken mijn kant uit in de verwachting dat ik het met hen eens zou zijn. Ik had mijn hoofd laten zakken en concentreerde me op het schoonvegen met mijn vinger van de rand van het flesje zonnebrandolie, waarbij ik er langer over deed dan nodig was om een enkele witte druppel weg te vegen.

Mij zouden ze niet horen klagen. Ik vond het leuk om me elke dag leuk aan te kleden, de tijd te nemen om me op te maken en mijn haar te doen. De overige vrouwen waren eraan gewend zich elke ochtend voor hun werk te kleden in modieuze broekpakken en vrouwelijke rokken, maar ik kon mijn werk doen zonder mijn sloffen uit te trekken of mijn haar te kammen. En terwijl zij flirterige kleding konden uitzoeken voor hun afspraakjes op zaterdagavond met mannen die waarschijnlijk kwijlden bij hun aanblik, had ik een echtgenoot die het te druk had om iets op te merken, behalve een complete metamorfose in opdracht van het tijdschrift.

Sinds ik in Californië was aangekomen maakte ik me druk over mijn uiterlijk. Niet omdat we gefilmd werden, maar omdat ik het gevoel had dat ik voor het eerst in jaren aandacht aan mezelf besteedde. En het feit dat Chris het ook zag, beviel me eerlijk gezegd wel. Het leek alsof ik mijn identiteit van vóór mijn huwelijk had weggestopt als een foto in mijn portefeuille en die pas onlangs eruit had gehaald en aan de wereld had getoond.

'Hé, Dorothy, wacht even,' riep ik, terwijl ik mijn sarong en strandtas pakte en de trap naar de patio oprende.

'Vind jij het niet vervelend dat Chris dezelfde tekst heeft gebruikt op alle drie de afspraakjes?' vroeg ik toen ik haar had ingehaald.

'Natuurlijk wel. Maar we wisten dat dat onderdeel van de deal was.' Ze hield de deur voor me open en ik stapte op het zachte tapijt van de hotelgang. 'Wacht even.' Ze stak haar hand uit, pakte mijn kin beet en keek me in de ogen. 'Ben jij er echt van overstuur?'

Ze liet haar hand vallen en liep achter me aan naar binnen.

'Ik ben niet overstuur. Ik vind het gewoon een rotstreek van hem, dat is alles.'

'Sarah, dat is de naam van het programma. Het heet *De Bachelor*, niet *De Monnik*.'

'Dat weet ik wel.'

Ze hadden een hele film gemaakt van Julia Roberts die verliefd werd op een sexy, vermogende man terwijl ze over Rodeo Drive wandelden, en toch slaagde Dorothy erin alles in perspectief te blijven zien. Ik stond versteld.

'Dacht je nou echt dat hij zijn eerste afspraakje zou hebben, je zou kussen en lieve dingen tegen je zou zeggen en daarna met ons zou uitgaan en zich zou gedragen alsof we kennissen van zijn werk waren?'

Misschien wel.

'Ik denk dat ik het in theorie wel wist, maar ik had niet gedacht dat hij al zijn zetten bij elk van ons zou herhalen. Heeft hij voor jou gitaar gespeeld?'

Dorothy schudde ontkennend het hoofd. 'Heeft hij gitaar gespeeld?'

Ik knikte, maar ging niet verder in op het feit dat hij de gitaar had laten klaarleggen op het badlaken, waar we gingen zitten picknicken.

'Heeft hij tegen jou gezegd dat hij je leuk vond?'

'Nee, maar we hadden het naar onze zin, dus ik neem aan dat dat het geval is.' Dorothy bleef staan en legde haar hand op mijn schouder om mijn aandacht te vangen. 'Kom, Sarah, neem het niet zo persoonlijk. Ja, het is raar dat hij ons alle drie gekust heeft, maar je kunt ervan uitgaan dat hij uiteindelijk alle deelneemsters zal kussen. Ga je nou niet zo aanstellen als Holly.'

Vergeleken ze me met Holly? Dat was niet goed.

'Geef me maar een dreun als ik weer begin. Oké?'

Dorothy sloeg haar arm om me heen en we liepen naar de liften.

'Geloof me, als je je zo aanstelt als Holly zal ik dat met alle plezier doen.'

Toen de liftdeuren opengleden stonden we oog in oog met onze illustere producer. Ik begon Arnies feilloze timing verdacht te vinden, hij leek altijd op precies het juiste moment op te duiken.

'Sarah, kan ik je even spreken?' vroeg hij, voordat hij tussen mij en Dorothy in ging staan.

Ik knikte en Dorothy ging alleen naar boven.

Arnie deed een stap opzij en stak een sigaar op. Hij liet een rookwolkje ontsnappen voordat hij begon te praten.

'Ik wil je er even aan herinneren dat je een verklaring van afstand hebt getekend voordat je je voor het programma inschreef. Een medische verklaring van afstand.' Hij stond te puffen aan zijn sigaar alsof hij wachtte tot deze vermaning tot me was doorgedrongen. 'En in die verklaring staat dat het programma geen verantwoordelijkheid draagt voor bestaande aandoeningen in het geval je ziek wordt tijdens je verblijf bij ons.'

Hij leek te wachten op erkenning van deze opwindende informatie. 'Oké, Arnie.'

'Onze juridische afdeling wilde gewoon zeker zijn dat je je van de situatie bewust bent.'

Welke situatie? Waarom wilde de juridische afdeling juist mij hier vriendelijk aan herinneren?

Toen begreep ik het.

'Waar heb je het over, Arnie?' vroeg ik, nieuwsgierig of hij zou toegeven wat de werkelijke reden was dat hij plotseling in mijn lichamelijke gesteldheid geïnteresseerd was.

'We weten af van jouw toestand, Sarah.'

'En welke toestand is dat dan?'

'Je nierstenen.'

Ze had het weer geflikt! Holly was na onze lunch waarschijnlijk meteen naar Arnie gehold in de hoop dat ik uit het programma gezet zou worden.

'En hoe ben je dat te weten gekomen?'

'Ontken het maar niet, Sarah.' Arnie liet zijn sigaar uit zijn zelfvoldane mond bungelen. 'We hebben het op film.'

'Wat zeg je!' riep ik uit; ik kon mijn oren niet geloven.

'We hebben je bekentenis op film. We zullen het echt niet tegen je gebruiken...'

'Tegen me gebruiken?' snauwde ik terug, hem onderbrekend.

'Tegen me gebruiken? Je hebt ons voorgelogen! Je hebt ons verteld dat jullie niet meer zouden filmen!'

'Bij de oriëntatieronde ben je gewaarschuwd dat je op elk moment gefilmd zou kunnen worden,' zei hij, alsof hij een zin uit het oriëntatiehandboek oplas.

'Je hebt verborgen camera's gebruikt?'

'En microfoons.'

Ik had niet verbaasd moeten zijn, maar ik was het wel. Het was al erg genoeg dat we ons lieten betrappen door de camera terwijl we op de toer waren met Chris; nu belazerde Arnie ons ook nog met zijn verborgen camera.

'Prima, Arnie. Bedankt voor de waarschuwing.' Ik drukte op de liftknop en wachtte.

'Maak je geen zorgen over die close-up van je achterste, Sarah. We zullen ervoor zorgen dat het smaakvol overkomt.'

Met een kort *ping*-geluid schoven de liftdeuren open en ik ging in de lift staan. 'Dat is verdomde genereus van je, Arnie.'

'Hé, we zitten toch allemaal in hetzelfde schuitje?'

Ik wierp Arnie een strak glimlachje toe en liet hem achter de dichtschuivende deuren staan. Als we voorheen nog niet allemaal in hetzelfde schuitje hadden gezeten, was dat nu zeker wel het geval.

Toen ik op mijn verdieping aankwam en uit de lift stapte, hoorde ik in de verte een telefoon rinkelen. Tegen de tijd dat ik mijn kaartje door het slot van de deur had gehaald, mijn tas op de grond had gesmeten en op het bed dook om mijn mobieltje te pakken, ging hij al voor de vijfde maal over.

'Hallo?'

'Sarah! Ik ben zo blij dat ik je te pakken heb. Ik was al bang dat ik een boodschap zou moeten inspreken.' Het was Suzanne. 'Hoe gaat het daar?'

'Goed, het gaat goed.' Ik leunde tegen de dikke kussens en trok mijn knieën op.

'Ik wilde me gewoon even melden en je laten weten dat ik een fotograaf naar je toe stuur,' zei Suzanne.

'Een fotograaf?' Ik rolde op mijn buik en trok de kussens over mijn hoofd, hopend dat er geen gedeelten van het gesprek opgevangen zouden worden door verdwaalde microfoons.

'Ja. Het artikel heeft wat ondersteunende foto's nodig. Niets geposeerds, uiteraard,' voegde ze eraan toe. 'De fotograaf zal zich voordoen als een hotelgast die gewoon wat plaatjes van de omgeving maakt. Hij zal je morgen bellen als hij is gearriveerd om de details te bespreken.'

'Ze gaan ons morgen ergens anders onderbrengen. In een privévilla in de buurt van Chris' huis.'

'Chris?'

'De bachelor.'

'O.'

'Vanavond wordt de derde kaarsceremonie gehouden, dus we checken uit uit het hotel. Het zal daar wel gemakkelijker filmen zijn of zo.'

Met zoveel van ons in het hotel en de hotelgasten die overal rondliepen waren de wijfies nog niet zo vaak bij elkaar gefilmd, tenzij je de vooropgezette lunch meetelde. Dit zou veranderen aangezien er vanaf morgen nog slechts zeven wijfies over zouden zijn. Zeker omdat de inzet bij elke kaarsceremonie hoger werd. In de villa zouden de camera's waarschijnlijk non-stop zijn opgesteld om het drama vast te leggen terwijl het zich ontvouwde.

'Enig idee waar? Ik zou iemand op het strand kunnen posteren met een sterke lens, om het topless zonnebaden vast te leggen, misschien?'

Ik wist dat er foto's bij het artikel moesten, maar het idee de meisjes onder valse voorwendselen mee te lokken voor plaatjes die hen in het beste geval onnozel en in het slechtste geval als sletten zouden laten overkomen, sprak me niet aan. Ik zou het artikel schrijven, maar ik zou daarbij niet de andere meisjes voor gek zetten. Misschien had me dat twee weken geleden goed in de oren geklonken, maar inmiddels waren ze geen naamloze, gezichtloze wijfies meer. Het waren Vanessa en Dorothy en Rose en Samantha. Het tijdschrift moest maar grafieken gebruiken of iets dergelijks.

'Nee. Ik heb geen idee waar die villa is.'

'Oké, blijf zitten waar je zit. Ik zal een paar telefoontjes plegen; misschien kan ik iemand aan de westkust opsnorren die vanavond bij je kan zijn. Ik bel je zo terug.'

Nadat Suzanne had opgehangen gooide ik de kussens terug op

het bed maar verroerde me niet; ik werd heen en weer geslingerd tussen onder de douche gaan en me klaarmaken voor de kaars- ceremonie en wachten tot Suzanne terugbelde met een plan, of- wel tussen een wijfie zijn en een schrijfster die wachtte tot haar redacteur uit Chicago zou bellen. Ik kon de meisjes niet verra- den. Al was onze relatie gedwongen en onder bizarre omstan- digheden tot stand gekomen, ze vertrouwden me. Misschien af- gezien van Holly, zaten we allemaal in hetzelfde schuitje.

Ik zwaaide mijn benen over de rand van het bed en liep naar de badkamer om te douchen.

Toen ik uit het bad stapte en de dikke, witte handdoek pakte die aan een muurrek hing, zag ik het rode lichtje van mijn mo- bieltje knipperen. Dat was waarschijnlijk Suzanne met een nieuw plan om foto's van de wijfies te bemachtigen. Ze zou verwachten dat ik haar telefoontje direct zou beantwoorden, maar ik was niet in de stemming. Ik moest naar een kaarsceremonie.

13

$\mathcal{D}$e oprijlaan naar het huis van Chris was aan weerszijden verlicht door lichtgevende voorwerpen. De bruine papieren zakken waarin ik vroeger mijn lunch mee naar school nam waren op gelijke afstanden verspreid over de kronkelende oprijlaan, wat een effect schiep alsof er voetlichten waren aangebracht waar onze bus tussen de oplichtende borders door reed. Zonder het te willen vroeg ik me af of de kaarsen die gebruikt waren om de zakken te verlichten dezelfde waren die de bachelor gebruikte om ons lot te bepalen.

'Hallo.' Chris hield de voordeur open en begroette elk van ons toen we binnenkwamen.

'Hoi,' mompelde ik nauwelijks verstaanbaar terug. Tijdens mijn hete douche had ik een idee gekregen van waaruit ik het artikel zou schrijven: toon de ware aard van de bachelor. Laat de man achter de camera zien, die oprechtheid had ingeruild voor wat het ook was waarmee je meisjes in een bikini kon krijgen.

'Er staan wat hapjes in de woonkamer.' Hij wees naar de garnalen en kleine hartige taartjes die op zilveren schalen lagen.

Toen we de woonkamer binnenliepen nam de regisseur Rose en Claudia apart en zette hen voor de camera voor een spontaan interview.

Chris deed de voordeur dicht en voegde zich bij ons. In plaats van een kostuum of een blazer droeg hij een dunne, botergele kasjmier trui met een ronde hals. De trui zat niet strak, maar het zachte weefsel viel soepel over zijn borstkas en zijn goedgevormde spieren waren vaag zichtbaar tot het punt waar de trui in zijn blauwe pantalon was gestoken. Toen hij daar stond te kijken naar de presentator die Rose interviewde zag hij er zo sympathiek uit dat ik bijna zou vergeten dat ik hem haatte.

'En, hoe waren je andere afspraakjes?' vroeg ik, terwijl ik me van de groep verwijderde en naar het raam liep.

'Goed,' antwoordde hij opgewekt, terwijl hij achter me aan liep.

'Mooie avonden met sterrenhemel? Helemaal perfect voor een plonsje in de jacuzzi?' Ik keek uit het raam en kon Chris' gewraakte liefdespoel zien liggen.

'Sarah, wat is er aan de hand?'

'Wat zou er aan de hand kunnen zijn?' antwoordde ik, terwijl ik mijn rug naar hem gekeerd hield en mijn stem droop van het sarcasme.

'Het is wel duidelijk dat je ergens pissig over bent.'

'Waarover zou ik pissig kunnen zijn?' Ik draaide me om en keek hem aan.

'Ik dacht dat we dit al hadden besproken. Als je iets te zeggen hebt, zeg het dan. Hou op met dat sarcastische gedoe.' Hij klonk bijna boos. Op mij. Nou ja!

'Je wilt dat ik het zeg, goed dan. Door jou voel ik me als een idioot.'

'Hoezo?' Hij sloeg zijn armen over elkaar en wachtte op mijn antwoord.

'Door me te laten denken dat je me echt leuk vond. Door me te kussen en daarna Dorothy en Rose te kussen.'

'Dat is niet eerlijk,' zei hij zachtjes; hij klonk eerder gekwetst dan verdedigend.

'Dat is niet eerlijk van me?' schreeuwde ik bijna, voordat ik zag dat de presentator en de cameraploeg zich een weg naar ons baanden. Ik dempte mijn stem. 'En jij dan?'

'Sarah, denk nou eens even na. Ik word verondersteld jullie allemaal te leren kennen. Die afspraakjes waren bedoeld om ons wat tijd alleen te gunnen. Hoe moet ik weten of het wel of niet klikt als we niet wat intiemer worden? En ja, dat betekent zoenen. Het spijt me dat je je rot voelde toen je hoorde over mijn afspraakjes met Dorothy en Rose, maar je had kunnen weten dat dit zou gebeuren, zeker als ze aardig bleken te zijn. Jij vindt Rose en Dorothy ook aardig; ze zijn geweldig. Net als jij.'

'En dat gedoe met die jacuzzi dan?' Zo gemakkelijk liet ik hem er niet vanaf komen.

'Nou én, ik hou van jacuzzi's. En in Californië zie je heldere

hemels en sterren. Ik kom uit Seattle, weet je nog? Ik zie niet bepaald elke avond een hemel vol sterren. Ik heb dat niet zitten verzinnen alleen om jullie in de jacuzzi te krijgen!'

'Nou, tja, het is gewoon grof,' hield ik vol.

'Wat is grof?'

'Dat water, bijvoorbeeld, vol bacterieën,' stamelde ik; ik begon
belachelijk te klinken.

'Sarah, volgens mij ben je niet goed snik.'

'Ik niet goed snik?' Ik porde met mijn vinger tegen mijn borst,
naar de halve gare. 'Ik dacht dat we een gezellig afspraakje hadden, en nu heb ik het gevoel alsof ik slechts een van je warmwa-
ter-wijfies ben, alsof ons afspraakje niet echt was.'

Nu was ik degene die in de verdediging werd gedrongen.

'Het was wel echt. En toen ik je zoende was ik niet alleen bezig om te kijken hoever ik kon gaan. Ik wilde je echt kussen. Ik
wil je nog steeds kussen, al wil je me per se het gevoel geven dat
ik de slechterik ben.'

De presentator kwam bij ons staan en tikte Chris op de schouder.

'We dachten dat we maar eens met de ceremonie moesten beginnen, maar als je liever nog even door wilt kibbelen, kun je dan
op het terras gaan staan? Arnie denkt dat de kijkers verveeld zullen raken door al die binnenopnamen.' Pierre wierp een blik op
de regisseur en Joe, die op een teken van hem stonden te wachten om naar buiten te gaan.

De kaarsceremonie! Ik stond hier Chris af te zeiken, enkele minuten voordat ik met mijn onaangestoken kaars voor hem zou
staan.

'Nee. We zijn klaar.' Chris wendde zich van me af.

Ik had waarschijnlijk moeten proberen de situatie recht te zetten, hem moeten vertellen dat alles oké was, dat ik begreep dat
hij onder druk stond om elk meisje van de groep te versieren.
Maar ik hield hem niet tegen toen hij wegliep, en ik zei niet dat
alles oké was. En daarvoor zou ik waarschijnlijk de prijs moeten
betalen.

Suzanne zou woest zijn. Ik werd verondersteld aardig te zijn
tegen die vent, niet hem kwaad te maken. Zelfs als je dat gedoe
met de jacuzzi in aanmerking nam, hadden we een waanzinnig

leuke dag gehad. Dat zou hij bij zijn overwegingen mee moeten nemen, al had dat drie dagen geleden plaatsgevonden en had ik nog geen vijf minuten geleden tegen hem staan schreeuwen.

Pierre klapte in zijn handen in een poging onze aandacht te vangen. 'Dames, jullie weten hoe het in zijn werk gaat. Drie van jullie zullen vanavond het programma verlaten. Hou je kaars alsjeblieft minstens tien centimeter van je kleding af; laatst hadden we bijna een probleem met smeltende kunstzijde. Als iedereen klaar is, hier is jullie bachelor.'

Maar voordat Chris bij de presentator op het tapijt kon gaan staan vlogen de voordeuren open en stormden drie geüniformeerde agenten de kamer binnen, zwaaiend met hun badges.

'Politie! Geen beweging!'

Pierre zwaaide met zijn handen in de lucht en begon schril te gillen: 'Ik heb het niet gedaan! Ik zweer het!'

De regisseur gaf de cameraploeg de opdracht te blijven filmen en marcheerde naar onze onverwachte bezoekers.

'Wat kan ik voor u doen?'

Een gedrongen, kale dubbelganger van Sipowicz duwde de regisseur opzij en liet zijn blik over de halve cirkel wijfjes glijden. 'Die daar.' Hij wees Iris aan.

De twee maten van Sipowicz knikten en liepen naar haar toe.

'Ik heb mijn straf uitgezeten! Jullie kunnen me niet arresteren!' begon Iris te schreeuwen terwijl ze Claudia en Samantha bij de armen greep, die aan weerszijden van haar stonden. 'Jullie kunnen me niet meenemen!'

'Wat is hier aan de hand?' wilde Arnie weten, terwijl hij tussen Iris en haar belagers ging staan.

'Iris Barnes, u staat onder arrest vanwege het schenden van uw voorwaardelijke straf toen u de staat New Jersey verliet.'

Voorwaardelijk? Was Iris een misdadigster?

'Wacht eens even. U kunt haar niet meenemen. We zijn hier een tv-programma aan het opnemen!'

'Iris Barnes, komt u alstublieft hier.'

Iris probeerde zich achter Arnie te verschuilen, maar zijn magere gestalte was niet bepaald een afschrikwekkend middel. De smerissen liepen om hem heen en trokken Iris mee naar het midden van de kamer.

'Maar ik ben een witteboordencrimineel! Wat kan het iemand schelen dat ik uit New Jersey ben weggegaan? Iedereen wil weg uit New Jersey!'

De smerissen pakten Iris bij de ellebogen en leidden haar al schoppend en gillend de kamer uit.

'Handelen met voorkennis is een misdaad, mevrouw Barnes, hoe keurig u er ook uitziet in een Armani-pak.'

'Arnie!' jammerde ze voordat de voordeur achter hen dicht-sloeg.

Het bleef even stil in de kamer voordat iedereen door elkaar begon te praten.

De regisseur gilde tegen Joe dat hij mee moest komen naar bui-ten en een shot moest maken van de politieauto die wegreed. 'En vraag of ze de sirene aan kunnen zetten!' riep hij hem achterna.

'Had jij daar enig idee van?' vroegen de wijfies aan elkaar, ter-wijl ze zich probeerden te herinneren of Iris ooit iets had laten doorschemeren, zoals een voorkeur voor zwart-wit gestreepte ge-vangeniskleding.

'Ik vind het ongelooflijk.' Dorothy wendde zich tot mij. 'Ze heeft Arnie en Sloane behoorlijk om de tuin geleid.'

Ik zocht de kamer af naar Arnie, die in een hoek de chaos stond te bekijken met een brede grijns op zijn gezicht. Hij leek niet erg van zijn stuk gebracht te zijn. In feite leek hij het nogal naar zijn zin te hebben.

'Hoe heeft dit kunnen gebeuren?' vroeg Dorothy.

Dat vroeg ik me ook af. Ze hadden me bij de auditie verteld dat ze zouden checken of ik een strafblad had, voordat ze me zouden toelaten tot het programma. Op dat moment leek dat lo-gisch, om de veiligheid van de wijfies te garanderen en zo. Maar nu kwam het allemaal nog logischer over. Het ging niet om vei-ligheid. Het draaide om de kijkcijfers.

'Dames! Sssst!' beval Pierre, die Chris op zijn plaats duwde ter-wijl de camera's hun positie weer innamen.

Chris zag er volledig verbijsterd uit.

'Nou, toe dan, onnozele hals. Zeg gewoon wat je van plan was te zeggen voordat je door Starsky en Hutch werd onderbroken!' Pierre gaf hem een klapje op zijn rug en stapte opzij.

'Eh, ik wilde alleen even de drie dames bedanken met wie ik

tot mijn geluk deze week een afspraakje heb gehad. En ik wil iedereen laten weten hoe leuk ik het heb gevonden jullie te leren kennen. Helaas mag ik vanavond maar zeven vrouwen uitkiezen.'

Zelfs als hij je niet zou uitkiezen, slaagde hij er toch in voor elkaar te krijgen dat je hem aardig vond. Waarom kon hij niet gewoon een persoonlijkheid voor zichzelf bepalen en zich daaraan houden: een zoenerige, jacuzzi minnende snelle jongen of een charmante prins op het witte paard?

Pierre overhandigde Chris zijn kaars en de regisseur begon opdrachten in zijn microfoontje te fluisteren. Wat had ik eigenlijk verwacht? Dat hij bij ons eerste afspraakje voor me zou vallen en alle andere wijfies zou afzweren? Dat zou leuk geweest zijn, maar dan zou er geen programma zijn, nietwaar? Trouwens, ik had een echtgenoot die in Chicago op me zat te wachten.

Wie was ik om zo nijdig te worden?

Chris stond voor in de kamer naar ons te kijken; zijn lichte kasjmier trui benadrukte zijn gebruinde huid en versmolt met de neutrale kleuren die in de kamer gebruikt waren. Hij deed een stap in de richting van onze halve cirkel met zijn rechterhand stevig om de kaars en zijn linkerhand beschermend om de vlam, en bereidde zich erop voor een wijfie uit te kiezen.

En hij koos mij. Als eerste.

Maar in plaats van door te lopen naar de volgende kaars, bleef Chris staan. Hij stond me ernstig aan te kijken alsof hij wachtte op mijn beslissing, hij nam niets als vanzelfsprekend aan.

Chris gaf me geen enkele ontsnappingsmogelijkheid. Als ik inderdaad zo boos op hem was, had ik nu de kans met het programma te kappen. Ik had mijn tijd met hem en de andere meisjes gehad en ik kon weg wanneer ik wilde, waarschijnlijk in het bezit van voldoende materiaal om mijn artikel te schrijven als dat nodig was.

De bal lag bij mij. De kaarsvlam flakkerde in mijn hand en daagde me uit mijn keus te maken.

Ik had Chris verteld hoe belachelijk ik me voelde en hij had geluisterd. En zich er schuldig over gevoeld, al was dat niet nodig. In plaats van een vrouw uit te kiezen die voldaan haar positie in de pikorde had geaccepteerd, had hij iemand uitgezocht die pissig was omdat zij niet de enige was geweest die hij had gezoend.

Door me het gevoel te geven dat ik een uitzondering was had hij bereikt dat ik wilde blijven. En niet alleen omdat ik meer materiaal nodig had voor het artikel. Maar omdat ik hem wilde.

'Bedankt.'

Eindelijk brak er een lach door op Chris' gezicht.

'Jíj bedankt,' antwoordde hij hoffelijk.

Terwijl Chris rondliep en de kaarsen van zes andere vrouwen aanstak, die mochten blijven – te beginnen met Samantha, toen Rose, Claudia, Vanessa, Dorothy en als laatste Holly – voelde ik me uit mijn evenwicht gebracht, en dat kwam niet door mijn hoge hakken. Het kwam doordat ik deze man niet begreep, die me het ene moment het gevoel gaf dat ik speciaal was en het volgende moment deed alsof er van mij dertien in een dozijn gingen. Een man die aan elk mannelijke stereotype leek te voldoen en vervolgens iets onverwachts deed. Net als ik dacht dat ik wist hoe hij in elkaar zat, deed hij iets wat niet bij hem paste. Het leek op een dans van intimiteit die we allebei aan het leren waren. Iedere keer dat Chris een stap naar voren deed met zijn linkervoet, deed ik een stap naar achteren met mijn rechtervoet. We bewogen ons eendrachtig, probeerden elkaar met elke stap uit en raakten steeds meer geboeid als de ander ons bleek bij te houden.

Het was een dans waarmee Jack en ik al waren opgehouden voordat Katie werd geboren. In tegenstelling tot mijn onbekende maar stimulerende tango met Chris dachten Jack en ik dat we elke stap van elkaar kenden en namen aan dat de ander in de pas liep zonder ooit te controleren of een van beiden misschien achterop was geraakt.

Maar van Chris wist ik niet wat zijn volgende stap zou zijn. En op dat moment had ik er ook moeite mee mijn eigen bewegingen te voorspellen.

Nadat hij een betraand wijfie en de fronsende tweeling Jackie en Josie naar de voordeur had begeleid, kwam Pierre terug en vroeg nogmaals onze aandacht.

'Ik wil jullie graag voorstellen aan een paar vrienden van Chris,' legde de presentator uit, terwijl hij zich omdraaide naar de drie mannen die achter Chris aan de kamer werden binnengeloodst. 'Dit zijn Brian, John en Neil.'

De drie mannen glimlachten even toen ze hun naam hoorden

en namen hun plaatsen in bij de open haard.

'Deze week zullen jullie elk wat tijd doorbrengen met de vrienden van Chris, zodat jullie meer over hem te weten komen en zij meer over jullie. Misschien kunnen jullie ons een en ander vertellen over jullie vriendschap met Chris?'

Verwachtte de presentator dat mannen openlijk over vriendschap zouden praten? Ik dacht dat dit een reality-programma was.

De langste van de drie, een magere, blonde man die voortdurend weifelende blikken in de richting van de voordeur wierp, deed een stap naar voren.

'Ik ben Brian,' begon hij, terwijl hij zijn handen in zijn zakken stopte. 'Chris en ik waren kamergenoten op Stanford. We hebben elkaar in het eerste jaar leren kennen, toen het brandalarm van onze slaapzaal afging doordat hij probeerde restjes nacho's op te warmen. Sinds mijn afstuderen woon ik in New York, maar we zien elkaar nog steeds minstens tweemaal per jaar. En we gaan altijd nacho's eten.'

'Ik ben John. Brian en ik wonen samen in New York.'

We schonken veel aandacht aan John, die net zo knap was om te zien als Chris, alleen lichter, met asblond haar en lichtgrijze ogen. Elk van de meisjes zou hem meteen accepteren als troostprijs. Ik in ieder geval wel.

'Ik ken Chris al sinds ons eerste jaar op Stanford. Na ons afstuderen zijn we een maand lang samen door het land getrokken; in die periode heeft hij op een kampeerterrein in North Dakota de sleutel in de auto laten zitten, in Montana onze tent in de fik gestoken en per ongeluk mijn portefeuille in de Grand Canyon laten vallen, wat volgens hem geen enkel probleem was omdat ik er toch alleen maar zes piek en een condoom in had zitten.'

De laatste man, die Aziaat was, stelde zich voor. 'Ik ben Neil. Ik ken Chris sinds de zesde klas en ken al zijn smerige geheimpjes. Ik ben vorig jaar weer in Seattle komen wonen, dus we zien elkaar vaak.'

'Bedankt, jongens.' Pierre schudde hen de hand, waarbij hij die van John iets langer vasthield dan noodzakelijk, en richtte zijn aandacht met tegenzin weer op de wijfies. 'Dames, deze week zullen jullie het hotel verlaten en de rest van jullie verblijf hier doorbrengen in een privébungalow. Maar nu staan er hors d'oeuvres op de tafel en is er champagne bij de bar. Neem even de tijd om je voor te stellen aan Brian, John en Neil en maak er wat van.'

Chris liep naar de mannen toe en ze sloegen elkaar op de rug en vertelden elkaar grappen die luid gelach teweegbrachten.

'Hoi, Sarah, ga je mee een drankje halen?' vroeg Vanessa, die om de sofa heen liep.

'Nog niet.' Ik had me een beetje afgezonderd van de groep in de hoop dat Chris bij me zou komen zitten. Nadat hij met Brian, John en Neil bij de bar was gaan staan, zag Chris dat ik naar hem zat te kijken.

Hij kwam naar me toe, overhandigde me een glas champagne en zei: 'Hoi, bedankt dat je de handdoek niet in de ring hebt gegooid.'

'Tja, ik heb me gezien de omstandigheden een beetje belachelijk gedragen, vind ik.' Ik maakte een hoofdgebaar in de richting van de zes vrouwen die in een kluitje bij zijn vrienden en de hors d'oeuvres stonden.

'Hoe dan ook, ik ben blij dat je iets gezegd hebt. Al was het niet allemaal aardig.'

'Ik was helemaal niet onaardig,' flapte ik eruit, waarbij ik bijna champagne op mijn jurk morste.

'Rustig maar, ik zit je alleen maar te plagen. Wat nu? Je kunt wel klappen uitdelen maar niet zelf incasseren?'

'Ik kan best incasseren.'

'Dat hoop ik maar, want ik heb Brian, John en Neil voor je gewaarschuwd. Ze zijn op je voorbereid.'

'Ik ook.'

Ik liet mijn blik in de richting van de drie vrienden dwalen, de drie aantrekkelijke mannen die de belofte in zich hadden me te kunnen vermaken, als het gelach dat bij de bar klonk enige aanwijzing was. En ik was er klaar voor.

Toen Chris op mijn beslissing had staan wachten of ik de vlam van zijn kaars zou accepteren, had ik me oppermachtig gevoeld, alsof ik het vermogen had te verrassen, teleur te stellen en hem nog meer naar me te laten verlangen. Thuis verliep mijn leven gladjes, alsof ik een perfecte ronde, naadloze bal was, waarvan onmogelijk te bepalen was waar die begon of eindigde. Maar hier was ik hoekig, als een dobbelsteen waarvan elk facet een andere kant vertoonde en die elk moment van richting zou kunnen veranderen in plaats van de bekende weg te volgen.

Ik met drie van Chris' aantrekkelijke vrienden. Ik was er niet alleen klaar voor, ik zag ernaar uit, de verhoudingen waren tenslotte niet slecht.

'Mooi. Ik kan er maar beter heen gaan voordat hij verhaaltjes gaat ophangen.' Chris wees naar Neil, die drie vrouwen om zich heen had staan die aandachtig naar hem luisterden. 'Het is niet nodig dat iemand op de hoogte wordt gebracht van de tijd toen... enfin, laten we zeggen dat sommige dingen beter verzwegen kunnen worden.'

Toekijkend hoe Chris zich bij het groepje bij de piano voegde, kon ik een glimlach niet onderdrukken. Zelfs de aanblik van Holly, die probeerde zich als een nicotinepleister aan Chris' arm te hechten liet me koud. Ik had mijn dagje uit met hem dus niet verkeerd beoordeeld. Alles was perfect, bijna. Ik had slechts één lastig probleempje op te lossen: nu mijn idee van de ontmaskering van de bachelor in het water was gevallen, was ik het thema van mijn artikel ook kwijt. Wat zou ik Suzanne nu moeten voorschotelen?

In mijn donkere hotelkamer knipperde het rode lampje van mijn mobieltje nog steeds als een eenzaam kerstlampje. Ik deed het licht aan en begon me uit te kleden; ik had nu al zo lang gewacht met het afluisteren van Suzannes boodschap dat die paar minuten extra niets meer uitmaakten. Nadat ik mijn gezicht had schoongemaakt en de fris gewassen badjas van het Ritz Hotel had aangetrokken trok ik de bureaustoel naar achteren en pakte mijn aantekenblok om te kunnen opschrijven wat ze te melden had. Maar toen ik de boodschap afluisterde bleek het niet Suzannes stem te zijn die ik hoorde. In plaats daarvan voelde ik een steek in mijn borst toen ik de korte boodschap hoorde. Niet omdat ik het thuisfront zo miste. Maar omdat het niet in me was opgekomen Jack eerst te bellen.

Hij zei dat hij net thuis was uit zijn werk, wat betekende dat hij waarschijnlijk eerder was weggegaan om thuis te zijn voor Katie, want het was pas vijf uur in Chicago toen hij had ingesproken. Eerst was hij begonnen haar in bad te doen; nu ging hij al eerder weg van zijn werk. In iets meer dan twee weken was Jack veranderd in een superpappie, in staat verzoeken om een rechterlijke uitspraak in te dienen en tegelijkertijd een besmeurd kind in bad te doen.

Ik kon me Jack niet voorstellen terwijl hij over het bad gebogen stond, de gesteven witte mouwen van zijn keurige overhemd tot boven zijn ellebogen opgestroopt en Katies billetjes wassend met haar lieveheersbeestjessponsje. Misschien had ik het me een paar jaar geleden nog wel kunnen voorstellen, voordat hij zijn beroep zo serieus begon te nemen. Maar hij was veel te advocaterig geworden voor een taak waarmee bubbels en een shampoofles met een dop in de vorm van Elmo gemoeid waren.

Het was niet altijd zo geweest. Na haar geboorte deed Jack Katie in bad, las haar voor bij het slapen gaan en kon hij heerlijke kaastosti's maken voor de lunch. Ik keek altijd met sceptische blik toe, inwendig opmerkend dat het badwater niet warm genoeg was of dat hij een bepaalde zin in Katies lievelingsverhaaltje verkeerd voorlas. Na een tijdje begon ik hem erop te wijzen hoe die taakjes eigenlijk uitgevoerd moesten worden, en uiteindelijk hield Jack er helemaal mee op. En op dat moment vond ik dat niet erg. Nadat ik mijn baan bij het pr-bureau had opgezegd werd moeder zijn mijn baan. Katie en ik hadden onze dagelijkse routine, een bepaalde manier om de dingen te doen die was gegroeid in al die maanden dat we samen thuis waren, terwijl Jack elke dag naar zijn werk in de stad ging. Het huis was mijn domein geworden en had mijn hoekkantoor vervangen. Jack had immers al een baan, dacht ik, en trouwens, we waren het eens geworden over dit plan.

Toen Jack overwoog zijn juridische opleiding af te breken was het niet zozeer de afwezigheid van een juridische carrière die me zo dwarszat. Het was Jacks besluiteloosheid. Ik had Jack altijd beschouwd als stabiel, niet zozeer voorspelbaar als wel betrouwbaar. En dat sprak me aan in een tijd waarin ik niet wist waar ik zou zijn of wat ik zou gaan doen na mijn afstuderen. Het was prettig om van één ding zeker te kunnen zijn, ik had iemand gevonden die naast me zou staan.

Toen hij zijn twijfels eenmaal had overwonnen en had besloten vol te houden, had ik het gevoel dat ik weer vaste grond onder mijn voeten had. Dat ik op een goed uitgestippelde route zat, een weldoordacht plan volgde.

Ik had dat pad nu al acht jaar gevolgd en, natuurlijk, het was stabiel en betrouwbaar, maar niet bepaald opwindend. In de afgelopen weken had ik meer onzekerheid gekend dan in de afgelopen drie jaar. Elke dag was onverwacht; wakker worden en niet weten wat er zou gaan gebeuren, beslissingen op het laatste moment die onrust brachten en ik was altijd een beetje uit mijn evenwicht. Voor het eerst wist ik niet wat me te wachten stond. En ik vond het geweldig.

Dus misschien was het schrijven van het artikel niet mijn enige probleem. Misschien was het feit dat ik me drukker maakte over de jacuzzi-gewoonten van de bachelor dan over het verslag van Jacks dagen iets om me zorgen over te maken. Maar ik was bezig een artikel te schrijven, ik werd ervoor betaald om achter de gedachten van de bachelor te komen. Ik had me meer door Chris laten inpalmen dan mijn bedoeling was geweest, maar was dat niet noodzakelijk om mijn verhaal rond te krijgen?

Het was te leuk. Ik had het te veel naar mijn zin. Ik werd door Chris aangetrokken, nou én? Het was onschuldig geflirt. Ik kon mezelf nog steeds in de spiegel aankijken en tevreden zijn met wie ik daar zag; om eerlijk te zijn begon ik haar steeds leuker te vinden.

Ik keek op de klok op het nachtkastje en voelde me bijna opgelucht toen de wijzers bevestigden dat het te laat was om Jack te bellen. Ik wiste zijn boodschap en legde de telefoon weg. Morgenochtend zouden we worden opgehaald door een bestelwagen die ons naar de bungalow zou brengen en mijn kast hing nog vol met kleren die moesten worden ingepakt.

Toen ik mijn kleding van de stevige houten hangers pakte, besefte ik dat ik in een paar weken tijd behoorlijk gewend was geraakt aan de dienstverlening van een luxueus hotel. Elke ochtend een nieuw stuk zeep en de mogelijkheid je vuile ondergoed in een zak te stoppen en dat aan het eind van de dag gewassen en gestreken op je bed aan te treffen was niet gering. Vanaf morgen zou er geen roomservice meer beschikbaar zijn, geen Ritz badjas, geen elektrische limonade. Ik zou dit hotel missen.

Ik legde mijn aantekenblok als laatste in de koffer. Vanavond geen geschrijf. Suzanne had waarschijnlijk op zo'n korte termijn geen fotograaf kunnen optrommelen en had niet eens de moeite genomen terug te bellen. Wat eigenlijk prima was. Ik had nog geen andere invalshoek voor het artikel bedacht. Als ik niet over de wijfies of over de bachelor zou schrijven, bleef er weinig over.

Ik keek mijn kamer rond, op zoek naar een paar vergeten schoenen of een truitje dat achteloos over een stoel was gegooid. Maar ik had alles ingepakt. De kamer zag er bijna net zo ongerept uit als bij mijn aankomst. Ik stond op het punt de tas dicht te ritsen toen ik iets aan de badkamerdeur zag hangen. Ik pakte het absorberende materiaal en rolde het om mijn armen in een zinloze poging het kleiner te maken. Uiteindelijk gaf ik het op, gooide de Ritz badjas op mijn aantekenblok en ritste de tas dicht. Wat maakte het uit. Ik zou snel genoeg terug in de werkelijkheid zijn.

14

$\mathscr{T}$oen ik de volgende ochtend stond te wachten tot de portier mijn bagage kwam halen, belde ik Jack op kantoor. Zijn secretaresse verbond me onmiddellijk door.

'Ik heb gisteravond geprobeerd je te bereiken. Waar zat je?' wilde hij weten, voordat ik zelfs maar de kans kreeg hallo te zeggen.

'We hadden een kaarsceremonie.'

'Gezien het feit dat je daar nog steeds bent neem ik aan dat je weer een week overleefd hebt.' Het kwam niet over alsof hij blij voor me was, zoals wel het geval was geweest na de eerste kaarsceremonie. 'Katie vraagt voortdurend naar je.'

'Probeer je me een schuldgevoel aan te praten?' De portier klopte aan en ik deed de deur open en wees hem waar mijn bagage stond.

'Nee.'

'Omdat het je voor iemand die dat niet probeert toch aardig lukt.'

'Het duurt nu al drie weken. Wie had kunnen denken dat je het zo lang zou volhouden?'

'Ja, wie had dat kunnen denken,' herhaalde ik.

'Ik dacht dat je was gaan schrijven om niet te hoeven reizen.'

Grappig; ik dacht dat ik was gaan schrijven om iets voor mezelf te hebben waarbij ik me lekker zou voelen, naast mijn status als Jacks vrouw en Katies moeder.

'Jack, je wist dat dit zou kunnen gebeuren. Het is voor het eerst in meer dan een jaar dat ik weg ben. Is dat te veel gevraagd?'

Jack nam niet de moeite te antwoorden.

'Ik moet ophangen; ze staan waarschijnlijk beneden op me te wachten.'

'Oké, ga maar gauw je single-imitatie doen voor de snottebel.'

'Het heet de bachelor.'

'Ook goed.'

'Ik bel je nog wel. Ik hou van je,' voegde ik er uit gewoonte aan toe.

'Ik ook van jou,' antwoordde hij automatisch.

Nadat Jack en ik bijna een maand verkering hadden, wist ik dat ik van hem hield. Ik dacht dat hij ook van mij hield. Ofschoon ik het hem had willen vertellen, mijn gevoelens had willen uiten, had ik dat niet gedaan. Niet meteen. Ik spaarde de woorden op als een kind dat centjes spaart, ik potte ze op tot hun wervende kracht mythische proporties aannam. Het woord 'liefde' had in die tijd waarde voor ons, alsof het geld was dat je hebberig opspaarde en pas wilde overhandigen als je wist dat wat je ervoor terug kreeg voldoende waarde had. Toen ik het eindelijk tegen hem zei en hij tegen mij, had ik het gevoel dat ik de hoofdprijs in de loterij had gewonnen.

In de loop der jaren was dit ruilmiddel in waarde verminderd toen we 'ik hou van jou's' begonnen uit te delen als fooitjes, het elkaar onnadenkend toewerpend omdat we wisten dat dat van ons verwacht werd. Onze liefdesverklaringen hadden de economische principes gevolgd totdat het leek of het aanbod de vraag ging overtreffen, gewoon omdat de woorden te vaak gebruikt werden. Totdat we vergeten waren dat het ooit waarde had gehad elkaar te vertellen dat we van elkaar hielden en de betekenis ervan gedevalueerd was geraakt, de Russische roebel achterna was gegaan.

Toen ik ophing, mijn tas pakte en me gereed maakte de andere vrouwen te treffen in de lobby, waren Jacks woorden al vervaagd. Hij had niet gezegd dat hij van me hield omdat hij dat op dat moment tot in het diepst van zijn ziel zo voelde. Waarschijnlijk had hij nog een ander lijntje of moest hij naar een vergadering en waren de woorden uit zijn mond gerold voordat hij zich zelfs maar bewust was van wat hij had gezegd.

Ik keek de rustige lobby rond, op zoek naar de andere meisjes en besefte dat ik de eerste was die beneden was. De portier had mijn bagage al in de bestelwagen gezet, inclusief mijn koffer waarin mijn aantekenblok zat. Ik wipte even het winkeltje van het hotel binnen en kocht het nieuwste nummer van *Femme* en een pakje kauwgum om me bezig te houden tijdens het wachten.

Toen ik in een van de weelderig beklede fauteuils in een rustig hoekje van de lobby kauwgum zat te kauwen en Suzannes laatste redactionele opinies zat te lezen, hoorde ik twee bekende stemmen mijn kant op komen.

'De film van die lunch was waardeloos. Ze leken wel een stelletje wezenloze zombies.' Sloanes stem zweeg aan de andere kant van de hoge, grootbladige plant die diende als afscheiding tussen het zitgedeelte en de hal van de lobby.

'Verdomde klote waardeloos. Ik zag mijn carrière voor mijn ogen verdampen.' De doordringende stank van Arnies sigaar kronkelde door de grote, peddelvormige bladeren van de plant en bleef boven mij hangen.

'Als ik nog één keer "kun je het zout even doorgeven, alsjeblieft" of zo'n beleefd lachje na een mislukte poging tot humor had gehoord, had ik mijn polsen doorgesneden.'

'Nou, kom op, we hebben de situatie toch opgelost,' zei Arnie met opeengeklemde kaken, die naar ik aannam zijn sigaar op zijn plaats hielden.

'Godzijdank. Anders hadden ze geen enkel eerlijk woord geuit. Met de camera's op zich gericht gedroegen ze zich als een stelletje namaak Stepford-vrouwen.'

Dat was niet waar! Er stonden zes camera's op ons gericht die elke beweging vastlegden en alle oneffenheden belichtten waarvan we hoopten dat die verborgen zouden blijven. We voelden ons slecht op ons gemak en nerveus; we waren geen plastic, perfecte namaakvrouwen. Sloane uitte niet slechts kritiek; ze klonk uitgesproken minachtend. Geen wonder dat de wijfies in het programma van vorig seizoen zo onnozel waren overgekomen, Sloane Silverman had de beelden geselecteerd!

Ik wist nu zo langzamerhand wel dat Arnie een lul was, maar zelfs Sloane was precies zoals Suzanne had voorspeld, de krengerige, oudere producer die jaloers was op de aantrekkelijke, jonge vrouwtjes die alle media-aandacht naar zich toe trokken, terwijl zij zich op de achtergrond rot werkte.

'Denk maar niet dat we die beelden aan potentiële adverteerders zullen laten zien, anders kunnen we de zendtijd wel gratis weggeven. Kun je die verdomde sigaar uit doen? Ik krijg er hoofdpijn van.'

Ik hoorde dat Arnie gehoorzaamde en zijn sigaar uitmaakte in het zand in de asbak.

Wat een team. Ze hadden me nooit een warm gevoel gegeven, maar ik had er geen idee van gehad dat Sloane en Arnie zo'n hekel aan de wijfies hadden. Arnie deed tenminste nog een poging zijn minachting te verbergen, maar ja, ik nam aan dat hij dat wel moest doen om de wijfies zover te krijgen dat ze vrolijk hun show opvoerden terwille van de adverteerders. Trouwens, hij was een man. Wat voor excuus had Sloane? Je zou denken dat ze als vrouw een bepaalde mate van begrip en meelevendheid voor onze situatie aan de dag zou leggen. In plaats daarvan waren zij en Arnie in staat op ongevoelige wijze een prijskaartje te hangen aan de zoektocht van een vrouw naar liefde, in de vorm van reclamecommercials van vijftien, dertig of zestig seconden.

Maar het onscrupuleuze gedrag van Sloane gaf me niet alleen de kriebels; het gaf me een artikel. Als ik niet over de vrouwen zou schrijven en niet over de bachelor, kon ik in ieder geval de opportunistische producers van het programma ontmaskeren.

'Hoi, Arnie. Hoi, Sloane.' Ik hoorde iemand met een zuidelijk accent onze kant op komen.

'Hallo, Holly. Ben je klaar om naar de bungalow te verhuizen?' vroeg Arnie.

'Absoluut. Hé, is dat Sarah niet, die daar zit? Sarah!' Holly riep mijn naam en trok een paar takken uit elkaar om me beter te kunnen zien.

Ik liet mijn hoofd zakken en deed net alsof ik verdiept was in een artikel, wat een advertentie voor Tampax bleek te zijn.

'Sarah?' Holly was om de plant heen naar me toe gekomen.

Ik keek op, in de hoop dat mijn gefronste wenkbrauwen en toegeknepen ogen konden doorgaan voor echte concentratie. 'O, hoi, Holly. Sorry, ik had je niet gezien.'

'Sloane en Arnie staan daarginds. We gaan naar de bestelwagen. Ga je mee?'

'Ja.' Ik sloeg het tijdschrift dicht en stond op. 'Wil je een kauwgumpje?'

Ik hield haar het pakje kauwgum voor en wachtte tot ze er eentje zou nemen.

'Nee, dank je, mijn tandarts zegt dat ik dat beter niet kan doen. Ik heb net vorige maand een laagje porselein op mijn tanden laten aanbrengen en die wil ik graag heel houden.'

Zelfs Holly's flitsend witte glimlach was nep. Ik had het kunnen weten.

'Zoiets had ik nooit verwacht!' Rose legde haar voeten op de tafel en leunde achterover in een ligstoel. 'Ik vind het hier geweldig. Ik ga nooit meer weg.'

Rose had gelijk. De bungalow van de wijfies was absoluut ongelooflijk. Al was hij niet zo groot en rommelig als het huis van de bachelor, het was er gezellig en comfortabel en hij stond hoog boven het strand. Vanaf de houten zonnewaranda aan de achterkant van het huis konden we de golven beneden ons tegen de kust horen slaan en kilometers ver tot aan de horizon kijken. We hadden geen zwembad – of jacuzzi – en er waren slechts vier slaapkamers, dus zou slechts één wijfie haar eigen kamer hebben, terwijl de rest een kamer moest delen, maar het was perfect. Van de bougainvillea die grillig over de balustrade van de zonnewaranda slingerde tot de dakramen die in vrijwel elke ruimte waren aangebracht, was het huis charmanter dan het smaakvol ingerichte verblijf van de bachelor.

'Waar hebben ze onze bagage gelaten?' vroeg Rose, die limonade zat te drinken.

'Tweede kamer rechts. Ik heb samen met Dorothy een kamer.'

'Dat is leuk. Aan wie hebben ze de eenpersoonskamer gegeven?'

'Aan Samantha.'

Rose ging rechtop zitten en grinnikte. 'Bedoel je dat...'

'Ja.'

Rose lachte en schudde het hoofd. 'Ik hoop dat Arnie en Sloane weten waar ze mee bezig zijn.'

'O, ik denk dat ze precies weten wat ze doen.'

Alsof ze een teken had gekregen duwde Holly de schuifdeur open en kwam bij ons zitten. 'Ik kan niet geloven dat ze me met Claudia op een kamer hebben gezet.' Ze zette een kom salsasaus op de tafel en liet een zak chips vanonder haar arm glijden. 'Die chips lagen in een keukenkastje en de saus stond in de koelkast. Ik hoop dat het geen restjes zijn van de vorige bewoners. En waarom krijgt Samantha de eenpersoonskamer?'

Holly scheurde de zak chips open en gaf hem door aan Rose, die er vrolijk een handjevol uit nam en in de saus doopte.

'Het is blijkbaar een wetenschappelijk verantwoord beslissingsproces,' legde ik uit, meer dan bereid te herhalen wat ik tijdens mijn luistervinkpraktijken te weten was gekomen. 'Een focusgroep.'

'Een wat?' wilde Holly weten.

'Een focusgroep. Ze hebben een paar kijkers bij elkaar gezet die een doorsnee vormden van alle kijkers en hun foto's van ons laten zien. Samantha kwam er als beste uit.'

'De beste in welke zin?' vroeg Holly met een meesmuilende uitdrukking op haar gezicht.

Ik haalde mijn schouders op. 'Zoiets als het aardigste wijfie.'

In feite had Arnie de woorden 'degene die het minst waarschijnlijk ruzie maakt en de gemakkelijkste in de omgang' gebezigd. Blijkbaar was Samantha te aardig om op een kamer mee te zitten, terwijl de rest van ons het potentieel had elkaar tot waanzin te drijven.

'Ze is niet de aardigste. Ze heeft gewoon een fantastisch lijf en dat is het enige wat die imbeciele focusgroep interesseert.'

Merkwaardig genoeg leken de imbecielen die Holly bedoelde als twee druppels water op haar: single vrouwen tussen de twintig en vijfendertig die het heerlijk vonden naar het programma te kijken en dat niet wilden toegeven.

'Ik dacht dat ik het Ritz Hotel zou missen, maar dit huis is geweldig,' riep Claudia vanuit de keuken voordat ze haar hoofd om de hoek van de deur stak. 'Willen jullie iets? Het ligt hier vol met etenswaren.'

'Die avocado die in de koelkastdeur staat,' riep Holly terug zonder de moeite te nemen er 'graag' aan toe te voegen.

'En twee glazen limonade,' viel ik haar bij. 'Graag.'

Na een hoop lawaai van het dichtsmijten van laden kwam Claudia te voorschijn met een kan limonade en het blik avocado. 'Ga je gang, meiden.'

'En, waar is Vanessa met die vrienden van Chris naartoe?' vroeg Holly.

'Volgens mij gingen ze rolschaatsen,' antwoordde Claudia, die chips in de avocado doopte, waar Holly nog niet aan toe was gekomen.

'Zij liever dan ik.'

'Ik weet zeker dat zij er ook zo over denken,' mompelde Claudia binnensmonds, waardoor Rose in lachen uitbarstte en bijna stikte in een Tostito.

We waren net een uur in het huis en Holly en Claudia vlogen elkaar al naar de keel. De komende week beloofde interessant te worden, om het zachtjes uit te drukken.

'Hallo, meiden.' Joe wuifde ons toe toen hij, vergezeld van een paar collega's, door de schuifdeur kwam. 'Doe maar net alsof we er niet zijn. We moeten alleen even de apparatuur uittesten, jullie gesprekken vallen steeds weg.'

Joe en de drie andere cameramannen gingen aan het werk en tikten op microfoontjes die strategisch verstopt waren in de geraniums en onder de deksel van de orkaanlampen die hier en daar aan de balustrade van de zonnewaranda hingen.

'Hoi, Joe. Wist jij dat, van Iris?' vroeg Rose.

Joe gaf geen antwoord, maar Holly nam de gelegenheid waar om ons een kijkje te gunnen in haar eigen opmerkingsgaven.

'Ik dacht al dat er iets mis was met dat kind,' zei ze. 'Ze gedroeg zich zo vreemd, ze ontweek mijn vragen en gaf misleidende antwoorden. Ik had kunnen weten dat ze een gevaarlijke misdadigster was.'

Claudia schudde het hoofd. 'Ze zat in de bak wegens handelen met voorkennis, Holly, niet omdat ze iemands hoofd had afgehakt. Ik zou haar nou niet direct gevaarlijk noemen.'

'Arnie moet het geweten hebben,' vervolgde Rose, die in de gaten hield hoe Joe zou reageren. 'Je vraagt je af waartoe hij nog meer in staat is, vinden jullie niet?'

Joe hield zijn hoofd gebogen en deed net of hij Roses prikkelende vragen niet hoorde, maar deze vraag bracht ons allemaal tot zwijgen terwijl we dachten aan onze eigen geheimen.

Ik was zo voorzichtig geweest met mijn telefoontjes naar huis, maar was het mogelijk dat mijn gesprekken waren opgenomen door een verborgen microfoon? Ik was ervan overtuigd dat Arnie en Sloane me eruit zouden schoppen als ze erachter kwamen, maar misschien waren ze van plan me ten overstaan van iedereen te ontmaskeren, net als ze bij Iris gedaan hadden.

Ik nam me voor in de toekomst nog voorzichtiger te zijn.

'Ik weet niet hoe het met jullie zit,' zei Holly terwijl ze Claudia een zijdelingse blik toewierp. 'Maar ik heb niets te verbergen.'

'Weet je dat heel zeker, Holly?' vroeg Rose.

We hulden ons allemaal weer in zwijgen en wendden onze blik naar de cameraploeg, terwijl we ons stilletjes afvroegen wat voor verrassingen ons nog meer te wachten stonden.

15

$\mathcal{I}$k had met John, Brian en Neil afgesproken in The Corner Pocket om een potje te biljarten. Een auto kwam me afhalen bij de bungalow en zette me af bij een bakstenen winkelgevel, die onterecht zou kunnen worden aangezien voor een leegstaand gebouw, ware het niet dat er aan het smerige raam van de voordeur een bordje OPEN hing. Het interieur van de bar stond in schril contrast met de zonneschijn en schitterende Californische kleuren die zich aan de andere kant van de versleten houten deur met afgebladderde verf en beslagen raam bevonden. De gebrandschilderde Budweiser lampjes die boven de biljarttafels hingen droegen vrijwel niets bij aan de verbetering van de grotachtige atmosfeer. Terwijl ik rondkeek of ik de jongens zag, drong de geur van verschaald bier en desinfecterende middelen mijn neusgaten binnen; dat laatstgenoemde was waarschijnlijk een goed idee geweest, afgaand op de afgesleten linoleumvloer en het feit dat mijn schoenen bij elke stap bleven plakken.

Ik dacht drie mannen bij een biljarttafel achterin te zien zitten, die al bier zaten te drinken en biljartkeus uit het muurrek pakten.

Brian zag me en zwaaide. 'Hier zitten we, Sarah.'

Ik liep langs de onbezette tafels naar hen toe. Ze hadden zich duidelijk niet geroepen gevoeld zich behoorlijk te kleden voor de camera's en zagen er eerder uit of ze naar een studentenfeestje gingen dan dat ze een rol te vervullen hadden in een tv-programma dat op prime-time werd uitgezonden. Neil was het netst gekleed in een verschoten, gekreukte beige broek waar een blauw poloshirt los overheen hing. Brian daarentegen leek zich in het donker te hebben aangekleed; hij had een merkwaardige korte broek aan met groen-oranje Schotse ruiten, een geel met wit gestreept T-shirt dat daar niet bij paste en teenslippers. Maar John was degene die opviel met zijn verschoten spijkerbroek en simpele witte T-shirt. Met zijn zand-blonde haar dat net de kraag van zijn shirt raakte en de spijkerbroek die recht deed aan zijn perfecte billen was hij het toonbeeld van de Amerikaanse man.

'Hoi, jongens.'

'Hoi,' antwoordden ze eenstemmig.

'Wil je je wapen uitkiezen?' vroeg John, een weids gebaar makend langs het rek met overgebleven keus.

Ik pakte een keu die bij mijn postuur paste.

'Chris heeft ons verteld dat je zo goed kunt tennissen,' zei Brian, terwijl hij een paar kwartjes in de tafel gooide.

'O, ja?'

'Ja. Hij heeft ons verteld dat je hem er op het tenniscourt flink van langs gegeven hebt, wat betekent dat hij behoorlijk onder de indruk was.' John plaatste de ballen in het driehoekige rekje, waarbij hij over de tafel heen boog en een perfect uitzicht bood op zijn billen. Kon de camera zien dat ik mijn ogen uitkeek?

'Dus je bent met biljarten even goed als op de tennisbaan?' vroeg Neil.

'Helemaal niet.'

'Mooi.' John glimlachte. 'Het zou echt gênant zijn als je ons zou verslaan, niet dat we dat aan Chris zouden vertellen.'

'En, waar kom je vandaan, Sarah?' vroeg Brian, die me een biertje aangaf. 'Je wilt toch wel een biertje?'

'Ja hoor, bedankt. Ik woon in Chicago. Maar ik heb buiten Boston op school gezeten.'

'Welke school?' Neil krijtte zijn keu, waardoor zijn vingertoppen blauw werden.

'Wellesley.'

'Nee toch, wanneer ben je afgestudeerd? Ik had verkering met een meisje van Wellesley toen ik op Brown zat.' Neil hield op met krijten en keek me afwachtend aan.

Je zou denken dat ik dit al zou hebben uitgerekend. Het zat er dik in dat ik vroeg of laat met deze vraag geconfronteerd zou worden. Ik had alleen gehoopt dat het laat zou zijn.

Even denken. Als ik zogenaamd zesentwintig was, was ik acht jaar jonger.

'In 1998.' Innerlijk begon ik te duimen en hoopte ik dat Neils ex-vriendin niet in die klas had gezeten.

'Dat meisje met wie ik verkering had is in 1997 afgestudeerd. Heb je Vicky Deane gekend?'

Ik schudde ontkennend het hoofd.

'O, nou ja, we zijn maar een paar maanden met elkaar opgetrokken. Ze was getikt. En, wat vind je van onze Chris?'

Aha, terug op bekend terrein.

'Ik vind hem geweldig.'

'Hij vindt jou ook nogal cool.'

Nogal cool.

'En je wordt niet afgeschrikt door dat incident van een paar jaar geleden?' vroeg Brian die aanstalten maakte de ballen te stoten.

'Incident?'

Brian leunde voorover en liet zijn vingers op het groene vilt rusten, een steun makend voor zijn keu.

'Ja, die homoseksuele periode die hij een tijdje geleden had,' legde Brian uit toen de witte bal tegen de andere aanstootte en die in een kleurige chaos over de tafel verspreidde. 'Dat nichtengedoe.'

Dat nichtengedoe? De keu gleed uit mijn hand en stuiterde van mijn sandaal af, een perfecte blauwe krijtcirkel achterlatend op mijn voet. Dat kon niet waar zijn. Chris was te volmaakt; of misschien verklaarde dit waarom hij zo volmaakt was. Mijn stuk, de bachelor, viel op jongens.

Brian deed een stap van de tafel vandaan en gaf John, die op zijn beurt stond te wachten, een por in zijn ribben, en ze barstten alledrie in lachen uit.

'Ik maak maar een geintje, Sarah,' bekende hij, in zijn nopjes dat hij me te pakken had.

Erg grappig. Ik pakte mijn keu op, knipte met mijn vingers en fronste mijn wenkbrauwen. 'Dat is jammer. Ik hoopte eigenlijk op een triootje.'

Ze staarden me verrast aan en keken met hernieuwde interesse naar de 'Forum'-fantasie van *Penthouse* die niet meer dan een meter van hen vandaan stond.

'Een triootje?' zei John stamelend. God, wat een stuk.

'Ik maak maar een geintje, John.'

Ze trokken hun tong terug in hun mond en richtten hun aandacht weer op de tafel terwijl Brian zich voorbereidde op de volgende stoot.

'Chris heeft ons voor jou gewaarschuwd,' zei hij, zich over de tafel buigend.

'Wat heeft hij dan gezegd?' Ik hoopte dat ze niet zouden denken dat ik naar complimentjes viste. Ik wilde gewoon horen wat Chris over me had gezegd, alleen de positieve dingen, uiteraard.

'O, van alles,' zei John, die vragend zijn wenkbrauwen optrok naar Neil.

Had Chris hen verteld over onze kus op de rotsen? Misschien had hij wel gezegd dat ik in badpak dik leek. Stel je voor dat ze van het zoenen in de jacuzzi afwisten. Had hij gezegd dat ik zo te krijgen was?

'Oké, laat maar. Ik wil het liever niet weten.'

'Jouw beurt,' zei Brian tegen me. 'En luister niet naar John. Chris had alleen maar aardige dingen over je te zeggen.'

Aardig? Ik wilde niet dat Chris slechte dingen over me zou zeggen, maar ik wist niet zo zeker of aardige dingen beter waren. Zoals Vanessa had gezegd, aardig is wat je zegt over een bezoekje aan je grootmoeder, niet over een vrouw van wie je verondersteld wordt haar naakt te willen zien. Hij wilde me toch naakt zien?

Ik overhandigde mijn biertje aan John en ging aan de tafel staan. Ik probeerde me te gedragen alsof ik wist wat ik deed door de houding aan te nemen die ik bij Brian had gezien. Toen ik me over de tafel boog vroeg ik me af of ze nu mijn billen kritisch aan het bekijken waren. Ik liet de arm met de keu langzaam naar achteren gaan en beschadigde het vilt voordat ik mijn keu hard tegen de witte bal stootte, die met een boog van de tafel schoot. We keken allemaal toe hoe de bal onder twee andere tafels door rolde en bleef liggen voor de knipperende jukebox.

'Nu begrijp ik waarom je het meest van tennissen houdt,' zei Brian glimlachend.

'Je mag dan wel goed zijn in tennis, maar dat biljarten van je lijkt nergens op,' voegde John eraan toe. 'En andere sporten? Darten?'

Ik knikte. Ik had veel geoefend met darten. Jack en ik speelden dat altijd in de bars als we wachtten tot de band weer zou gaan spelen.

'Dan gaan we darten.'

Nadat ik de witte bal aan het andere einde van de ruimte had opgehaald liepen we met z'n vieren naar de achterste muur, waar de dartborden aan het afbladderende pleisterwerk hingen.

Ik pakte de zes pijltjes die her en der in het zwartrode bord staken, gaf er drie aan Neil en nam mijn positie in achter de vervaagde witte lijn op de linoleumvloer.

'Doe een stap opzij, jongens, in tegenstelling tot een biljartbal kunnen deze dingen je aardig verwonden,' grapte John.

Ik lette niet op hem, mikte op de roos en liet het dodelijke instrument vliegen. Na nog twee worpen die millimeters van de roos terechtkwamen, deed ik een stap opzij.

'Niet slecht,' zei Neil, die mijn pijltjes uit het midden van het bord trok terwijl Brian mijn punten op een stoffig schoolbord noteerde.

'Bedankt.' Ik nam een slokje bier en wendde me tot John. 'Vertel eens, waarom doet Chris mee aan het programma?'

'Het begon als een weddenschap.' John stond tegen de muur geleund en keek toe hoe Neils pijltje in de buitenste cirkel terechtkwam. 'Toen puntje bij paaltje kwam trokken we ons allemaal terug, behalve Chris. We zijn hem behoorlijk wat geld verschuldigd.'

'Kon hij geen meisje vinden?'

'Ja hoor, hij heeft een relatie gehad die ongeveer, eens even denken, twee jaar heeft geduurd.'

'Wat is er misgegaan?'

'Dat weet ik niet; het ging gewoon niet. Sindsdien heeft hij eigenlijk geen relatie meer gehad.'

'Wat vind je ervan dat hij aan het programma meewerkt?'

De drie keken elkaar aan, wachtend op wie het eerste zou antwoorden.

'Hallo, ben ik in beeld?' drong ik aan.

'Als hij dat wil, is dat cool,' antwoordde Brian eindelijk.

'Wil hij echt trouwen?'

'Ik denk dat hij iemand zou willen ontmoeten met wie hij zou kúnnen trouwen,' legde Neil uit, ondertussen zijn punten naast de mijne noterend. 'We beginnen allemaal op een leeftijd te komen dat het woord echtgenote niet langer als een scheldwoord klinkt.'

'Wat betekent dat?' vroeg ik, me afvragend of Jack er ooit ook zo over gedacht had.

'Je weet wel, hoe een vrouw verandert als ze eenmaal twee maanden van je salaris aan haar linkerhand draagt.'

Ik was niet veranderd.

'Nee, dat weet ik niet.'

'Een vriend van ons in New York trouwde met een meisje dat onwijs leuk was, dol was op Knicks-wedstrijden, ging rolschaatsen in het park, met twaalf andere mensen een aandeel in de Hamptons had voor de zomer; ze was geweldig.' John dronk zijn glas bier leeg en maakte aanstalten me alles te vertellen over de manier waarop de vriendin van zijn vriend was veranderd. 'Nu heeft ze hem zover dat hij met haar naar antiekwinkeltjes in Connecticut gaat, dat hij de te gekke zitzak heeft weggegooid die hij al sinds zijn achtste had en drinkt die arme jongen sojamelk.'

De drie mannen staarden zwijgend naar de grond, alsof ze om een overleden vriend treurden.

'Niet elke vrouw verandert,' zei ik, denkend aan mezelf. Hun theorie over vrouwen zat me dwars, omdat die betekende dat Jack niet de enige was die veranderd was. En als dat klopte was ik net zo goed een stereotype als de wijfies en de bachelor.

Gooi maar in mijn pet. Hier was ik geen echtgenote. Ik was Sarah Divine, single vrouw, een wijfie dat al drie kaarsceremonies overleefd had.

Ik dronk mijn bier op en wendde me tot de drie mannen.

'Nog een biertje?' vroeg ik, naar de bar lopend. 'Zullen we nog een potje gooien?'

De rest van die middag was ik Sarah Divine, de tegenpool van een echtgenote. Ik lachte om hun schunnige moppen, vertelde er ook zelf een paar, dronk net zoveel bier als zij en uitte geen enkele klacht. Zelfs niet toen de dames-wc kapot bleek en ik de enige wc-pot in het mannentoilet moest gebruiken, die op slechts enkele centimeters van een rij urinoirs en een condoomautomaat stond.

Na een aantal biertjes en twee rondjes Jägermeister maakte het ons geen klap meer uit waar de pijltjes terechtkwamen en gingen we aan de bar zitten, waar we elkaar vermaakten met het vertellen van amusante verhalen. Toen de auto me om vier uur eindelijk oppikte, waren we zo hard aan het lachen dat ik mijn benen over elkaar moest slaan. Die verdomde spieroefeningen!

Onderweg terug naar de bungalow, terwijl de bergen en palmbomen in een alcoholische waas voorbijflitsten, liet ik me in de koele leren achterbank zinken en deed mijn ogen dicht. De airconditioning blies tegen mijn gezicht waardoor mijn in een brede grijns vertrokken mond uitdroogde. Wat een heerlijke dag. Wat een geweldige kerels. Al waren ze zich er niet van bewust, ik had aangetoond dat niet alle echtgenotes spelbreeksters waren. Dit was precies waaraan ik behoefte had gehad. Het was precies wat Jack nodig had: een beetje vrolijker zijn, weer weten hoe het was je te ontspannen en lol te hebben. Weer weten hoe het was voordat hij met zijn vrouw trouwde.

'Heb je gebiljart?'

'Ja. Ik bracht er niets van terecht.'

'Ik heb je zien spelen. Ik weet dat je er niets van kunt,' snauwde Jack. Hij was blij mijn stem te horen toen ik hem belde, maar zodra ik verslag begon te doen van mijn dag met de vrienden van Chris sloeg hij dicht.

'Wat is er?'

'Wat er is?' Toen Jack zijn stem verhief was het duidelijk: hij was nijdig op me over iets. 'Mijn vrouw is ergens anders aan het biljarten met drie studenten terwijl ik thuis worteltjes sta te stoven voor het avondeten van onze dochter. Mijn vrouw zit in een of ander tropisch resort zich lam te zuipen om vervolgens naar een of andere kaarsen-ceremonie te gaan in de hoop dat een vent haar mee uit neemt.'

Het was grappig dat er geen stampij werd gemaakt als Jack een borrel ging drinken met studenten die zich hadden vermomd in driedelig pak en ik thuis Katies avondeten klaarmaakte. Blijkbaar hield hij net zomin van wachten als ik.

'Vertrouw je me soms niet?' Ik ging in de aanval en hield mijn adem in. Ik wist dat Jack me vertrouwde; ik had hem nooit een reden gegeven dat niet te doen. Tot nu toe.

'Natuurlijk vertrouw ik je. Die Bacchanaal vertrouw ik niet.'

'Het is de bachelor, en hij heet Chris.'

'Het kan me niet schelen hoe hij heet; ik wil niet dat hij te close is.' Op de achtergrond liet Jack een kraan stromen.

'Weet je, ik heb je gevraagd of je er bezwaar tegen had, en je hebt gezegd dat het geen punt was,' wees ik hem terecht, terwijl ik geërgerd begon te raken. 'Je zei dat het een geweldige kans was.'

'Dat weet ik wel. Het klinkt alleen alsof je meer aan het drinken en uitgaan bent dan dat je schrijft.'

Daar kon ik niets tegen inbrengen. Ik wierp een blik op de kaptafella, waar ik twee dagen geleden toen we naar de bungalow waren verkast mijn aantekenblok in had gelegd en die ik er nog steeds niet uit had gehaald.

'Jack, ik moet hetzelfde doen als de andere meisjes.'

'Ik wou alleen dat je er niet zoveel plezier in had.'

Er viel een ongemakkelijke stilte terwijl hij wachtte tot ik hem ervan zou verzekeren dat ik er helemaal geen plezier in had. Die troost gaf ik hem niet.

'Katies pasta is klaar. Kan ik je terugbellen?'

'Niet echt. We zitten niet meer in het hotel; ze hebben ons nu in een bungalow gestopt.'

'Wat, de uitverkorenen?'

'We zijn met z'n zevenen.'

'Houden jullie de hele avond kussengevechten en smijten jullie met onderbroekjes?'

'Hier zit ik niet op te wachten, weet je.'

'Sorry. Hoe ziet dat huis eruit?' vroeg hij, terwijl zijn stem minder scherp klonk.

'Het is mooi. Aan het water. Ik heb een kamer samen met een vrouw die Dorothy heet.'

'Wat voor iemand is ze?'

'Heel aardig.'

'Mooi.' Katie krijste en Jack hield zijn hand over het mondstuk terwijl hij haar tot bedaren probeerde te brengen. 'Ik kan maar beter ophangen, nog even en Katie gaat haar vuistje opeten.'

'Is goed. Geef haar een paar kusjes van mij. Ik weet niet wanneer ik weer kan bellen, nu ik in die bungalow zit en zo.'

'Nou, je weet waar we zijn.' Hij hield de telefoon tegen Katies oor. 'Zeg maar dag-dag tegen mammie.'

'Da-ag,' echoode haar zachte stemmetje, maar voordat ik de kans kreeg iets terug te zeggen hadden ze opgehangen.

Ik liep naar de zonnewaranda om de andere meisjes te zoeken; zij begrepen me tenminste. Maar ik had natuurlijk weer pech, er zat niemand aan de tafel Margarita's naar binnen te gieten, zoals ik had gehoopt. Ik wilde net weer naar binnen gaan en een koud biertje pakken toen ik Joe in een hoek zag staan terwijl hij Claudia filmde die lag te slapen in een hangmat.

'Laat haar met rust, ze ligt te slapen,' berispte ik hem, ondertussen denkend dat hij zich als een griezel gedroeg.

'Ze slaapt niet,' zei hij.

Claudia hield haar ogen dicht.

'Was is ze dan aan het doen?'

'Ik ben aan het sterven,' zei Claudia bijna kreunend.

Ik liep naar haar toe en keek naar haar asgrauwe gezicht. Ze zag er niet goed uit.

'Wat is er gebeurd?'

Claudia deed haar ogen open en keek me aan. 'Dat kreng heeft me vergiftigd.'

'Wat?'

'Ik ben zo ziek als een hond. Het kwam door die avocado die Holly me vroeg mee te nemen en die ze niet heeft aangeraakt. Nu begrijp ik waarom niet.'

Dit was toch niet mogelijk?

'Waar is ze?'

'Ze is de stad ingegaan met de anderen. Ze kunnen elk moment terug zijn.'

Ik wist niet of Holly het in zich had zo laag te zinken, maar daar kwam ik nog wel achter.

Toen Holly met Samantha, Vanessa en Rose terugkwam in de bungalow, stond ik hen op de trap op te wachten.

Voordat ze de kans kreeg haar winkeltassen op de haltafel te laten ploffen, trok ik Holly de woonkamer in en bereidde me erop voor haar voor eens en voor altijd op haar plaats te zetten.

'Wat is er aan de hand?' vroeg ze, terwijl ze mijn hand van haar arm schudde.

'Wat heb je Claudia aangedaan?' wilde ik weten.

'Claudia? Niks. Waar heb je het over?'

'Ze is zo ziek als een hond door voedselvergiftiging.'

'Nou, én?' vroeg ze koeltjes.

'En het is jouw schuld.'

'Mijn schuld? Ik heb niks gedaan, het was verdomme niet eens mijn eten!' Holly maakte aanstalten om weg te rennen en draaide zich toen snel, met grote ogen, om. 'Ik weet wel wat er aan de hand is. Ze doet net alsof ze ziek is zodat ik het aan niemand vertel.'

'Wat vertellen?' Ik beschouwde mezelf als een redelijk intelligente vrouw, maar zelfs ik begon in verwarring te raken door al die beschuldigingen die door de lucht vlogen.

'Ze is zwanger!'

De schok van Holly's onthulling deed me achterwaarts op de bank vallen, waar ik me liet opslokken door een berg vederzachte kussens. Ze moest het verzonnen hebben. Het was onmogelijk dat Claudia in verwachting was.

'Is Claudia zwanger?' herhaalde ik.

'Dat moet wel.' Holly kwam naast me zitten en ratelde door. 'Gisteren zat ik in het afvalemmertje in de badkamer te kijken...'

'Je zat in het afvalemmertje in de badkamer te kijken?'

'Hoe dan ook, ik vond een doosje dat verstopt zat in een berg tissues. Een zwangerschapstest.'

'En die was positief?'

'Dat weet ik niet. Het staafje zat er niet in. Het was alleen de verpakking.'

'Hoe kun je dan weten dat het om Claudia gaat? Misschien hebben de vorige logés het wel achtergelaten. Het kan van iedereen zijn, Holly. Er zijn verdomme maar twee badkamers in dit huis.' Het was onmogelijk dat een van de wijfies in verwachting was.

'Voedselvergiftiging? Ochtendmisselijkheid? Tel een en een bij elkaar op. Ze wil niet dat iemand het weet.'

Was het waar? Kon Claudia zwanger zijn? Of was dit gewoon Holly's manier om problemen voor Claudia te veroorzaken, of zelfs een truc van Arnie?

Ik pakte een kussen vanachter mijn rug, begroef mijn gezicht erin en gilde. Dit was gewoon zelfs voor mij te veel om aan te kunnen.

'Sarah, hou op!' Arnie kwam de kamer binnenrennen, deed een sprong mijn richting uit en trok het kussen uit mijn handen. 'Dat was super! Kun je die gil nog een keer doen? Onze microfoon kon hem niet oppikken door dat kussen over je gezicht.'

16

'Hoi, Sarah, hoe gaat het?' Dorothy smeet haar nylon rugzak op het bed en schopte haar schoenen uit.

'Dat wil je niet weten.' Onder geen beding zou ik doorvertellen wat Holly me had verteld. Als het waar was wat ze zei, dan was dat Claudia's zaak. Als het niet waar was, zou ik net zo slecht als Holly zijn als ik het zou doorvertellen. 'Hoe heb je het vandaag met de jongens gehad?'

'Dat zul je niet geloven.'

Ik draaide mijn aantekenblok om zodat alleen de kartonnen achterkant zichtbaar was. 'Na die biljarthal geloof ik alles. Er was geen plekje te vinden dat niet plakte, elke keer dat ik van mijn kruk afging klonk het alsof ik lijm op mijn kont had.'

'We hebben midgetgolf gespeeld.'

'Dat klinkt cool, zeg. Heb je gewonnen?'

'Dat meen je toch niet? Je zou gedacht hebben dat het om de U.S. Open ging, in plaats van Pappie-Mammie-Putten-Balletjes Rollen.'

Hoe ik ook probeerde mijn biljartdag niet te vergelijken met Dorothy's dag op de links van de Astro Turf, ik kon het niet laten. Zij had verloren bij midgetgolf en ik had gewonnen met darten. Dat moest me op een of andere manier toch een voorsprong geven, al voelde ik me een beetje kleinzielig omdat dit belangrijk voor me was.

'Het zijn leuke kerels, vind je niet?'

'Ja, ze waren leuk.' Dorothy schudde haar kussens op, ging op het bed zitten en leunde achterover tegen de zachte massa.

'Heb je nog slechte dingen over Chris gehoord?' vroeg ik, me afvragend of Brian dat homoverhaal ook aan haar had verteld.

'Niet echt. Ik heb het meest met John gesproken. Neil en Brian vroegen zich constant af of de plooien in het kunstgras door mensenhanden waren aangebracht of dat het zo hoorde.'

'John is een schatje.'

'Hij is geweldig,' liet Dorothy zich ontglippen.

Ik trok mijn wenkbrauwen veelbetekenend op. 'Beproef ik interesse in de beste vriend van de bachelor?'

Dorothy pakte mijn *Femme* van het nachtkastje en begon er doorheen te bladeren.

'Ik zou wel in hem geïnteresseerd zijn, maar hij zit niet in het programma,' antwoordde Dorothy, die haar blik op het tijdschrift gericht hield.

'Maar vind je hem leuker dan Chris?'

Dorothy sloeg het tijdschrift dicht en keek me aan; ze stond op het punt een vriendin een geheim toe te vertrouwen.

'Herinner je je nog dat ik zei dat Chris' versiertoer met de jacuzzi me niks kon schelen? Dat was niet waar. Ik wilde het alleen niet toegeven. Maar het zat me niet dwars dat Chris dezelfde truc bij anderen gebruikte; het zat me dwars dat hij me jaloers maakte op twee mensen die ik niet eens kende, dat ik als vanzelfsprekend aannam dat hij het meer naar zijn zin zou hebben met jou en Rose dan met mij. Nu ik jou en Rose beter ken, baal ik ervan dat ik zo onzeker was, Chris was niet degene die me dat gevoel gaf, ik was het zelf.'

Ik knikte om aan te geven dat ik haar redenering kon volgen.

'Ik was bereid mee te doen aan dit programma omdat ik dacht dat het gemakkelijker zou zijn me door de bachelor te laten kiezen dan zelf iemand uit te kiezen die dan misschien zou afhaken. Toen ben ik op stap gegaan met John, Neil en Brian en had mezelf volledig in de hand. We hadden lol. Toen we op stap waren was ik niet bang John te laten merken dat ik me tot hem voelde aangetrokken, omdat ik geen risico liep. Vervolgens liet hij blijken dat hij in mij geïnteresseerd was en besefte ik dat ik niet langer de afwachtende partij wilde zijn.'

'Ga je het dus met John proberen?'

'Het enige wat ik wil zeggen is dat ik wou dat het ook in Atlanta zo gemakkelijk was om aantrekkelijke, slimme, grappige kerels te vinden. Misschien moet ik Chris vragen of hij daar ook vrienden heeft.'

'Je zegt het op een toon alsof je de volgende kaarsceremonie niet zult halen.'

Dorothy haalde haar schouders op. 'Je weet het maar nooit.'

Dorothy richtte haar aandacht weer op *Femme*. Ze had al drie kaarsceremonies, een afspraakje en een middag met Chris' beste vrienden achter de rug. Je zou denken dat ze zo langzamerhand wat minder ambivalente gevoelens voor de man zou koesteren.

Maar ze werd niet duizelig van de tienerhormonen bij de gedachte aan Chris. Haar rondje midgetgolf leek haar enthousiasme zelfs bekoeld te hebben.

Het aantekenblok op mijn schoot bevatte een vrijwel afgerond artikel waarin verhalen over de wijfies opvallend afwezig waren. Het was maar goed dat ik niet meer over de vrouwen schreef. Hoe moest ik uitleggen dat een van de wijfies voor Chris' beste vriend was gevallen? Ik had de hele ochtend aan het artikel zitten werken en ik moest nog driehonderd woorden schrijven, die ik die middag nog gemakkelijk zou kunnen afmaken.

'Ik ga naar het strand om te lezen.' Ik trok een paar sandalen aan en stak mijn aantekenblok onder mijn arm. 'Zie ik je bij het avondeten?'

Dorothy knikte zonder haar blik af te wenden van de glanzende pagina's met glamoureuze vrouwen.

Ik pakte mijn mobieltje van de kaptafel en liet die in mijn strandtas glijden. Ik zou Suzanne vanaf het strand kunnen bellen als ik klaar was. Ze zou dolblij met me zijn. In nog geen drie weken was ik erin geslaagd de diepe minachting van de producers aan te tonen voor de vrouwen die ze als assepoesters aan het Amerikaanse publiek verkochten.

De middagzon stond nog hoog aan de hemel toen ik op het strand aankwam. Ik wilde het artikel op tijd af hebben om Suzanne bij *Femme* te kunnen bellen en haar op de hoogte te brengen van mijn nieuwe idee. Maar iedere keer dat ik wilde gaan schrijven moest ik aan Dorothy denken en aan alle emoties die zij de afgelopen paar weken had doorstaan. En over het feit dat deze week, meer dan de vorige weken, een test was om te zien of we bij Chris pasten. Want we leerden niet alleen de bachelor kennen, maar ook zijn vrienden en zijn leven buiten de villa die op een prentbriefkaart thuishoorde.

Het was tot daar aan toe je charmes op de bachelor te richten, maar het was iets heel anders om te kunnen opschieten met een stelletje kerels die hem ongezouten hun mening zouden geven. Ik kon me voorstellen dat Holly haar zoetgevooisde zuidelijke accent zou laten klinken. Ik hoopte dat ze niet zo gemakkelijk om de tuin geleid konden worden. Het patatzaakje bij de midgetgolfbaan met frikadellen en vette hotdogs die op een gloeiendhete grill ronddraaiden was niet bepaald hetzelfde als een clubhuis van de countryclub die Holly voor ogen had.

Ik wilde bijna schrijven dat het gezelschap van wijfies niet alleen bestond uit de vlegelachtige types die we op de tv zagen, dat het programma alles deed om de meest gênante en opwindende opnamen te gebruiken, die slechts een heel klein onderdeel waren van wat er werkelijk gebeurde in die vijf weken. En het belangrijkste was dat de momenten waarop de vrouwen zich het natuurlijkst gedroegen, zoals die keer in de lift met een dronken Dorothy en mijn badkamergesprek met Vanessa, volledig werden overgeslagen of zo saai gevonden werden dat ze sneuvelden in de snijkamer.

Maar ik had mijn opdracht van Suzanne. *Femme* wilde een artikel dat het tijdschrift zou doen verkopen en dat zou niet gebeuren met een artikel over de vrouwen die ik persoonlijk had leren kennen. Suzanne had hetzelfde doel voor ogen als de producers: het te gelde maken van *De Bachelor*.

De zon begon te zakken en mijn artikel was nog steeds niet af. Ik had nog slechts ongeveer een uur om Suzanne te bellen voordat ze van kantoor zou weggaan. Ik pakte mijn pen stevig beet en begon te schrijven.

Binnen een halfuur had ik mijn artikel klaar, een vernietigende blik achter de schermen van een programma dat gevoed werd door vrouwelijke onzekerheden.

Ik legde mijn aantekenblok op de handdoek naast me en pakte mijn mobieltje uit mijn strandtas, dankbaar dat mijn eenzaam verblijf op het strand te gewoontjes werd gevonden om er een cameraploeg op af te sturen. Suzanne nam meteen op.

'Ik heb een nieuwe invalshoek voor het verhaal, iets met wat meer slagkracht dan een stuk over de wijfies,' begon ik.

Ik lichtte mijn idee toe voor een artikel dat aantoonde dat het tv-station misbruik maakte – en profiteerde – van het vrouwelijk verlangen aanbeden te worden. Over hoe de producers de wijfies zo weinig respect toonden en hen slechts beschouwden als een middel om een doel te bereiken: de verkoop van zendtijd.

'Hmmm... de zakelijke kant van de liefde... de vercommercialisering van vrouwelijke zwakheid... de feminisering van de opbrengst van zendtijd.' Suzanne bleef even zwijgen om de gedachte te laten doordringen. 'Dat is fantastisch! Is het al klaar?'

Ik wierp een blik op de pagina's die mijn volledige verhaal bevatten en aarzelde. Suzanne zou het stuk willen lezen zodra het af was, waarschijnlijk meteen na de volgende kaarsceremonie, die de volgende avond zou plaatsvinden. En dat betekende dat ze van me zou verwachten dat ik mijn kaars zou uitblazen als ik zou worden uitgekozen en naar huis zou gaan.

'Nog niet.'

'Nou, schiet dan op! Ik wil dit stuk zo snel mogelijk hebben. Wanneer kun je het af hebben?'

'Er zitten nog wat gaten in, en ik wil nog een paar sappige uitspraken verzamelen...' Ik liet mijn stem wegsterven zonder me vast te leggen op een datum.

'Verzamel wat je nodig hebt en kom hierheen.' Dit was geen verzoek van de redactie. Het was een bevel.

'Dat zal ik doen.'

Bij het begin van het programma waren we omringd geweest door drieëntwintig vreemden. Maar de cirkel die de hele kamer in beslag had genomen was nu teruggebracht tot een boogje van zeven vrouwen die vriendinnen waren geworden. En je merkte dat je hen wilde steunen terwijl je tegelijkertijd besefte dat jij had verloren als zij zouden winnen.

'Jullie hebben nu allemaal de gelegenheid gehad wat tijd door te brengen met Chris' vrienden,' begon Pierre. 'We hopen dat jullie iets meer over hem te weten zijn gekomen. Ik weet wel dat hij nu meer over jullie weet.' Hij wierp Chris een zijdelingse blik toe alsof ze samen een geheim deelden, en Chris keek gegeneerd de andere kant op. 'Zoals jullie weten, zullen er weer twee van jullie ons vanavond verlaten. En dus hou ik jullie niet langer in spanning: hier is Chris.'

'Bedankt.'

Chris nam zijn plaats in, terwijl Pierre hem op de rug sloeg alsof ze oude vrienden waren.

'Nou, waar zal ik beginnen?' Chris sloeg zijn handen in elkaar en haalde diep adem. 'Mijn vrienden vonden jullie allemaal geweldig. Ze hebben zelfs laten doorschemeren dat ze sommigen van jullie van me af wilden pakken, alsof ze daartoe de kans krijgen.' Chris liet een lachje ontsnappen en ik dacht hem een nadrukkelijke blik in de richting van Dorothy te zien werpen.

De vrouwen moesten heimelijk glimlachen om Chris' poging een lichte toon aan te slaan, alsof ze stuk voor stuk dachten dat zij bedoeld werden. Allemaal behalve Dorothy.

Pierre gaf Chris zijn kaars aan, deed een stap terug en bleef naast de regisseur staan.

Chris keek naar de krachtiger wordende vlam van zijn kaars voordat hij naar ons opkeek.

'Daar gaan we dan.'

Dit keer kwam ik niet als eerste aan de beurt, waardoor ik me afvroeg wat ik verkeerd had gedaan. We hadden dolle pret gehad bij het darten en biertjes drinken. Zo erg kon het toch niet zijn dat ik niet kon biljarten?

Toen Chris zich verwijderde van Vanessa's aangestoken kaars, bleef ze recht voor zich uit kijken met een verveelde blik in haar ogen.

Vervolgens bleef Chris voor Dorothy staan en hield zijn kaars tegen de hare.

Dorothy staarde naar het flakkerende vlammetje en haalde diep adem. Toen ze uitademde tuitte ze haar lippen alsof ze Chris wilde kussen, en blies toen in één adem haar kaars uit.

Het bleef stil in de kamer afgezien van het geluid van apparatuur die verplaatst werd terwijl de regisseur de opdracht gaf meer camera's op het schouwspel te richten en het vanuit elke hoek te filmen.

Pierre keek zenuwachtig om zich heen, waarbij zijn hoofd met rukjes van links naar rechts schoot alsof hij iemand zocht die hem kon vertellen hoe hij deze situatie moest aanpakken. Hij had waarschijnlijk verwacht dat er in het begin iemand zou kunnen zijn die Chris zou afwijzen, maar iemand die al zo ver was gekomen zou het hele gedoe toch geaccepteerd hebben en meedoen om te winnen?

Chris deed een stap naar achteren om wat afstand tussen hem en Dorothy te scheppen. Ze hield haar ogen nog steeds gericht op de rokende lont.

Uiteindelijk keek Dorothy met een glimlach op haar gezicht naar Chris en haalde haar schouders op.

'Bedankt, maar nee, ik pas.'

Chris kon geen woord uitbrengen; hij merkte niet eens dat er rood kaarsvet op zijn hand druppelde.

'Je houdt ermee op?' vroeg Chris zachtjes.

De regisseur gebaarde dat de geluidsman dichterbij moest komen.

'Ik kap ermee,' bevestigde Dorothy.

'Was het...' Chris keek om zich heen alsof hij zich nu pas realiseerde dat we allemaal naar hem stonden te kijken. 'John?' zei hij bijna fluisterend.

'Nee. Ik ben het zelf.' Dorothy wendde zich tot de presentator. 'Wat moet ik hiermee doen?' Ze zwaaide met haar kaars in de lucht.

Pierre bleef staan en gebaarde naar Dorothy dat ze weer in de cirkel moest gaan staan en moest wachten tot de ceremonie voorbij was.

Chris deed een paar stappen bij Dorothy vandaan, haalde zijn hand door zijn haar en nam even de tijd om tot zichzelf te komen, alsof hij zijn strategie moest heroverwegen. Nu Dorothy eruit was gestapt zou er aan het einde van de ceremonie slechts één persoon overblijven van wie de kaars niet brandde. En we konden niet weten wie dat was.

Eindelijk rechtte Chris zijn rug en kwam naar mij toe lopen.

Na Dorothy's dappere daad voelde ik me een lafaard om Chris' kaars te aanvaarden. Maar het kwam niet bij me op om het niet te doen.

Drie minuten later waren alleen Holly en Claudia nog over, Claudia, die misschien zwanger was en met iemand wilde samenwonen, en Holly, die gewoon op zoek was naar iemand wiens achternaam ze kon aannemen.

Claudia verdiende het niet het te moeten opnemen tegen dezelfde vrouw die op die eerste avond iedereen voor haar gewaarschuwd had. En als ze in verwachting was, tja, dan zou ze dat uiteindelijk Chris moeten vertellen, en dat zou zijn betrokkenheid waarlijk op de proef stellen. Chris zou zelfs helemaal niet moeten aarzelen tussen de twee; het was duidelijk wie het verdiende te blijven en wie het verdiende haar bagage in de handen gedrukt te krijgen en de deur te worden gewezen.

Ik keek naar Vanessa, Samantha en Rose, wier blik vastgenageld was aan Chris toen hij de ene na de andere zorgvuldig overdachte stap nam, alsof hij in slow motion liep. Ik sloot me aan bij hun visuele wacht, hopend dat we hem met onze geestkracht konden dwingen in Claudia's richting.

Toen Chris de vijfde en laatste kaars van die avond aanstak, straalde Holly helderder dan de vlam van de kaars die ze vasthad, en stond Claudia met een benepen lachje op haar gezicht terwijl ze uit alle macht haar best deed haar mondhoeken niet uit teleurstelling te laten zakken.

Chris nam Claudia bij de hand en leidde haar door de voordeur naar buiten. Dorothy was zelf al naar buiten gelopen op het moment dat Holly's kaars werd aangestoken.

Nadat Chris de kamer uit was nam Pierre de touwtjes weer in handen door met een kristallen, licht schietende punchschaal de kamer rond te lopen.

'Dames, ik heb hier een schaal met vijf stukjes papier waarop vijf verschillende uitjes staan beschreven. Variërend van een extravagante tweedaagse trip naar Napa Valley tot pizza en bier zonder franje bij Chris thuis.'

Pierre riep onze namen een voor een af.

'Jullie mogen pas op het papiertje kijken nadat iedereen er eentje heeft,' droeg hij ons op.

Toen we allemaal weer op ons plekje stonden in de steeds kleiner wordende halve cirkel, begon Holly breed te grijnzen en zweefde nog net niet omhoog. Ze was duidelijk onderweg naar wijnrankenland. En ik? Extra kaas graag, geen peperoni.

Toen we terug kwamen in de bungalow scheen er een helder licht in mijn slaapkamer, maar was Claudia's kamer donker. Een productieassistente was bezig Claudia's bagage in de achterbank van de auto te laden, toen ze de trap afkwam. Holly liep langs haar heen zonder zelfs maar gedag te zeggen.

Claudia bleef bij ons staan en schudde het hoofd.

'Gaat het goed met je?' vroeg ik, terwijl ik mijn arm om haar heen legde.

'Het komt wel goed.'

Ik hoopte dat ze gelijk had.

Een voor een omhelsden we haar en wensten haar geluk toe.

'We zullen je missen,' zei Vanessa tegen haar.

'Ik zal jullie ook missen,' antwoordde Claudia en ze liep toen door naar de auto, waar de chauffeur het portier voor haar opendeed en haar hielp instappen.

Ik ging op zoek naar Dorothy.

'Hoi, mag ik binnenkomen?' vroeg ik terwijl ik de slaapkamerdeur openduwde.

'Natuurlijk, de kamer is ook van jou,' antwoordde Dorothy glimlachend.

'Je lijkt blij dat je weggaat.'

'Dat ben ik ook. Het werd tijd.' Ze raapte een gekreukte linnen jurk op die hard aan een strijkbout toe was. 'Trouwens, ik wist ook niet meer wat ik moest aantrekken.'

Ik wist dat ze verwachtte dat ik zou lachen, maar ik bracht slechts een flauw glimlachje te voorschijn. Ik was verbaasd toen Dorothy haar kaars had uitgeblazen, hoewel ik het achteraf gezien aan had moeten zien komen. Maar wat me nog meer verbaasde was dat ik haar erg zou missen.

'Trouwens, ik had nooit gedacht dat ik het zover zou schoppen.'

Ik wist wat ze bedoelde.

'Maar hij vond je aardig. Komt het door John?'

'Door John, door Joe, het had iedereen kunnen zijn, eigenlijk. Het had iedereen kunnen zijn die me had laten inzien dat er daarbuiten mensen zijn als je de tijd hebt hen te zoeken en je bereid bent het risico te lopen dat je gekwetst wordt. Chris vond me aardig, nou én? Ik heb al zoveel mannen aardig gevonden in mijn zesentwintigjarig bestaan. Is de bachelor het waard mijn leven ondersteboven te gooien? Hij woont in Seattle en ik kom uit Atlanta.' Ze schudde het hoofd. 'Ik bedoel, zou jij echt je leven opgeven voor een man?'

Ik wilde eigenlijk tegen Dorothy zeggen: 'Natuurlijk niet.' Welke vrouw deed dat tegenwoordig nog? Maar hoe kon ik haar de waarheid vertellen, namelijk dat ik het gevoel had dat ik dat inderdaad had gedaan? Het pr-bureau had een afscheidsfeestje voor me georganiseerd, compleet met ballonnen en vriendelijke scherts. Aan het einde van de avond nam de directeur van het bureau me apart en zei dat er altijd een plekje voor me vrij zou zijn, mocht ik van gedachten veranderen. Tijdens de eerste paar maanden had ik wel tien keer naast de telefoon gestaan, in de verleiding het vertrouwde telefoonnummer van het bureau te draaien en zijn aanbod te accepteren. Maar uiteindelijk had ik me aan het plan gehouden.

'Dat weet ik niet. Misschien wel, als ik zou denken dat het de moeite waard was.'

'Nou, toen mijn ouders waren gescheiden, wist mijn moeder niet wat ze moest doen. Ze had geen opleiding, geen vaardigheden. Ze zat vast tussen het verzinnen hoe ze de rekeningen kon betalen en het opvoeden van drie kinderen. Ik wil niet dat mij hetzelfde overkomt.' Ze hield op met inpakken en ging op het bed zitten. 'Ik heb hard gewerkt om te bereiken wat ik bereikt heb. Dat alles opgeven om een of andere man te volgen die misschien "de ware" is geeft me gewoon geen goed gevoel. Niet na slechts een paar weken. Trouwens,' ze stond weer op en begon een truitje op te vouwen, 'als hij me echt zo graag had willen hebben zou hij bereid zijn geweest alles op te geven en met me mee naar Atlanta te gaan, nietwaar?'

Ik pakte een paar korte broeken van de stapel kleren die opgevouwen moesten worden.

Wat ironisch dat je iets moest opgeven om iets te krijgen en dat dit zelfs op het gebied van de zo belangrijke liefde het geval was. Alsof een relatie hebben vereiste dat je iets moest opofferen, een deel van jezelf, om de relatie diepere betekenis te geven.

Dorothy's woorden deden me eerst aan mezelf denken; dat ik zo'n groot deel van mezelf had opgegeven om Jack de echtgenote en het gezin te geven waarnaar hij verlangde. Maar toen besefte ik dat Jack wellicht zelf ook iets had opgeofferd, al was dat niet zoiets voor de hand liggends als ergens anders gaan wonen of zijn baan opzeggen. Toen hij was doorgegaan met zijn rechtenstudie nadat ik tegen hem gezegd had dat het stom was om ermee te kappen, had ik niet gevonden dat hij daarmee iets opofferde, maar misschien had hij het wel opgegeven met iets door te gaan wat hij veel leuker vond.

Dorothy zei er niets verkeerds mee als ze verwachtte dat de ander net zo'n grote opoffering zou doen als hij haar vroeg te doen. Alle teleurstellingen in de liefde die ze had gehad toen we elkaar voor het eerst ontmoetten waren verdwenen. Toen ze met het programma was begonnen had Dorothy geaccepteerd dat zij degene was die al het werk moest doen. Nu besefte ze dat ze er net zoveel recht op had iets te ontvangen als om te geven. En ze had bedacht dat het de moeite waard was daarop te wachten.

'Weet je zeker dat je niet van gedachten zult veranderen?' Ik zou haar missen.

'Nee, hoor. Er moet toch minstens één normale vent in Atlanta te vinden zijn. Ik wil de handdoek nog niet in de ring gooien. Als iets waardevol genoeg is, is het de moeite erop te wachten.'

Ik zat zwijgend naar Dorothy te kijken, die zich op haar vertrek voorbereidde, en ik wilde dat ze de waarheid wist. Ik wilde niet dat ze er over een paar maanden achter zou komen als ze het artikel in *Femme* zou lezen.

'Dorothy, ik wil je graag iets vertellen voordat je weggaat,' begon ik. 'Ik ben echt...'

'Hoi, mag ik binnenkomen?' Vanessa gluurde om de hoek van de deur.

'Ja, hoor, Sarah en ik zijn gewoon een beetje aan het kletsen.' Dorothy hield op met het opvouwen van haar bloes en keek me aan. 'Wat wilde je zeggen, Sarah?'

Ik beet op mijn lip, haalde mijn schouders op en liet mijn moment van waarheid voorbij gaan. 'O, gewoon, dat ik je erg zal missen.'

Dorothy glimlachte en liep naar de badkamer om haar make-upspullen en shampoo te pakken. 'Je mag die papajashampoo wel houden; ik weet dat je er dol op bent,' bood ze aan, terwijl ze de flesjes in een plastic tasje deed.

'Bedankt. Ik zal elke keer dat ik mijn haar was aan je denken.'

Ik liet Vanessa en Dorothy alleen en voegde me bij de anderen op de zonnewaranda, waar een stormlantaarn op de teakhouten tafel was neergezet in een ijdele poging wat licht in de duisternis te brengen. Het was stil, afgezien van het geluid van de brekende golven in de verte. Niemand had een drankje of probeerde een gesprek op gang te brengen. Het leek alsof we hoopten dat de aanwezigheid van andere mensen het feit dat Claudia en Dorothy weggingen gemakkelijker te accepteren zou maken.

'Godzijdank is Claudia afgevallen,' verklaarde Holly in het donker, tegen niemand in het bijzonder.

'Weet je, Holly, dat is een klote-opmerking.' Rose stond op, liep naar binnen en sloeg de deur achter zich dicht.

'Jeetje, noem je dat nou dankbaarheid? Ik heb haar een plezier gedaan.'

'Wat bedoel je, haar een plezier gedaan?' vroeg ik, ervan overtuigd dat Holly nooit iemand een plezier deed als dat haarzelf niet zou helpen.

'Ik heb Chris verteld wat een kreng Claudia was als hij niet in de buurt was, en heb hem een geheimpje verklapt waarvan ik dacht dat het hem zou interesseren.' Ze wendde zich tot Samantha, op zoek naar een medestandster. 'Rose mag me wel bedanken dat ik Chris Claudia's ware aard heb getoond. Ik bedoel, ze is veel mooier dan Rose; ik weet zeker dat Chris haar anders had gekozen in plaats van Rose.'

'Holly, ik kan niet geloven dat je dat hebt gedaan. Claudia maakte gewoon een grapje over dat Elvis-gedoe.' Samantha staarde Holly woedend aan in het donker.

'Misschien wel.' Holly haalde haar schouders op; er speelde een triomfantelijk lachje om haar mond. 'Maar wie het laatst lacht, lacht het best.'

Samantha kreunde gekweld, schoof opeens haar stoel naar achteren en stormde het huis binnen, mij met Holly achterlatend.

Holly strekte haar armen boven haar hoofd alsof ze niets gemerkt had.

'Nou, ik ga maar eens naar bed. Ik vlieg morgenochtend vroeg naar Napa.' Holly strekte haar lange benen. 'Vind je dat ik een donkerrode string of een smaragdgroene Merry Widow body moet meenemen, die past bij het wijngaardthema?'

De enige vrolijke weduwe die ik kende was Anna Nicole Smith, maar Holly nam niet de moeite te wachten op mijn antwoord. Ze kwam overeind van de lage Adirondack-stoel en liep naar binnen.

17

'*H*allo, meiden. Hoi, Joe.' Ik boog me voorover om het zand van mijn blote voeten te vegen.

'Hoi, Sarah.' Joe had de camera op zijn schouder en was het kaartspelletje aan het filmen dat op de zonnewaranda werd gespeeld. 'Zo te zien heb je van het strand genoten.'

'Heb jij Holly gezien?' vroeg Samantha me, zonder haar blik van de waaier kaarten in haar hand af te wenden.

'Is ze terug?'

'En of ze terug is.' Vanessa keek op van een vijfkaart schoppen.

'Wat is er gebeurd? Hebben ze het meest romantische afspraakje gehad dat er maar bestaat?' Ik wilde het liever uit Vanessa's mond horen dan Holly's minutieuze, opgesmukte sprookjesverhaal te moeten aanhoren.

'Niet precies. We wilden met haar praten, maar ze stormde linea recta naar haar kamer.' Vanessa legde haar kaarten op de tafel. 'Ik heb gewonnen, hè, Joe?' Ze keek naar hem op. 'Joe heeft ons een enig nieuw spelletje geleerd. Wil je meespelen?'

Ik schudde het hoofd. 'Nee, dank je. Ik denk dat ik naar binnen ga.'

Steeds als Chris zelfs maar in Holly's richting keek, zorgde ze ervoor dat we ons bewust waren van de verborgen boodschap in zijn smeulende blik. Als ze niet wilde praten over de trip naar Napa, dan moest het echt erg geweest zijn.

Met opzet liep ik langs Holly's kamer. Daarbinnen werd heftig gesnik afgewisseld door gesnuif en het snuiten van haar neus. Hoe irritant ze ook was, ik wilde haar verhaal horen; ze was als een autowrak waar ik wel naar moest kijken.

'Holly?' Ik klopte zachtjes op haar dichte deur. 'Holly? Mag ik binnenkomen?'

Na langdurig gesnuif hoorde ik haar iets uitbrengen wat leek op 'ja', en ik deed de deur open. Holly lag voorover op het bed; het leek of ze daar was neergevallen en zich daarna niet meer bewogen had.

'Holly?'

Ze rolde zich langzaam om en deed een poging me te ontwaren door de massa rode krullen die tegen haar gezicht geplakt zat.

'Hoi, Sarah,' bracht ze met moeite uit, naar het plafond starend alsof ze antwoorden van de goden verwachtte. De rozenknopjes op haar pyjama van Victoria's Secret waren het enige aantrekkelijke aan haar. Haar gezicht was vlekkerig en opgezet, waardoor haar ogen veel te klein leken. Ze rook vaag naar zure druiven en haar make-up was uitgelopen, modderige sporen op haar sproeten achterlatend.

'En, hoe was het?' vroeg ik, alsof het de normaalste zaak was haar om twee uur 's middags teruggetrokken in haar slaapkamer aan te treffen.

'Afschuwelijk.' Holly bracht haar hand naar haar mond om een boer te onderdrukken, waarbij haar gezicht een groenig-grijze kleur kreeg.

'Wat is er dan gebeurd?'

'Het begon geweldig. We vlogen erheen in ons eigen, gehuurde vliegtuigje. We bekeken de wijngaarden en er was speciaal voor ons een wijnproeverij georganiseerd.' Holly's herinnering aan de gebeurtenissen stierf weg, net als haar stem.

'Zat er wat lekkers bij?' drong ik aan, zittend op de hoek van het bed.

'Natuurlijk! Merlot, cabernet, chardonnay, we hebben alles gedronken wat je maar kunt verzinnen.'

'Wat was er dan zo akelig aan?'

'Nou, we hebben zeker twee uur wijn zitten drinken, het ene glas na het andere. Daarna zouden we een ballontochtje maken naar de heuvels en daar picknicken bij de ondergaande zon. Perfect, nietwaar? Dat was het ook, alleen hadden we de hele dag niets gegeten, behalve kaas en wijn. Ik voelde me een beetje aangeschoten, maar ik dacht dat we snel iets zouden gaan eten en dat ik me dan beter zou voelen. Dus daar zweefden we omhoog en door het fel brandende vuur steeg hete lucht in de ballon, waarbij er een afschuwelijk hard gesis klonk.' Holly deed haar ogen dicht en masseerde haar slapen met haar vingers. 'En we gingen steeds verder omhoog en opeens werd ik misselijk. Mijn maag draaide zich om en ik werd gek van dat geluid en... ik weet het niet, ik had het opeens niet meer.'

'Had het niet meer?'

'Ja, je weet wel.' Ze wachtte tot ik de woorden zou uitspreken, maar ik kwam haar niet te hulp. 'Ik moest overgeven! Ik kotste over de rand, helemaal over de rand van de mand, boven op de cameraploeg; het was gewoon vreselijk.'

Holly sloeg haar handen voor haar gezicht.

'Ik schaamde me dood.'

'En wat gebeurde er toen?'

Holly keek me met roodomrande ogen aan en probeerde haar tranen terug te dringen. 'De man die de ballon bestuurde bracht ons meteen naar de grond. Chris zette me in de limousine, zijn adem inhoudend en op een afstand blijvend alsof ik een of andere slet uit de goot was, en we reden naar een hotel, zo'n prachtig, elegant geval dat eruitzag als een Europees kasteel.'

'En voelde je je toen beter?'

'Was dat maar waar! Ik ging regelrecht naar onze kamer, waar ik het hele tapijt onderkotste op weg naar de badkamer en ik heb de hele nacht kokhalzend op de plee doorgebracht.' Holly zweeg even en beet op haar lip om te voorkomen dat die trilde. 'O, lieve hemel, wat heb ik gedaan?'

Holly was helemaal overstuur. Dit was geen meisje dat een misgelopen afspraakje had gehad; het was een vrouw die haar toekomst in rook zag opgaan, of aan stukken zag vallen, bij wijze van spreken. Ik wilde Holly eigenlijk helemaal niet troosten, maar ze zag er zo zielig uit met haar rode neus die helemaal schraal was door het snuiten, dat ik iets moest doen. Ik had nog wel een hart in mijn lijf.

'Moet je horen, alles ging toch prima tot het ballontochtje?' Ik gaf ter geruststelling een klapje op haar voet.

Holly ging meer rechtop zitten, een hoopvolle blik in haar ogen. 'Ja, inderdaad. Het was perfect.'

'Nou dan, Chris weet dat het niet je gewoonte is de hele dag wijn te drinken. Hij begrijpt vast wel dat het een vergissing was.'

'Het was ook een vergissing, een afschuwelijke, vreselijke vergissing.'

'Hij vergeet het wel. Maak je geen zorgen. Hij zal het je niet kwalijk nemen.'

'Denk je van niet? Want echt, tot het moment dat ik wijn en crackers en stukken brie begon uit te kotsen, was alles geweldig.'

'Nee, hoor. En als hij het je wel kwalijk neemt, nou, dan wil je toch verder niets meer met hem te maken hebben.'

'Ja, dat wil ik wel!' jammerde Holly bijna.

'Kom nou, Holly. Je bent niet de eerste vrouw die bij een afspraakje dronken wordt en moet overgeven.'

'O, nee? Ik ben anders wel de eerste die dat in *De Bachelor* doet.'

'Ik zou een man niet willen die me laat vallen omdat ik een foutje maak.'

'Dat komt omdat je niet eens verliefd op hem bent,' zei Holly beschuldigend, alsof dat de allergrootste zonde was. 'Je krijgt geen vlinders in je buik als je hem ziet. Je verlangt er niet naar elke minuut van de dag met hem door te brengen omdat hij je het gevoel geeft dat je de meest bijzondere persoon van de wereld bent als hij je in de ogen kijkt.'

Ze haalde diep adem en keek me neerbuigend aan. 'In tegenstelling tot de rest van jullie houd ik van hem en weet ik dat we voor elkaar bestemd zijn. Ik bedoel, kom nou, Sarah. Is hij niet een beetje te goed voor jou?'

Ik liet me van het bed glijden en stond op. Ik had genoeg van Holly. Aardig zijn was tot daar aan toe. Maar beledigd worden was een andere zaak.

Holly had ongelijk. Ik was misschien niet verliefd op Chris, maar ik wist wat het was om naast hem te staan en hem naar me toe te willen trekken. En ik wist hoe het was als hij mijn blik vasthield. En naar me luisterde. En me het gevoel gaf dat ik interessant was en belangrijk. Zoals ik me gevoeld had voordat ik Sarah Divine had ingeruild voor het ideaal van echtgenote en moeder zijn. En ik kon tenminste tegen drank.

'Holly, je bent niet de enige met wie Chris uitgaat. Als ik jou was, zou ik voorzichtig zijn met wat ik zei. Boontje komt om zijn loontje.'

'Nou, jullie zijn allemaal jaloers op mij en hopen maar dat ik snel ophoepel.'

Ik maakte een gebaar van onmacht en liet Holly alleen.

Samantha en Vanessa zaten nog op de zonnewaranda.

'En, wat heb je gehoord? Is het waar dat ze hem helemaal heeft ondergekotst?' vroeg Samantha, terwijl ze de kaarten schudde.

'Ze heeft niet over hem heen gekotst; ze werd gewoon misselijk in de ballon. En in hun hotelkamer. En op de badkamervloer.'

'Ze kan het verder vergeten.' Vanessa leunde achterover in haar stoel en wachtte tot Samantha zou delen.

Ik haalde mijn schouders op. Ik was het misschien niet eens met Holly's theorie over mannen of met haar banale aspiraties, maar ik wist niet zeker of ik wilde dat ze uit het programma gegooid zou worden alleen omdat ze te veel gedronken had. Als dat de criteria waren voor langdurige relaties zouden Jack en ik niet eens door de eerste maand zijn heen gekomen.

Een deel van me wilde dat Chris haar in het programma zou houden, alleen al om te bewijzen dat hij kon omgaan met onvoorspelbare, akelige momenten die zich onvermijdelijk voordoen als je lang genoeg met iemand samen bent. Maar aan de andere kant was ze zo'n klier dat ik sowieso niet begreep hoe ze zover was gekomen.

De daaropvolgende middag trof ik Samantha buiten aan na haar uitje met Chris. 'Wat doe je hier buiten?' vroeg ik Samantha, die, slechts gekleed in een sport-bh en een strak kort broekje, in kleermakerszit op de waranda zat.

'Ik ben aan het mediteren.'

'Met hem in de buurt?' Ik wees naar een cameraman die haar roerloze gestalte aan het filmen was.

Ze deed één oog open en fronste haar wenkbrauwen. 'Ik weet het. Ze gunnen me niet eens een beetje rust en vrede.' Ze sprong op, de camera haar rug toekerend.

'Hoe was je dag op Catalina?' Ik sliep al toen Samantha de avond ervoor was teruggekomen van het uitje naar Catalina Island. Ofschoon ik niet veronderstelde dat het net zo opwindend of vies was geweest als bij Holly, was ik toch nieuwsgierig.

'Het was leuk,' begon ze langzaam, een blik achterom naar de camera werpend voordat ze verder ging. 'We zijn gaan snorkelen in Lover's Cove en zo...' Haar stem stierf weg zonder dat ze er verder op in ging.

'Dat lijkt me leuk.'

Samantha legde haar hand op mijn arm en leunde voorover. 'Wat een mooie oorbellen.' Ze kwam met haar mond dichter naar mijn oor toe en fluisterde zachtjes: 'Kom naar de achterste badkamer.'

Ze trok zich terug, glimlachte en liep het huis in. Ik liep achter haar aan.

Toen ik bij de badkamer kwam, was die leeg. Ik stond op het punt weg te gaan toen ik Samantha mijn naam hoorde fluisteren vanachter het douchegordijn. 'Ik ben hier, Sarah.'

Ze trok het gordijn opzij en wees naar de wastafel. 'Draai de kraan open, gewoon voor de zekerheid.'

Ik draaide aan de knoppen tot er een flinke straal water in de wastafel stroomde.

'Wat is er aan de hand?' Toen ik bij haar in het bad klom probeerde ik de flessen shampoo, conditioner en gezichtsmaskers niet om te gooien die op de rand van het bad stonden opgesteld.

'Ik wilde iets met je bespreken, maar zonder de camera's in de buurt. Dit is de enige veilige plek.'

Ik knikte. In *De Bachelor* was er slechts één plek verboden voor het kijkerspubliek: de douche.

'Ik denk dat ik te ver ben gegaan,' begon Samantha, die naar haar voeten staarde. 'Met Chris. Op Catalina.'

'Sam, na zijn afspraakje met Holly denk ik niet dat hij nog snel van streek zal raken door iets anders.'

'Zelfs niet als ik me te veel heb laten gaan?'

'Hoe heb je je laten gaan?' Er waren altijd en overal camera's; hoever kon een wijfie zich laten gaan voordat ze zich realiseerde dat er op haar werd ingezoomd?

'Nou, we waren al langer dan een uur aan het snorkelen en de cameraploeg wilde pauzeren, dus gingen ze terug naar het strand terwijl wij in het water bleven.' Ze haalde diep adem voordat ze verder ging. 'We waren maar ongeveer twintig meter uit de kust, maar we wisten dat ze ons niet konden zien en we waren aan het zoenen en toen begonnen we dingen te doen.'

'Dingen?'

'Je weet wel. Dingen.'

'Dingen die niet op tv vertoond konden worden?'

Samantha beet op haar lip. 'Alleen via Moviechannel.'

Dit overdacht ik eerst voordat ik antwoordde. 'Dan mag je wel hopen dat er geen verborgen camera in zijn zwembroek zat of zoiets.'

Ze kromp in elkaar. 'Dat zou niets uitmaken. Dat was niet zo.'

'Hoe heb je dat kunnen doen?' gaf ik haar er bijna van langs. 'Je kunt de cameraploeg niet vertrouwen, en Arnie en Sloane helemaal niet. Die leven voor dit soort momenten.'

'Dat weet ik!' riep ze uit en ze sloeg toen haar handen voor haar gezicht. 'En nu zal Chris me een slet vinden of zo, en ik vind hem echt leuk.'

Ze zag er werkelijk vernederd uit.

'Ze hebben waarschijnlijk niets kunnen opnemen. Ik bedoel, jullie waren toch onder water?'

Ze knikte.

'Dan hoef je je geen zorgen te maken.'

'Vind je me nu vreselijk?'

Ik schudde het hoofd. 'Nee, ik vind je niet vreselijk.'

Er stond iemand op de badkamerdeur te bonzen.

'We kunnen hier beter uit gaan voordat Arnie denkt dat we samen staan te douchen.' Ik trok het gordijn opzij en stapte op de betegelde badkamervloer.

'Dat zou hij wel willen, hè?'

Ik pakte de deurknop beet, op het punt te vertrekken. 'Op dit moment is dat het enige schandaal dat hier nog ontbreekt.'

Toen ik de badkamerdeur openzwaaide trof ik geen Arnie aan die probeerde een glimp op te vangen van wat Samantha en ik uitspookten. Het was Vanessa, die ongeduldig van de ene voet op de andere wipte.

Ze was net zo verbaasd om ons te zien als ik was om te zien dat ze al terug was van haar beautyfarm-afspraakje.

'Wat doen jullie daarbinnen? Ga eens opzij. Holly is bezig met een gezichtsmasker in de andere badkamer en ik moet piesen. Daarna gaan we naar het strand om te praten.' Ze ging snel de badkamer in en kwam een minuut later weer te voorschijn.

'Dus het was leuk op de beautyfarm?' vroeg ik Vanessa toen we langzaam naar beneden naar het strand liepen. Samantha was in de bungalow gebleven om een dutje te doen en ik probeerde niet aan haar onderwateravonturen te denken, terwijl ik stukken gedroogd zeewier opzij schopte.

Op de een of andere manier gaf de wetenschap dat Vanessa alleen aan het programma meedeed om haar moeder tevreden te stellen me een beter gevoel. Ik vond het niet erg haar verslag over de dag die ze met Chris had doorgebracht te horen, zolang ik maar wist dat ze niet echt in hem geïnteresseerd was, dat ze alleen haar rol speelde.

'Als je naakt op een tafel ligt met een handdoek over je bilspleet, terwijl een cameraman zijn lens ongeveer als doktersspiegel gebruikt, leuk noemt.'

Vanessa bleef staan en gooide haar strandmat neer.

'Ze hebben je gefilmd terwijl je gemasseerd werd?'

'Ja.' Vanessa maakte een smakkend geluid en ging zitten.

Ik knielde naast haar.

'In ieder geval kun je dit jaar je jaarlijkse onderzoek overslaan,' grapte ik.

Vanessa glimlachte niet. 'Het was de minst ontspannende beautyfarm-ervaring die je je kunt voorstellen.'

'En Chris? Wat vond hij ervan?'

Vanessa beet op haar lip en wachtte even met antwoorden. 'Het is een enige vent. Begrijp me niet verkeerd,' begon ze, 'maar hij doet net alsof het allemaal niks voorstelt. Ik ben niet preuts, maar elkaar zoenen voor de ogen van een cameraploeg maakt dat niet direct het meest intieme moment van je leven. Wij liggen daar terwijl er een bruin, slijmerig moddermasker op ons wordt aangebracht, en Joe met zijn camera registreert het allemaal. Als Chris naar me overleunde om me te kussen, was Joe er ook. Elke verdomde beweging die we maakten werd gefilmd. Ik zat me voortdurend af te vragen wat Joe van dat hele gedoe vond, beschouwde hij het schouwspel vanuit cameraopstellingen en close-ups, of zag hij een met modder bedekte naakte vrouw een man kussen die gisteren nog een ander meisje had gezoend?'

Het feit dat we gefilmd werden, telkens als we met Chris samen waren, deed inderdaad afbreuk aan de illusie dat we bezig waren met wat verondersteld werd een romantische ontmoeting te zijn.

'Vind je dat gek? Ik weet het niet; misschien ligt het voor Chris anders.' Vanessa groef een stok op die in het zand begraven lag.

'Dus dat zat je dwars? Wat Joe ervan vond?'

'Nee, dat is het niet. Het is iets anders,' zei Vanessa, die haar naam met de stok in het zand schreef. 'Wil jij kinderen?'

Ik zag Katie voor me, die tegen me aangekropen in de schommelstoel zat.

'Ja.'

'Ik ook. En ik kan me gewoon niet voorstellen dat ik mijn kinderen op een dag vertel dat ik pappie bij *De Bachelor* heb ontmoet. Dat ik als ik vertel hoe hij me ten huwelijk heeft gevraagd, moet beginnen met: "Zie je, alleen ik en een ander meisje waren nog over..."'

'Dat kan ik me voorstellen.' Ondanks alle promotie van het programma als een show vol romantiek en diepe emoties, was het huwelijksaanzoekscenario meer gericht op de impact van de laatste aflevering dan op nostalgische herinneringen.

'Ooit dacht ik dat ik het was, zwanger, bedoel ik. Iets langer dan een jaar geleden, nog voordat ik die Geritol-klootzak had ontmoet.'

'Wat was er gebeurd?'

'Ik ging om met een bepaalde man en ik was over tijd. Eerst schrok ik me kapot, ik wilde niet met die vent trouwen, maar toen ik eenmaal begon te denken aan een baby wilde ik bijna dat het zou gebeuren.' Vanessa's stem klonk weemoedig, toen ze een schelp oppakte en die in haar hand hield. 'Ik wilde geen alleenstaande moeder zijn, maar ik heb altijd kinderen willen hebben, en de juiste man leek nergens te bekennen te zijn. In mijn eentje een baby krijgen vertegenwoordigde niet bepaald het ideale gezin dat ik me altijd had voorgesteld, maar toch hoopte ik ergens dat het geen vals alarm was. Dus deed ik de test en wachtte tot het roze plusje zou verschijnen. Dat gebeurde niet. En ik was niet zwanger.'

Vanessa keek naar me op en schraapte haar keel.

'Als dat nu zou gebeuren, zou ik niet meer twijfelen. Ik ga niet alles in de wacht zetten in de hoop dat de ware liefde een keer op de proppen komt.'

Ik pakte een handvol zand en keek toe hoe de korrels langzaam door mijn vingers gleden; het aanvankelijk bleke stukje huid waar mijn trouwring had gezeten was nu net zo natuurlijk gebruind door de zon als de rest van mijn lichaam. Ik wist niet eens meer waar ik het bruin-zonder-zon had gesmeerd; er was geen verschil meer te zien.

'Het zou moeilijk zijn. Een kind opvoeden met twee ouders is al moeilijk.' Dit klonk waarschijnlijk als een afgezaagd advies, komend van een zesentwintigjarige pr-juffrouw, maar ik sprak uit ervaring. Ik moest ook onwillekeurig denken aan de mogelijk zwangere, maar zeker alleenstaande Claudia.

'Weet je wat pas moeilijk is? Net doen of je iets niet wilt dat je wel wilt. Net doen of het prima is om te doen wat iedereen van je verwacht, of dat je nou gelukkig maakt of niet.'

Ik kon niet bepalen of Vanessa het nu had over een baby krijgen of over strijden om de bachelor.

'Betekent dat dus dat je uit het programma wilt stappen?' vroeg ik aarzelend.

'Nee, het betekent dat ik hier helemaal nooit heb willen zijn,' zei Vanessa vastbesloten. 'Maar dat wisten we al. Het betekent ook dat hoewel Chris de ideale man lijkt, ik al weet dat ik ideaal ben zonder hem.'

Was ik de enige – afgezien van Holly, moet ik er met tegenzin aan toevoegen – die onder Chris' betovering was gevallen? Met Dorothy's plotselinge vertrek en Vanessa's nieuwe vastbeslotenheid vielen Chris' potentiële liefdesinteresses neer als vliegen, terwijl ik als een gek met mijn vleugeltjes bleef klappen en recht op de vlam afging.

Ik stond op en pakte mijn sandalen. 'Ik moet me gaan omkleden. Over een uur komt de auto me halen voor het pizzafeestje.'

'Een uur om je voor te bereiden op een pizzafeestje? Weet je zeker dat je er niet meer van verwacht?' Vanessa klonk niet meer zo serieus toen ze haar wenkbrauwen optrok en grinnikte, iets ondeugenders insinuerend dan een pizza met pepperoni.

'Nou, ik verwacht in ieder geval niet dat hij me zal insmeren met modder!'

'Volgens mij vind je dat nog jammer ook,' voegde Vanessa er lachend aan toe.

Ik veegde het zand van mijn short. 'Ik zou het erger vinden als hij ansjovis bestelt.'

Terug in mijn kamer spoelde ik de schuimende papajashampoo uit mijn haar en dacht terug aan Jacks huwelijksaanzoek. Dat gebeurde een week na zijn afstuderen, vlak voor hij aan zijn nieuwe baan begon bij het advocatenkantoor. Ik had mijn baan bij het pr-bureau al geaccepteerd en was opgewonden over mijn nieuwe carrière en over het feit dat ik nu eindelijk het *Cosmo*-meisje zou worden dat altijd in me had gezeten: van de modieuze pakjes en belangrijke vergaderingen tot het opgestoken haar en schildpadmonturen die de fantasie van de bibliothecaresse met kousengordel en push-up-bh die elke man had, zou stimuleren.

Bij het huwelijksaanzoek in het programma was het of je op het podium stond en door Burt Parks werd uitgeroepen tot meest begeerlijke vrouw ter wereld. Het was het moment suprême na wekenlange gevechten, met de winnares die overbleef en naast de bachelor mocht staan. In het echte leven had ik het gevoel of het pas het begin was van de talentenjacht. Ik moest me rot werken om mijn positie bij het pr-bureau waar te maken, de bruiloft organiseren en proberen de aanbiddende verloofde te spelen die de hele dag op kantoor kon werken en toch nog crème *brûlée* als dessert klaar had staan als Jack na twaalf uur in de juridische bibliotheek thuiskwam; ik werd slaaf van mijn agenda en het leven waarvan ik dacht dat ik het moest hebben.

De baby, het huis in een buitenwijk, die dingen had ik verwacht.

Wat ik niet had verwacht, was dat ik zeven jaar later zou staan douchen met glanzende, vocht inbrengende douchegel, me ervan verzekerend dat mijn haar naar tropisch fruit rook, en dat alles voor een andere man dan mijn echtgenoot.

En ik had mijn echtgenoot al ruim een week niet meer gesproken. Na ons laatste, tot niets leidende gesprek belde ik overdag naar huis, als ik zeker wist dat Jack er niet zou zijn en ik met Katie kon praten zonder te hoeven luisteren naar zijn toenemende woede die in elke zin doorklonk. Mijn opdracht was het zoveelste obstakel dat tussen ons in was komen te staan, het zoveelste element van het echte leven dat het simpel van elkaar houden in de weg stond. De situatie begon aan te voelen als een vreemde versie van zo'n oude, korrelige romantische film; ik zie Jack, het onderwerp van mijn genegenheid, aan de overkant van een wei en ren in slow motion, met uitgestrekte armen, naar hem toe. Maar onderweg struikel ik over stekelige bosjes en stenen die als landmijnen in de modderige grond begraven liggen, dus tegen de tijd dat ik bij hem ben gekomen, ben ik te moe om nog iets anders te doen dan te zeggen dat hij moet ophoepelen zodat ik mezelf kan wassen en opknappen, om hem vervolgens te vervloeken dat hij zo'n waardeloze wei heeft uitgekozen.

18

'Hier, ik vond dat ik er op z'n minst voor kon zorgen dat het bier goed koud was.'

Ik pakte het ijskoude glas van Chris aan en zette het op de salontafel naast de geopende pizzadoos. Van alle keren die ik met Chris had doorgebracht leek ons informele pizzadiner het meest op mijn leven naast *De Bachelor*, net als de verschoten spijkerbroek en het topje van Gap dat ik aanhad.

Chris kwam naast me op het kleed zitten. De zitkamer leek anders zonder de presentator en de regisseur en al die meisjes die gespannen wachtten op een ceremonie. Het prettigste was dat er geen naar vanille ruikende kaarsen waren. Ik wist niet of ik ooit nog in staat zou zijn om vanille te ruiken zonder onmiddellijk in de rij te gaan staan en mijn adem vol verwachting in te houden.

'Alsjeblieft.' Chris gaf me een stuk pizza. 'Kijk uit, hij is nog heet.'

Ik nam de pizzapunt behoedzaam in mijn handen, blazend op de borrelende kaas.

'Het spijt me dat jij het minst leuke afspraakje hebt getrokken,' zei hij verontschuldigend.

'Van wat ik van Holly heb gehoord, heb jij het minst leuke al achter de rug.'

'Geen commentaar.'

'Nou, je hoeft je niet te verontschuldigen. Ik vind het heerlijk. Ik kan me de laatste keer niet meer herinneren dat ik lekker thuis pizza uit een doos zat te eten. Meestal word ik zo vaak gestoord dat de pizza koud is tegen de tijd dat ik kan gaan zitten.'

'Je zult het wel druk hebben op je werk.'

In feite had ik gedoeld op mijn pogingen tot eten met Katie

om me heen, maar zijn opmerking kwam dicht genoeg in de buurt.

Ik knikte en bracht het stuk pizza naar mijn mond.

'Mmmmm.' Ik pakte een servet van de tafel toen er wat olie langs mijn pols droop. 'Dit is lekker.'

'Ja, hè? Ik ben dol op pizza. Vroeger aten we thuis elke zondagavond pizza. We bestelden altijd vijf grote punten, één voor mij en elk van mijn broers en één voor mijn ouders.

'Heb je drie broers?'

'Ja. Ik ben de jongste.'

Dat zou Holly tegenvallen. Chris kwam als laatste in aanmerking voor het erven van het Masters familiefortuin.

'Je moeder moet wel een heilige zijn, of getikt.'

'Zo erg was het niet. We gedroegen ons allemaal keurig.'

'Vier jongens? Ik weet niet hoor, hoe lief jullie ook waren, daar heb je toch je handen vol aan.'

Chris spoelde zijn pizza weg met een slok bier.

'Zal ik een beetje muziek opzetten? Misschien Jimmy James and the Blue Flames?' vroeg hij, terwijl hij naar me knipoogde.

Bij de gedachte te moeten luisteren naar een van Jacks lievelingsbands bleef de pizzakorst in mijn keel steken.

'Liever niet. Ik heb daarstraks nogal hoofdpijn gehad,' loog ik.

'Best, hoor.' Chris pakte nog een stuk pizza uit de doos en legde dat op zijn bord. 'En, wat wil je worden als je groot bent, Sarah Divine?'

Goede vraag, als je hem stelde aan iemand van zesentwintig. Maar een beetje verontrustend voor iemand van vierendertig die alles zogenaamd op een rijtje heeft.

Chris zat pizza te eten en wachtte tot ik zou antwoorden.

'Gelukkig?' Mijn antwoord klonk meer als een vraag dan als een doelstelling.

'Ik zal je een beetje helpen,' bood hij aan. 'Wil je later een gezin?'

Ik knikte bevestigend.

Chris hield zijn hoofd schuin alsof hij me probeerde in te schatten.

'Volgens mij zul je een geweldige moeder zijn.'

'Dat weet ik niet zo zeker.'

'Hoezo niet?'

'Moeder zijn is niet zo eenvoudig als het lijkt en het lijkt niet eens zo gemakkelijk. Het zal waarschijnlijk soms frustrerend zijn, zeker als je opgegroeid bent met de gedachte dat je ooit een supersuccesvolle carrière zult hebben. Ik weet niet zeker of je allebei kunt hebben.'

'Het lijkt wel alsof je uit ervaring spreekt.'

Ik zweeg even en nam een slokje koud bier uit mijn glas. 'Ik heb een nichtje.'

'Ja, nou, ik wil er kunnen zijn voor mijn kinderen. Ik werk hard, maar ben niet veel onderweg, en ik kan voor een groot deel mijn eigen tijd indelen.'

'Het is waarschijnlijk wel handig dat je familie de eigenaar van het bedrijf is.' Ik bedoelde het als grapje, maar zo kwam het niet over. Het was net alsof ik hem niet serieus nam.

Chris pakte het scherpe keukenmes en sneed twee samengesmolten stukken pizza los.

Hij legde een punt op mijn bord en nam een hap van het andere stuk voordat hij op mijn woorden reageerde.

'Ik begrijp jou niet,' zei hij uiteindelijk.

'Wat bedoel je?' vroeg ik, al wist ik vrij zeker dat ik precies begreep wat hij bedoelde.

'Aan de ene kant ben je net als de andere meisjes, leuk om mee te praten, je wilt dat ik je leer kennen, dat soort dingen.' Hij wendde zijn blik van de stukken pizza af en keek me aan. 'Maar ik krijg ook het gevoel dat je niet zeker weet of je me wel aardig vindt.'

'Ik vind je aardig.'

'Niet op de manier zoals die anderen me leuk vinden.'

Ik kwam in de verleiding hem het nieuws te vertellen, dat niet bepaald elk wijfie stond te springen om mevrouw Bachelor te worden.

'Je moet obsessie niet verwarren met echte interesse,' zei ik tegen hem, denkend aan Holly. 'En als je me niet begrijpt, waarom ben ik dan nog steeds hier?'

'Omdat je me intrigeert.'

'Dat zou ik ook kunnen zeggen.'

'En ik denk dat ik er precies zo over zou denken als we elkaar onder andere omstandigheden hadden ontmoet.'

Ik wist zeker dat die andere omstandigheden niet ook inhielden dat hij me tegen het lijf zou lopen in de levensmiddelenzaak met Katie op mijn heup en met Jack die pakken Cheerios in het karretje gooide. En als Chris me toevallig tegen zou komen met mijn paardenstaart, in joggingbroek en in natura, zonder makeup, denk ik niet dat hij hetzelfde over me zou denken.

'Waarom ben je dan aan het programma gaan meedoen?'

'Ten eerste was het niet mijn idee. Mijn vrienden en ik deden het voor de lol en ik was de enige die niet afviel voor de tweede ronde. Ik dacht dat ik toch niets te verliezen had. Er zijn ergere manieren om vrouwen te ontmoeten, en alle vrouwen hier worden verondersteld te hebben waarnaar ik op zoek ben.'

'En waar zoek je dan naar?'

'Iemand om samen dingen mee te doen en plezier te maken. Iemand die intelligent, onafhankelijk en een beetje uitdagend is.'

'En mooi, met een prachtig lichaam?'

'Tja, ik ben ook maar een mens. Ik wil iemand tot wie ik me voel aangetrokken.'

'Denk je werkelijk dat je aan het eind van het programma iemand ten huwelijk zult vragen?'

'Hoezo, ben je bang dat jij dat niet zult zijn?' Chris glimlachte en keek me met half toegeknepen ogen aan. 'Wie weet, alles is mogelijk. Ik heb vrienden die hun vrouw in een bar hebben ontmoet, in de derde klas, bij een mariniersoefening, waarom zou dit minder goed zijn?'

'Hiervoor dacht ik dat elke vrouw die dit zou doen, wanhopig moest zijn.'

'Wil je zien wat echt wanhopig is? Ben je weleens in een bar geweest als de laatste ronde werd aangekondigd? Iedereen zoekt iemand om mee naar huis te gaan. Hier zijn de vrouwen tenminste eerlijk over wat ze zoeken.'

Enkelen van hen, in ieder geval.

'Ik zit vol.' Chris klopte zich op zijn vlakke buik.

'Ik ook.'

'Zullen we naar buiten gaan? Bij het zwembad zitten?'

'Geen jacuzzi?'

Chris hief zijn handen op in een gebaar van overgave. 'En de toorn van Sarah riskeren? Ik denk het niet.'

We lieten de resten van onze pizza in de doos op de salontafel liggen, maar namen onze biertjes mee.

De camera's volgden ons naar de patio, achter ons aan sjokkend als een stelletje puppies.

'Hé jongens? Mogen we een beetje privacy?' vroeg Chris hoopvol.

Joe haalde zijn schouders op. 'Sorry, dat zijn nu eenmaal de regels.'

Chris fronste zijn wenkbrauwen maar hij sprak Joe niet tegen.

Chris trok twee ligstoelen met kussens zo dicht tegen elkaar dat de houten frames elkaar raakten en piepten toen we gingen zitten. Hij pakte mijn hand en ik liet bereidwillig toe dat hij zijn grote vingers over de mijne legde.

'Heb je veel getrouwde vriendinnen?' vroeg hij, met zijn duim over mijn handpalm wrijvend.

'Genoeg.' In feite waren vrijwel al mijn vriendinnen getrouwd en hadden kinderen.

'Het is net alsof al mijn vrienden opeens willen trouwen met de vrouwen met wie ze omgaan. Ik denk dat ik binnenkort zeer vertrouwd zal raken met het huwelijksregister via internet.'

In de tijd dat ik me verloofde bestond registratie via internet helemaal niet. Het hele proces van een partner vinden werd steeds efficiënter, zoals Holly al had opgemerkt.

'Hoe zie jij het ideale huwelijk?' vroeg hij, me aankijkend.

Ik trok mijn hand opeens terug en sprong bijna van de ligstoel af, omdat ik dacht dat hij me vroeg hoe het was om getrouwd te zijn, alsof hij wist dat ik persoonlijke kennis had over dit instituut. Maar toen begreep ik dat hij me had gevraagd wat voor voorstelling ik van het huwelijk had. Alsof mijn verwachtingspatroon enige overeenkomst met de werkelijkheid zou vertonen.

'Volgens mij zou het leuk moeten zijn.'

'Hoe bedoel je, leuk?'

'Dat weet ik niet precies; ik weet alleen dat het niet zo zou moeten zijn als in die film, waar het elke dag 2 februari is. Ik wil niet elke dag wakker worden en al weten wat me te wachten staat, precies weten waar mijn man is en wat hij doet en wat ik van minuut tot minuut op die dag zal doen.'

'Volgens mij noem je dat dating, niet getrouwd zijn.'

'Vind je het echt nodig om over trouwen te praten?' Ik ging op mijn zij liggen zodat ik hem beter kon zien.

'Daarom zijn we toch hier?'

'Ik dacht dat we hier waren om plezier te maken.'

'Ik dacht dat je zei dat het huwelijk plezierig moest zijn.'

Chris draaide zich naar de camera die geluidloos ons gesprek opnam terwijl Joe langzaam vanachter mijn rug naar het voeteneinde van onze ligstoelen liep.

'Zijn we al klaar?'

Joe's gezicht verscheen vanachter de uitgeschoven lens en hij keek ons even aan.

'Je kent de regels,' zei Joe schouder ophalend, en hij ging door met filmen.

Chris ging ook op zijn zij liggen en keek me aan, waarbij zijn schouder een schaduw op ons gezicht wierp toen hij de belichting blokkeerde. 'Dat is iets beter. Je ziet er mooi uit vanavond.'

'In deze oude plunje?'

'Die oude plunje staat je beter dan een of ander strak jurkje. Je lijkt meer op je gemak.'

Hij leunde over de lage armleuning van zijn ligstoel. Chris nam mijn kin in zijn hand en kwam dichterbij, me naar zich toe trekkend door zijn gewicht te verplaatsen. Onze lippen raakten elkaar aanvankelijk lichtjes, zo nauwelijks waarneembaar dat het bijna kriebelde. Langzaam gingen onze lippen van elkaar en de voorzichtige kus veranderde in twee tongen die elkaar vol overgave onderzochten.

En toen trok Chris zich opeens terug. Hij stond op zonder de moeite te nemen uit te leggen wat hij van plan was, kwam met zijn warme lichaam naast me op de ligstoel liggen en drukte zich zo stevig tegen me aan dat er weinig aan de verbeelding werd overgelaten.

Toen hij zijn arm om me heen sloeg en me tegen zich aan trok, werden onze kussen dwingender en Chris kwam op me liggen. Zijn hand gleed moeiteloos onder mijn topje en zijn koele vingertoppen streelden vederzacht mijn huid.

'Zullen we naar binnen gaan?' vroeg hij, waarbij zijn warme adem over mijn gezicht streek.

Ik gaf geen antwoord, bang om het hardop te zeggen, alsof het in de toekomst tegen me gebruikt zou kunnen worden. Er zat een groot verschil tussen de camera die vastlegde hoe ik met Chris mee ging en hardop toegeven dat ik met hem mee wilde. Maar zou Jack dat onderscheid ook maken?

Chris pakte mijn hand en leidde me het huis in.

Hij nam me mee naar de vertrouwde leren bank en trok me tegen zich aan, zonder mijn hand los te laten. Chris tilde mijn haar van mijn schouders en hield het naar achteren, zodat hij met zijn tong de zichtbaar geworden huid van mijn hals kon bewerken. Ik deed mijn ogen dicht en liet zijn hete tong mijn hals kietelen.

'Je voelt zo heerlijk aan,' kreunde ik en ik liet mezelf omlaag glijden tot ik op mijn rug lag.

'Mmmm...'

Het geknars op het grind doorbrak de stilte in de kamer, voorafgaand aan de sobere, blauwachtig witte halogeenkoplampen van de limousine.

'Zullen we die chauffeur vragen of hij over een paar uur terug wil komen?' fluisterde Chris zonder zijn lippen van mijn hals te halen.

Ik duwde hem van me af en krabbelde snel overeind, dankbaar dat de limo was gearriveerd voordat ik iets stoms had kunnen doen. En ik was al niet het toonbeeld van wijsheid geweest tot dat moment.

Chris keek grinnikend toe.

'Wat nou?' vroeg ik, terwijl ik mijn shirt in mijn broek stopte en mijn haar gladstreek.

'Niks. Maar je bent net een slordige tiener die zich snel aankleedt voordat paps en mams haar betrappen op een vrijpartij op de bank.'

Het was niet mijn moeder over wie ik me zorgen maakte. Het was Katies mam.

'Ik wil de chauffeur niet laten wachten.'

'God verhoede dat we de chauffeur laten wachten,' deed Chris me spottend na. 'Je hebt toch geen schoonheidsslaapje nodig voor de ceremonie van morgen?'

'Ja, nou, jij hoeft maar drie meter te lopen om in je bed te stappen en ik moet nog twintig minuten rijden.' Ik pakte mijn tas van de tafel. 'En een schoonheidsslaapje kan geen kwaad.'

'Maar de chauffeur kan toch wel wachten tot ik je goedenacht heb gekust?' Chris kwam naar me toe en legde zijn handen om mijn middel. 'Dat vindt hij niet erg. Je hoeft je niet schuldig te voelen.'

Ik sloeg mijn armen om Chris' nek en hief mijn hoofd op om hem goedenacht te kussen. En toen hij me in zijn armen nam, was het enige waar ik me schuldig over voelde het feit dat ik helemaal niet weg wilde.

'Wat spookt die Brigitte Bardot daar uit?' vroeg Rose, wijzend naar de andere kant van de kamer waar Holly haar spiegelbeeld in het glanzende oppervlak van de vleugel controleerde.

Holly had besloten dat ze haar berouw over haar kotspartij het beste kon tonen door bij de vijfde kaarsceremonie een kanten bustier met een zwartleren pantalon te dragen. Alsof ze weer op de eerste plaats terecht zou komen door over te komen als meesteres.

'Je bedoelt waarschijnlijk haar nicht, Leather,' corrigeerde ik Rose, me afvragend hoe iemand zo jong als zij kon weten wie Brigitte Bardot was; waarschijnlijk door het kijken naar oude fims laat op de avond.

'Dit is Holly's manier om Chris te laten vergeten hoe ze eruitzag met brie-conditioner in haar haar.' Vanessa kneep haar neus dicht voor het geval we ons niet konden voorstellen hoe uitgebraakte brie zou ruiken. We moesten allemaal lachen.

Chris en Pierre kwamen de kamer binnen vanuit de beruchte betegelde gang, een wandelingetje van vijftien meter dat net zo geheimzinnig was geworden als de ronddraaiende tunnel waardoor Steve Austin en Sasquatch werden getransporteerd in *De man van zes miljoen*.

De botergele kasjmier trui van de laatste ceremonie was vervangen door een blauw overhemd en blauwe blazer, zonder das. Chris had zijn hand in de zak van zijn zijdeachtige kaki pantalon gestoken, waardoor de nonchalante country club look werd benadrukt.

De presentator kwam naar Samantha, Rose, Vanessa en mij

toe en vroeg ons of we er klaar voor waren.

We gingen in een rijtje bij de schouw staan terwijl Holly rustig de tijd nam en ervoor zorgde dat de camera's en Chris haar van elke hoek konden zien.

'Vanavond zullen weer twee van jullie ons verlaten,' begon Pierre. 'Ik weet dat Chris een, eh, zeer interessante ervaring heeft gehad bij zijn afspraakjes met jullie gedurende de afgelopen week. En nu de afspraakjes van deze week achter de rug zijn, zal Chris met de kaarsceremonie beginnen.'

'Wat zal ik zeggen? Ik heb me enorm vermaakt deze week, en nu ik meer tijd met jullie heb kunnen doorbrengen is het vandaag nog moeilijker. Ik hoop dat de twee van jullie die vanavond niet gekozen worden begrijpen dat het niet gemakkelijk is geweest.'

Pierre overhandigde Chris zijn kaars.

Vijf kaarsen wachtten tot hij dichterbij zou komen. Na Roses kaars als eerste te hebben aangestoken, kwam Chris naar mij toe. Wat betekende dat er van de drie vrouwen die naast me stonden er slechts één vanavond in onze limo mee terug naar de bungalow zou rijden.

Ofschoon ik wist dat Vanessa niet met de bachelor wilde trouwen, hoopte ik toch dat Chris haar zou uitkiezen; niet omdat zij dat zo graag wilde, maar omdat ik me het programma zonder haar niet kon voorstellen.

Maar toen Chris naar rechts liep zag ik hem glimlachen naar Samantha, een warme glimlach die betekende dat zij zijn volgende keus was.

Nadat hij Samantha's kaars had aangestoken, haalde Chris diep adem en liep terug naar de presentator.

Toen ik mijn blik op Vanessa wilde richten zag ik Holly. En ze was pisnijdig. Godzijdank had ze haar kant-met-leer ensemble niet gecompleteerd met een karwats, anders had ze Chris vast een afranseling gegeven.

Vanessa liep door de kamer en gaf haar kaars aan de presentator. Ze zei Chris gedag en liep met opgeheven hoofd naar de deur. Holly was niet zo beschaafd om Vanessa te volgen en stak Pierre in plaats daarvan bijna neer met haar kaars zonder Chris verder te bekijken.

Chris was blijkbaar niet tegen de situatie opgewassen geweest en had gevonden dat hij dronken worden en kotsen niet over het hoofd kon zien. Of misschien was hij gewoon tot het besef gekomen dat Holly dat onnozele kreng was met wie we in de afgelopen weken allemaal hadden moeten leven. Ergens diep in me, heel diep in me, had ik medelijden met Holly.

Had ik medelijden genoeg dat ik met haar wilde ruilen? Mooi niet.

'Samantha. Sarah. Rose.' Pierre knikte ons toe bij het noemen van onze naam. 'Deze week gaan jullie elk twee dagen met Chris op stap. We hebben aparte kamers voor jullie geboekt in drie romantische bestemmingen, of jullie ervoor kiezen beide kamers te gebruiken of de nacht samen door te brengen is aan jullie.'

De presentator trok zijn wenkbrauwen naar ons op alsof hij probeerde te bepalen wie zich als slet zou gedragen en keek toen Chris aan in een geestelijk saluut.

Toen Samantha, Rose en ik terugkwamen in de bungalow troffen we Holly aan die onbehouwen met haar bagage aan het slepen was, waarbij de metalen pootjes van de koffer een krijsend geluid op de stenen vloer maakten.

'Hé, Holly, ze helpen je daar wel mee, hoor,' zei Samantha tegen haar terwijl ze Holly ontweek als een matador die een razende stier ontloopt.

Holly snoof luidruchtig en vervolgde haar krijsende pad over de vloer.

Rose haalde haar schouders op.

'We zullen jullie vreselijk missen.' Rose legde voorzichtig haar hand op Holly's schouder.

Nou ja, Vanessa zouden we in ieder geval missen.

'Hij kan doodvallen,' snauwde Holly zo kwaadaardig dat zelfs ik verbaasd was. 'Denk maar niet dat ik die vent niet kan krijgen. Geef me zes maanden, dan ben ik bezig de bruiloft te plannen.'

Holly greep met witte knokkels de deurknop beet, rukte de voordeur open en schopte haar tassen de trap af.

'Doei.'

We keken gedrieën toe hoe Holly naar de limo stormde en de chauffeur opdracht gaf haar bagage in te laden.

Holly's zuidelijke charme was net zo koud en donker geworden als haar kaars, maar ze was absoluut niet verdrietig dat ze
Chris moest verlaten, ze was woedend dat ze niet naar huis ging
met een trouwring. Ik draaide me om in de richting van Vanessa's kamer en liep de gang in.

Ik maakte me geen zorgen over Holly; het zou wel goed komen met haar. Ze zou een man ontmoeten die aan haar eisen zou
voldoen en haar droom een country club echtgenote te worden
zou in vervulling gaan. Vrouwen als zij kwamen altijd weer op
hun pootjes terecht. Zelfs als ze daarvoor onderweg op de tenen
van anderen moesten staan.

'Heb je hulp nodig?' Ik zag Vanessa zes paar schoenen oppakken en die in haar tas laten vallen.

'Nee, ik ben bijna klaar.'

'Gaat het goed met je?'

'Weet je wat me het meeste dwarszit?' Vanessa keek naar me
op; een zwarte pump met enkelbandjes bungelde aan haar vinger. 'Dat zij het net zo lang heeft volgehouden als ik.' Vanessa
wees naar de kamer van Holly, die naast de hare lag.

'Dat moet je niet zeggen. Jullie zijn volkomen verschillend. Ik
weet zeker dat Holly poeslief was tegen Chris. Hij had er waarschijnlijk geen idee van dat ze zo'n kreng is.'

'Je zult wel gelijk hebben,' concludeerde Vanessa en ze deed
een paar stappen naar me toe tot ze voor me stond. 'Al heb ik de
bachelor niet in de wacht gesleept, toch denk ik dat ik een nieuwe vriendin rijker ben geworden.'

'Niet gewoon een vriendin, Vanessa. Een fan.'

Ik hielp Vanessa naar de wachtende limo, waar Holly al in
weggedoken zat, die waarschijnlijk verbitterd de alcoholische inhoud van de kristallen wijnkaraffen zat te drinken.

We omhelsden elkaar nogmaals voordat de chauffeur het portier openhield en tegen Vanessa zei dat het tijd was om te vertrekken. Toen de limo wegreed liet ze haar raampje zakken en
stak haar hoofd naar buiten.

'Veel geluk, *lover girl*!' schreeuwde ze me toe, terwijl ze liet
zien dat ze voor me duimde. Toen de auto uit het zicht verdween
zwaaide ik haar na met mijn rechterhand, terwijl ik in gedachten
ook duimde.

Twee dagen op stap met Chris. Een man. Niet mijn echtgenoot. Ik hield nu niet alleen meer een kaars vast. Ik speelde nu met vuur.

19

'Oké, je hebt nu bewezen dat je het kunt. Kom naar huis.'

'Naar huis?' Ik was in mijn kast aan het zoeken naar kleding die geschikt was voor mijn tochtje naar Sedona. Ik had bedacht dat ik Jack moest vertellen dat ik wegging, voor het geval er iets met Katie zou gebeuren en hij me telefonisch moest bereiken. 'Hoe bedoel je, naar huis komen?'

'Je gaat me toch niet vertellen dat je van plan was weg te gaan met die kleine bacchus.' Jacks stem klonk koud en hard.

'Het heet de bachelor. En zijn naam is Chris,' wees ik hem terecht. Alweer.

'Het interesseert me geen bal hoe hij heet. Het spel is uit, Sarah. Ik heb mijn best gedaan de begrijpende echtgenoot te spelen, maar je geeft me het gevoel dat ik een onnozele hals ben, terwijl jij in Californië rondfladdert en je voordoet als iemand anders.'

Ik deed me niet anders voor, ik gedroeg me nu eindelijk zoals ik was! Begreep Jack dat niet? Ik was niet zomaar een of andere schrijfster in spe die de hele dag thuis zat en voor zijn dochter zorgde. Was hij dat vergeten?

'En wat moet ik dan doen met de reden waarom ik hier ben?' Ik draaide me om en liep naar het raam, waar de wind een palmblad tegen het glas liet tikken.

'Doe me een lol. Je bent er nu al vier weken. Je verhaal moet nu zo langzamerhand wel af zijn.'

'Maar het programma is nog niet afgelopen.'

'Voor jou wel.'

'Als je niet wilde dat ik het zou doorzetten, waarom zei je dan dat ik het erop moest wagen?'

Jack aarzelde even. 'Ik had niet gedacht dat je het zo lang zou volhouden.'

'Je hebt wel een enorm vertrouwen in me.'

'Nou, jouw gebrek aan respect voor mij is ook een beetje over-donderend.'

'Ik heb verantwoordelijkheden,' zei ik, niet van plan me op mijn kop te laten zitten.

'Je hebt hier thuis ook verantwoordelijkheden.'

'Ik ben je personeel niet, Jack. Je kunt me geen opdrachten geven.'

Jack ademde luidruchtig uit. 'Mooi is dat, Sarah. Ik wist niet dat het zo'n opoffering voor je was om thuis te zijn.'

Een opoffering. Mijn gedachten flitsten naar Dorothy en wie ze was en wat ze niet wilde opgeven voor een relatie.

Het bleef stil op de lijn terwijl we allebei wachtten tot de ander iets zou zeggen, alsof degene die het het langst volhield zou winnen. Ik kon Jack weer in het mondstuk horen ademen.

Ik kon niet weggaan. Nog niet. De inzet was te hoog geworden.

'Ik moet hier blijven, Jack,' zei ik, het als eerste opgevend.

'Prima. Blijf maar.'

De dreun waarmee de telefoon op de haak werd gesmeten resoneerde in mijn oor tot er alleen nog stilte aan de andere kant van de lijn klonk.

Ik klapte mijn mobieltje dicht en smeet hem met zoveel kracht op het bed dat hij twee keer stuiterde voordat hij op een kussen bleef liggen. Wie dacht Jack wel dat hij was, mij een beetje bevelen om thuis te komen? Was ik zo machteloos geworden, was ik de macht kwijtgeraakt over mijn eigen beslissingen? Jack had me duidelijk gemaakt dat hij me beschouwde als een huishoudelijke kracht die de taak had te zorgen dat zijn leven gladjes verliep, terwijl Chris me zag als de begeerlijke, interessante vrouw die ik in de afgelopen jaren had laten wegkwijnen. Aan welke versie van mezelf gaf ik de voorkeur? Dat was niet zo moeilijk.

Ik zou Jack een poepie laten ruiken. Hem stond een verrassing te wachten, zijn gemakkelijke leventje zou vol obstakels blijken te zijn.

'Wat is het hier mooi, hè?' Chris duwde zijn neus naast de mijne tegen het raampje.

'Nou,' beaamde ik, met mijn blik op de bergen en rotsen die opdoemden naarmate we onze daling naar Flagstaff inzetten. 'Het ziet eruit als iets uit zo'n oude western.'

Nadat de wielen de grond hadden geraakt en we naar het hoofdgebouw van het vliegveld waren getaxied, werd de trap van de Gulfstream Jet naar beneden gelaten en waaide er een vlaag droge lucht uit Arizona de cabine in.

'Denk eraan, het is droge hitte.' Chris bukte in de deuropening om zijn hoofd niet te stoten, nam mijn hand en hielp me op de steile trap die buiten ontvouwd werd.

'Maakt dat nog iets uit als het eenmaal warmer dan veertig graden is?'

'Nou, ik vertel je alleen wat ik op de weerzender heb gehoord. Wat mij betreft is hitte gewoon hitte.'

'Zo warm is het hier eigenlijk niet,' zei Joe tegen ons, achter mij aan de trap afkomend. 'Het is meer een bosgebied dan een woestijn, je hebt het over Phoenix.'

'Ben je hier al een keer geweest?'

'Op een filmset, een paar jaar geleden.'

Ze hadden voor ons een huisje met twee slaapkamers geboekt in het Enchantment Resort, een politiek correcte manier voor het programma om ons op neukafstand van elkaar te zetten zonder dat er eisen gesteld werden. De inrichting van het huisje had het zuidwesten van de Verenigde Staten als thema, waardoor de indruk van ruige grootsheid werd gewekt; van grof geweven kleden met felle kleuren en indiaanse symbolen die op de hardhouten vloer verspreid lagen tot de gestuukte plafonds die met rondingen waren afgewerkt en de zichtbare houten balken. In het midden van onze enorme zitkamer bevond zich een ronde open haard, waarvan de vrouwelijke rondingen houtblokken bevatten en waar in het midden een hoog vuur oplaaide.

Terwijl de piccolo onze bagage naar onze respectievelijke kamers bracht, inspecteerde ik een van de drie zonnewaranda's die naar buiten leidden. Het uitzicht was adembenemend. Grillig gevormde rode rotsen staken uit de aarde als vingers die de saffierblauwe lucht wilden aanraken.

'Wauw,' zei Chris vol ontzag toen hij bij me kwam staan met twee glazen rode wijn in zijn handen. 'Ze zeggen dat dit gebied allerlei magische krachten in zich heeft.'

'Het heeft in ieder geval de macht om je te bekoren,' zei ik instemmend, turend naar de eeuwenoude rotsformaties die ooit het thuisland van de Apaches hadden gevormd.

'Dat doet mijn gezelschap ook,' zei Chris, die me mijn glas overhandigde.

Ik liet mijn vingers suggestief over zijn hand glijden toen ik het glas aanpakte.

'Heb je het tuinbad in de hoofdslaapkamer gezien? Een van de muren van de slaapkamer is geheel van glas, zodat het lijkt of je onderdeel van het landschap bent.'

'Wat? Geen jacuzzi?'

'Volgens mij is het hier een klasse beter,' zei hij.

Ons onderkomen was niet het enige wat een klasse beter was. Ofschoon ik de piccolo had verzocht mijn bagage in de tweede slaapkamer te zetten, bestond de onuitgesproken mogelijkheid dat we samen de nacht zouden doorbrengen. Bij onze vorige afspraakjes hadden we de mogelijkheid gehad om te vrijen op het strand of de bank. Maar deze omgeving suggereerde een prelude tot seks.

'En, waar heb je zin in?' vroeg hij, terwijl hij voorzichtig zijn arm om mijn schouder legde. 'Paardrijden?'

'Dat meen je toch niet? Ik kan nog steeds niet helemaal goed lopen na die rit van vorige week. Wat dacht je van een potje tennis?'

'Dat zou je wel willen. Is het niet genoeg voor je dat onze eerste, vernederende wedstrijd op de tv zal komen zodat miljoenen mensen het kunnen zien?'

'Eenmaal winnen is nooit genoeg. Of zullen we naar het zwembad gaan?'

'Ik had nooit gedacht dat ik dit nog eens zou zeggen, maar ik heb mijn buik vol van zwembaden.'

'Je gaat me toch niet vertellen dat we nu al niets meer kunnen verzinnen om samen te doen?'

'Niets is voor eeuwig...'

'Een stukje fietsen dan?' stelde ik voor.

'Perfect.'

Ik reed achter Chris aan over een smal zandweggetje. De weg

slingerde zich over een beboste berg en op sommige gevaarlijke punten had ik al mijn aandacht nodig om niet van het talud af te glijden, dat diende als de natuurlijke begrenzing van het pad.

'Je hebt hier een prachtig uitzicht,' riep Chris achterom zonder zich om te draaien.

Dat heb je zeker, dacht ik, genietend van het uitzicht op zijn volmaakte billen in zijn korte broek.

Toen Chris zwoegend de helling opreed, leken zijn dijen reliëfkaarten – zijn stevige spieren zwollen op door de inspanning, benadrukt door de bijbehorende holtes van zijn benen waardoor de volgende golf van opzwellende spieren nog krachtiger leek.

'Denk je dat we ze kwijt kunnen raken?' vroeg Chris, over zijn schouder kijkend naar twee cameramannen die probeerden ons te filmen zonder van hun mountainbikes af te vallen.

'We zullen ons best doen.' Mijn stem haperde toen mijn wielen over de stenen reden die op het pad verspreid lagen.

'Ik tel tot drie, ...een... twee... drie!'

Onze voeten kwamen snel in beweging en onze banden wierpen stofwolken op toen we in een noodvaart heuvel opwaarts fietsten.

'Zijn ze weg?' riep hij ademloos.

Ik draaide me om en zag alleen nog mosgroene bomen en rode rotsen achter ons.

'Ze zijn niet meer te zien.'

'Mooi. Laten we een vlak stukje zoeken en even uitrusten.'

Ongeveer vijftig meter verderop kwamen we bij een verzameling gladde, vlakke rotsen en dankbaar sprongen we van onze fiets af. Chris liet zich op een van de rotsen vallen en draaide de dop van zijn waterfles, gulzige slokken nemend tot hij even moest stoppen om adem te halen.

Ik liet mijn brandende benen op de rots naast hem zakken en zocht in mijn tas naar mijn eigen waterfles. De druppels zweet parelden op mijn borst en het dunne katoenen t-shirt van Chris plakte tegen zijn lichaam. Ik haalde diep adem en kon de muskusachtige geur ruiken van het zweet dat uit zijn huid sijpelde. Hij rook mannelijk, sterk, ruig.

Chris hield zijn waterfles omhoog en goot het overgebleven vocht over zijn hoofd uit, schuddend met zijn doorweekte haar als een hond die net uit het water komt. 'Dat was heerlijk.'

Ik hief mijn hoofd op naar de brandende zon en liet de hitte door mijn tintelende spieren trekken. Door de warme energie voelde ik me als herboren, werd ik me meer bewust van mijn bonzende benen en armen en werd ik overvallen door een sterker lustgevoel dan ik ooit had ervaren, het verlangen de leiding te nemen.

Ik draaide me naar Chris, legde mijn handen tegen zijn borst en duwde hem met kracht tegen de rots. Mijn lichaam volgde het zijne en mijn handen landden op het koele, harde rotsoppervlak toen ik hem klem zette met mijn armen. Ik liet me op hem zakken, ons zweet vermengde zich tot we als het ware met elkaar versmolten en ik duwde mijn lippen op de zijne.

Chris reageerde teder en hield mijn hoofd vast, ons bij elkaar houdend toen onze lippen zich van elkaar losmaakten en onze tongen elkaar raakten. Ik liet me met mijn volle gewicht op hem vallen, leidde zijn hand onder mijn topje en legde zijn hand op mijn borst. Ik boog naar achteren en liet mijn borst voller worden door het strelen van zijn vingers en mijn tepel trok zich samen en richtte zich op om zich door hem te laten aanraken.

In de afgelopen vier weken waren de vernislagen van huwelijkstrouw en moederschap afgepeld als een ui en was er alleen nog de ontvankelijke kern overgebleven, die overgevoelig was. Elke zenuw in mijn lichaam was aan de oppervlakte gekomen en verhoogde mijn gevoelens en opwinding zoals ik dat niet meer had ervaren nadat Jack en ik in het begin elkaars naakte lichaam zo voorzichtig hadden verkend.

'Hé, kap er eens mee, de camera's staan niet eens aan,' pufte Joe, happend naar adem, zijn fiets voortduwend met een andere cameraman achter zich aan die de draaiende camera al op zijn schouder had gehesen om ons te filmen. 'Arnie zal verdomme een hartverzakking krijgen als we iets missen.'

Ik draaide om en keek Joe aan, waarbij slierten van mijn haar tegen Chris' wangen vielen.

'Dat was niet grappig, weet je. Dankzij die paar momenten rust van jullie moeten wij nu Arnie en Sloane aanhoren, die ons zullen uitkafferen omdat we jullie hebben laten ontsnappen.' Joe liet zijn fiets op de grond vallen toen de andere cameraman dichterbij kwam.

Ik rolde vlug van Chris af en we gingen allebei zitten.

'Kunnen we nu teruggaan?' smeekte de andere cameraman. 'Mijn armen doen onwijs veel pijn.'

We sprongen van de rots af en pakten onze fiets.

De rood aangelopen cameraman slaakte een zucht van verlichting en porde Joe in de ribben. 'We moeten tegen Arnie zeggen dat we volgend seizoen geen mountainbiking willen.'

'Hoe kwam dat zo opeens?' vroeg Chris met gedempte stem en zijn rug naar de cameramannen gekeerd.

'Hoezo? Overviel ik je?'

'Dat kun je wel zeggen.'

Ik zwaaide mijn benen over de stang en ging op het zadel zitten, klaar om met Chris de berg af te razen.

'Mooi zo.'

Ik bekeek kritisch het spiegelbeeld van de gebruinde, ontspannen blondine die in volle lengte in de spiegel op de badkamerdeur te zien was, innerlijk even stilstaand bij mijn oudroze bh en string van La Perla, iets heel anders dan de katoenen Hanes slipjes die ik thuis droeg. Ik zoog een diepe, reinigende teug lucht naar binnen, in de hoop dat ik hiermee de moed zou inademen die ik nodig had om de nacht door te komen. Ik keek toe hoe mijn ribbenkast omhoog kwam en omlaag, waarbij mijn borsten eerst voller werden en dan weer inzakten tot hun normale hangende positie van een vrouw die borstvoeding heeft gegeven.

Moed. Was dat wat je nodig had om je echtgenoot te kunnen bedriegen? Of was er iets voor nodig wat niet zo goed in woorden gevat kon worden, meer de afwezigheid dan de aanwezigheid van iets. Ik moest de touwtjes in handen nemen om iemands onverdeelde aandacht naar me toe te trekken en te bewijzen dat ik die kon vasthouden, zelfs als dat betekende dat ik een roekeloze daad zou begaan.

De zelfverzekerde, agressieve, levendige vrouw die ik was geworden bij het versieren van de bachelor gaf me het gevoel dat ik leefde, als een beer die uit zijn winterslaap komt en zintuigen ontdekt die in slaap waren gesust; het zien van schitterend licht en prachtige kleuren, geluiden die zowel prikkelend als beangstigend waren voor oren die nog steeds moesten wennen aan onbekende geluiden, en geuren die herinneringen deden ontwaken die waren opgeslagen voor toekomstig gebruik.

Toen ik aan onze fietstocht van vanmiddag dacht kon ik me nauwelijks herinneren hoe het voelde om Chris te zoenen, maar stond het me nog helder voor de geest hoe het voelde om de bachelor te verleiden. Die kus was niet ontstaan uit een onbedwingbare behoefte om Chris aan te raken. Het kwam door een overweldigend verlangen me te voelen als de Sarah die ik was kwijtgeraakt.

Ik liet de zijdezachte jurk over mijn hoofd glijden en liet de met stroken afgezette zoom tegen mijn knieën vallen. Het kanten ondergoed was niet te zien onder de koperachtig glanzende jurk. Ik boog me voorover, schudde mijn haar uit en gooide het achterover, waarbij de lichtblond gekleurde lokken wanordelijk over mijn rug vielen. Ik keek nog eenmaal in de spiegel voordat ik de badkamerdeur opendeed en twee keer tegen de houten lijst klopte om geluk over me af te roepen.

'Dat was heerlijk. Ik had nog nooit kwartel gegeten.' Ik kneep mijn ogen toe en keek omhoog naar de met sterren bezaaide hemel, waardoor de schitterende witte spikkeltjes vervaagden tot wazige, vormeloze vlekken. Nadat we samen een fles wijn hadden gedronken en na de maaltijd nog twee drankjes hadden genomen, was het niet meer zo moeilijk alles omfloerst te zien. Ik was niet zo dronken als Holly geweest was, maar ik was beslist een beetje aangeschoten.

'Ik heb mijn trek bewaard voor het nagerecht,' murmelde Chris, die achter me stond en zijn mond tegen mijn hals hield.

Die tekst klonk vagelijk bekend. Ik had iets dergelijks gezegd tijdens mijn laatste nacht met Jack.

Jack. Het gevreesde, vierletterige woord dat ik de afgelopen vierentwintig uur had weggestopt gaf me nu een steek door mijn hart, waardoor ik bijna naar adem hapte. Ik kneep mijn ogen dicht en schudde het hoofd, in de hoop hem uit mijn gedachten te kunnen verdrijven. Ik wilde er niet aan denken. Jack was duizenden kilometers bij me vandaan. Chris was hier.

'Ga lekker bij de open haard zitten en ontspan je. Ik kom zo terug met een nieuwe fles wijn.'

De peervormige terracotta haard wierp een warme gloed op de waranda, waar de scherpe geur van de *mesquite*-boom omhoogdreef en vervaagde in de koele avondlucht.

'Ik zie dat je je plekje op de ligstoel weer hebt gevonden.' Chris gaf me een glas wijn en kwam naast me zitten.

'Ik heb nog nooit zoveel tijd op een ligstoel doorgebracht, tenzij je de zomer meetelt na de achtste klas van de lagere school, toen ik plaatsvervangend strandwacht was.' Ik bracht het glas naar mijn lippen.

'Ik weet wat je bedoelt. Al dat uitgaan en vakantie vieren... ik weet straks niet meer hoe ik moet functioneren als ik weer aan het werk ga.'

'Werk? Wat is dat?' zei ik met gespeelde onschuld.

Chris lachte. '"Geluk is afhankelijk van ontspanning." Dat heeft Aristoteles gezegd.'

Natuurlijk had hij dat gezegd. Maar hij vergat erbij te vermelden dat de hoeveelheid vrije tijd die je hebt afhangt van het aantal mensen dat van jou afhankelijk is.

'Heeft hij nog de moeite genomen uit te leggen hoe je aan die vrije tijd kunt komen?'

'Helaas niet. In die tijd was dat niet zo moeilijk, denk ik. Weet je nog hoe je je voelde als kind, dat je altijd klaagde dat je je verveelde, al had je kasten vol met spelletjes en speelgoed?' Chris pakte de fles wijn en vulde onze glazen bij. 'Het lijkt me heerlijk alleen maar tijd te hebben voor de dingen die ik wil doen. Misschien zijn kinderen daarom altijd zo blij, door al die vrije tijd.'

Ik liet mijn vinger langzaam over de rand van mijn glas glijden en dacht aan de laatste keer dat ik me echt gelukkig voelde. Werkelijk gelukkig, als je jezelf even stilzet en je ogen dichtdoet en probeert dit gevoel in je herinnering op te slaan zodat je het niet zult vergeten. Dat gebeurde ongeveer een maand na Katies geboorte, op een zondagochtend in maart. Toen Jack en ik wakker werden bleek de bevroren aarde bedekt te zijn met een deken van sneeuw. Toen hij de voordeur had opengedaan om de krant te pakken ontdekte hij de bijna vijftien centimeter hoge, natte sneeuw, die door de vroege lentezon al aan het smelten was. We besloten onze jas en handschoenen aan te trekken en een pet op te doen en te gaan wandelen met Katie. Ik pakte Katie in en stopte haar in haar draagzak zodat ze lekker warm tegen mijn borst zou liggen, trok een oud ski-jack van Jack aan en ritste de boel dicht. De sneeuwploeg was nog niet uitgereden om de maagdelijke witheid op te ruimen en het was bijna onmogelijk de voortuinen van de straat te onderscheiden. Daar liepen we met z'n drietjes en de verse sneeuw dempte elk geluid, net als katoen, waardoor er een stilte hing die bijna een vacuüm was. Jack en ik liepen hand in hand te praten terwijl Katie binnen in mijn jas in slaap viel, zuigend op haar geballe vuistje. Ik herinner me dat ik naar Jack keek en zag hoe rood zijn wangen waren, hoe helder hij uit zijn ogen keek en hoe aanbiddelijk hij eruitzag met zijn flanellen pyjamabroek in zijn Timberland laarzen gestopt. Er was niemand buiten, alleen ik, mijn echtgenoot en onze slapende baby. Ik werd doorstroomd door een geluksgevoel dat zo intens was dat ik stil bleef staan en me niet bewoog tot Jack aan mijn handschoen trok en me tegen zich aan trok. En we omhelsden elkaar, we verwarmden elkaar met onze lichamen en adem terwijl onze rug gekeerd was tegen de snerpende winterkou.

'Hallo, ben je daar nog, Sarah?' Het geluid van Chris' stem bracht me weer terug in Sedona. 'Weet je, ik vond dat het resort de dichterlijke vrijheid wel wat ver had gevoerd met zo'n naam, maar het lijkt hier echt wel betoverd.'

'Het is bijna te mooi om waar te zijn. Ik verwacht half de bergen en hemel opzij te zien schuiven, weggetrokken door een vrachtwagen, als op een filmset, om dan een vlak paneel te zien dat een decorontwerper heeft geschapen om onnozele kijkers te misleiden.'

Het sneeuwlandschap op die ochtend in maart was zo mooi als welke ontwerper dan ook had kunnen verzinnen, maar was allesbehalve vlak. Op het moment dat Jack en Katie en ik elkaar zo vasthielden voelde ik de emoties door me heen tuimelen – angst, vreugde, dankbaarheid, ongeloof, verrukking, liefde. En in die hoeveelheid emoties overheerste een geluksgevoel dat alle andere emoties overstemde.

'Joe zei dat hij hier op een filmset heeft gewerkt. Ik vraag me af van welke film,' zei Chris met trage stem, terwijl hij zijn hand voor zijn mond hield en probeerde zijn gapen te onderdrukken. 'Welke productie het ook was, ik weet zeker dat die het niet haalde bij de werkelijkheid.'

Ik liet mijn zware hoofd tegen het dunne nylon kussen van de ligstoel rusten en staarde naar de hemel in een poging te zien waar die eindigde. De diepte van die nachtelijke hemel kon onmogelijk nagebootst worden. Net zo min als een televisieprogramma in staat zou zijn de opeenvolging van gebeurtenissen na te bootsen die twee mensen samen moesten beleven om de diepte en variatie van emoties te ontwikkelen die in een echt huwelijk een rol speelden. De verscheidenheid aan gevoelens die ik voor Jack had was zo oneindig als de woestijnlucht, net zo complex en even simpel.

De onbekende geur van brandende mesquite drong mijn neusgaten binnen terwijl ik me afvroeg wat Jack op dit moment aan het doen was. Keek hij op naar de hemel boven Chicago? Zag hij die ster naar ons knipogen, die ons zijn geheim verklapte, dat we, hoe ver we ook van elkaar verwijderd waren, altijd de weg terug zouden kunnen vinden, als we ons maar herinnerden waar we waren begonnen?

'Ik ben moe.'

'Wil je naar binnen?' vroeg Chris, die mijn hand pakte en zich omdraaide om me aan te kijken. 'Mijn slaapkamer is achter die glazen deuren.'

Ik trok mijn hand terug en liet die op mijn buik rusten. 'Nee, liever niet. Ga jij maar vast, oké?'

'Goed.' Chris stond op en bleef nog even staan, alsof hij verwachtte dat ik van gedachten zou veranderen, en liep toen weg.

Ik deed mijn ogen dicht om mijn zware oogleden rust te geven en luisterend naar mijn ademhaling viel ik langzaam in slaap.

'Sarah,' zei Chris zachtjes, terwijl hij voorzichtig aan mijn schouder schudde. 'Sarah, word wakker.'

Ik kreeg met moeite mijn ogen open en zag gouden vonken gloeien in de open haard. Het vuur was al lang uitgegaan.

'Het is bijna zeven uur 's morgens. Je bent in slaap gevallen.'

'Ik heb dorst,' zei ik, terwijl ik rechtop ging zitten.

'Ik ook. Heb je zin in een ontbijtje? Zal ik gewoon wat sinaasappelsap en eieren bestellen of wil je iets avontuurlijkers?'

'Doe maar een gewoon ontbijt. Volgens mij heb ik nu wel genoeg avonturen beleefd.'

20

*T*oen ik door de voordeur van de bungalow kwam, hoorde ik twee stemmen uit de zitkamer komen.

'Holly? Jezus, Arnie, denk je nou echt dat we acht afleveringen met haar kunnen vullen?'

'Kom nou, ze is het perfecte wijfie, ze is filmgeniek.'

'Ik maak me geen zorgen over hoe ze eruitziet. Ik denk niet dat ze goed genoeg is om het programma te dragen, ze heeft geen hersens en integriteit.'

Arnie zuchtte. 'Oké. Ik zal kantoor bellen en zeggen dat ze iemand anders moeten zoeken.'

'Wat is er aan de hand?' vroeg ik Sloane, terwijl ik mijn bagage in de hal liet staan.

Ze draaide zich geschrokken om op de lage hakken van haar gestrikte sandalen en keek me aan.

'O, niks. Gewoon een ideetje voor een spin-off: *Het Wijfie*.'

'En Arnie wil dat Holly het wijfie speelt?'

Sloane sloeg haar ogen ten hemel voordat ze op haar klembord keek en met haar Montblanc-pen aantekeningen begon te maken. 'Dat zal niet gebeuren. Wees daar van overtuigd.'

De geringschattende toon van haar stem irriteerde me. Het programma zou over een week worden afgerond en ik had genoeg van Sloane Silverman.

'Sloane, waarom kijk je zo op ons neer?' Ons? Was ik echt een van hen geworden?

'Ik kijk niet op je neer, Sarah.'

'Waarom maak je dan steeds van die minachtende opmerkingen? En dat gedoe met die vervelende verborgen camera's. En ons namaak-Stepfordvrouwen noemen en dat soort ongein?'

Sloane keek me aan voordat ze verder ging. 'Sarah, ik refereerde daardoor aan het feit dat jullie allemaal zo bang waren je ware aard te tonen, en al die beleefde gesprekjes en nepglimlachjes. Dit programma gaat over vrouwen, niet over barbiepoppen.'

'Waarom doe je dan net alsof je een hekel aan ons hebt?'

'Ik heb geen hekel aan jullie. Eigenlijk benijd ik jullie.'

'Je benijdt ons?'

'Ja. Ik benijd jullie omdat jullie keuzen hebben.'

'Wat voor keuzen? Er is maar één bachelor.'

'Ik heb het niet alleen over het programma, Sarah. Toen ik een jaar of twintig was, meer dan vijfendertig jaar geleden, hadden de vrouwen niet zoveel mogelijkheden. We hadden geen carrière. Er gingen slechts een paar van ons naar de universiteit, en nog minder gingen medicijnen studeren of volgden managementopleidingen. Er werd van ons verwacht dat we zouden trouwen en de rest van ons leven voor andere mensen zouden zorgen. En dat is prima, als je dat gelukkig maakt. Maar jullie hebben tenminste het recht om het leven te kiezen waardoor je gelukkig wordt.'

'Maar jij hebt een prachtige carrière.'

'Laten we even eerlijk zijn, Sarah. Ik produceer *De Bachelor*, niet echt een wereldprogramma.'

'Maar je hebt het gemaakt in een industrie waar weinig vrouwen vóór jou zijn geslaagd.'

'En ik had Arnie. Ik was zijn vrouw, dus in het begin tolereerden de mensen me gewoon en vonden ze het lief dat ik bereid was achter hem aan te sjokken terwijl hij werkte.'

'Maar je sjokte helemaal niet achter hem aan, hè?'

'Ben je gek. Arnie had de ambitie, maar ik had de hersens. Begrijp me niet verkeerd. Hij heeft deuren voor me geopend. Zonder hem zou ik nooit zover gekomen zijn, en dat wist ik bij voorbaat. Ik had hem nodig, maar ik...'

'Waarom doe je dan zo'n programma als dit?'

'Het is niet aan mij om jou of de vrouwen in het programma te beoordelen. Zij weten in ieder geval wat ze willen en hebben het lef daarvoor te gaan, zelfs al gaat het in dit geval om een echtgenoot. Het is misschien niet mijn droom, maar het is tenminste wel hun keuze.'

Arnie verscheen in de deuropening van de keuken met een mobieltje aan zijn oor. Hij gebaarde naar Sloane dat ze bij hem moest komen.

'Ik moet maar even gaan kijken wat er aan de hand is.'

'Hé, Sloane, heb je er weleens aan gedacht Joe als de volgende bachelor te nemen?'

Sloane bleef even staan en grinnikte. 'Dat zou geen tv zijn, Sarah. Dat zou meer de werkelijkheid zijn.'

Sloanes woorden bleven in de lucht hangen, lang nadat ze met Arnie de keuken in was gelopen. Ze had gelijk. Ik had keuzen. Dat was ik bijna vergeten. Jack en ik hadden het grote plan ontwikkeld over hoe ons leven zou moeten zijn, voordat ik zelf had bedacht wat ik wilde. En ergens was ik daartegen in opstand gekomen, omdat ik mijn rol moest spelen in een plan dat ik maar half bewust had gemaakt. Maar ik had ervoor gekozen me neer te leggen bij dat plan en droeg evenveel verantwoordelijkheid voor de stand van zaken. Hoezeer ik het Jack ook kwalijk nam dat ik me nu zo voelde, hij had niet iets van me afgepakt wat ik niet vrijwillig had opgegeven.

Ik was zo druk bezig met het redigeren van mijn artikel dat ik nauwelijks tijd had eraan te denken dat Chris weg was vanwege zijn tweedaagse tripjes met Rose en Samantha. Nadat de vorige drie ideeën voor het artikel op een mislukking waren uitgelopen moest ik veel tijd inhalen. Mijn gesprek met Sloane had me een nieuw idee opgeleverd, dat volledig anders was dan wat Suzanne wilde, maar met een invalshoek die bij het tijdschrift zou passen. Tenminste, dat hoopte ik.

Zondagavond had ik de definitieve versie af en legde ik mijn aantekenblok voorgoed weg. Ik kon het Suzanne nog niet vertellen, want het kantoor van *Femme* was gesloten vanwege het weekend. Ik had haar natuurlijk best thuis kunnen bellen, maar dat had eigenlijk weinig zin. Ik kon net zo goed nog een dag blijven; de enige beschikbare vlucht was een nachtvlucht terug naar Chicago, en door te blijven zou Suzanne denken dat ik erg mijn best had gedaan omdat ik ook nog de vijfde kaarsceremonie zou meemaken. Trouwens, het risico dat Chris me zou uitkiezen bestond niet meer. Ik meende dat ik mijn lot bezegeld had door in Sedona niet met hem naar bed te gaan.

Tijdens ons eenvoudige ontbijt was er een bijna onmerkbare verandering opgetreden. We gaven alleen nog antwoord op elkaars vragen en verontschuldigden ons als onze handen elkaar per ongeluk raakten toen we tegelijk de boter wilden pakken. Onze interactie, ooit elektrisch geladen, ontbrak het aan de vonken die ons oplettend hielden en alert op de tekenen dat we allebei het spel nog speelden. Tijdens de reis terug naar Californië was niet te merken dat Chris teleurgesteld was, maar ik vroeg me toch af of hij niet liever had willen scoren dan de nacht alleen door te brengen.

Op maandag kwamen Samantha, Rose en ik voor het eerst die week weer bij elkaar toen we op de trap van onze bungalow op de limo stonden te wachten die ons naar de vijfde kaarsceremonie zou brengen.

'Hebben jullie leuke dingen gedaan?' vroeg ik toen we de vertrouwde zwarte wijfiesauto aan zagen komen rijden over de oprijlaan.

Ze zagen er allebei mooi uit en hadden dunne zonnejurkjes aan; die van Rose oudroze met bloemetjes en die van Samantha lichtoranje.

'Het was het einde, wat een belevenis. Ik was nog nooit op Hawaï geweest.' Samantha stak haar hand uit en plukte een los draadje van mijn bloes. 'Zo, dat is beter.'

'Onze vlucht naar Mexico was een nachtmerrie. Er was ontzettend veel turbulentie, dus we moesten in de stoelriemen blijven zitten terwijl het vliegtuig op en neer klapte. Zelfs Joe was groen van ellende.' Rose bukte en maakte het riempje van haar schoen vast voordat ze verder ging. 'Maar toen we er eenmaal waren, was het geweldig. De storm die we onderweg hadden gehad was al weggetrokken, dus het weer was schitterend.'

Samantha glimlachte naar ons alsof ze zich een bepaald fijn moment met Chris herinnerde dat ze voor zichzelf wilde houden. 'Weet je, ik beschouw mezelf graag als een behoorlijk positief iemand, maar zelfs ik had er twijfels over om hier te komen. Ik dacht, ik ga gewoon en amuseer me, gebruik maken van de gelegenheid zolang het televisiestation het betaalde. En toen bleek ik echt voor Chris te vallen. Ik weet dat het waarschijnlijk raar is dat ik dit tegen jullie zeg, gezien de situatie, maar op de een of andere manier lijkt het minder vreemd omdat twee vrouwen die ik ken ook voor hem zijn gevallen, misschien is het echt mogelijk dat Chris zo geweldig is als hij overkomt.'

Ik glimlachte zwakjes naar Samantha, terwijl ik me een bedriegster voelde.

'Ik weet ongeveer wel wat je bedoelt,' zei Rose instemmend. 'Zelfs nu, na vier kaarsceremonies, vraag ik me soms af wat ik hier doe. Ik ben bijvoorbeeld uit met Chris en dan zie ik opeens een camera uit een struik steken of hangt er zo'n stang met een microfoon boven mijn hoofd. Het is bizar. Ik ben blij dat ik er niet alleen voor sta.'

'Dat kan ik me voorstellen, maar anders zouden die kaarsceremonies niet zo zenuwslopend geweest zijn,' grapte Samantha. De twintig minuten durende rit naar Chris' huis bracht ik door met luisteren naar Rose en Samantha die om de beurt herinneringen ophaalden aan hun uitjes, waarbij ze de tijd tussen diner en ontbijt discreet oversloegen en zo stilzwijgend aan de vraag waar ze de nacht hadden doorgebracht, voorbijgingen. Ik vroeg me af welke andere onderdelen van het uitje ze oversloegen om elkaars gevoelens te ontzien, en of Samantha haar Catalina-stunt opnieuw had uitgehaald. Ze zaten allebei te glimlachen en te lachen en deden hun best het gesprek vrolijk te houden; vrijwel elke tweede zin eindigde in een uitroepteken terwijl ze het voor de hand liggende probleem vermeden; hoe geweldig de trips ook waren geweest, een van ons zou vanavond alleen vertrekken. En ik wist dat ik dat zou zijn.

Chris stond ons op te wachten toen de auto voor zijn huis stilhield. Met een galante arm hield hij de voordeur open en hij kuste ons lichtjes op de wang. Hij was even innemend als altijd en noch uit zijn ogen, noch zijn uit gedrag was iets op te maken waardoor een van ons zich zou moeten voorbereiden op het ergste.

'Ditmaal weet ik niet eens waar ik moet beginnen,' begon Chris; zijn donkergrijze pak met rode das gaven onze kleine bijeenkomst een vreemd, formeel tintje. 'Jullie zijn alledrie hier omdat ik jullie in de afgelopen vier weken goed heb leren kennen. Ik hoop dat degene die vanavond zal vertrekken begrijpt dat mijn beslissing me veel moeite heeft gekost.'

Chris pakte de kaars aan van de presentator, meed onze blik en liep naar Rose.

Ze liet een zenuwachtig lachje ontsnappen en bracht toen haar hand naar haar mond alsof ze nagels ging bijten, maar besefte toen wat ze deed en liet haar hand langs haar zij vallen.

Ik wierp een blik op Samantha, een vrouw die altijd in beweging leek te zijn en in staat leek te zijn in elke situatie plezier te hebben. Ze stond volledig stil en staarde in het niets.

Ik concentreerde me zo op Samantha's reactie op het aansteken van haar kaars dat ik pas merkte dat hij voor me stond toen ik hem hoorde inademen en hem zijn kaars naar de mijne zag richten, waar zijn eenzame vlam zich in tweeën deelde als een zich splitsende lichaamscel.

Samantha's blauwe ogen werden groot en rond en vulden zich met tranen, waardoor haar ogen net vissenkommen leken. Ze hield ze zo lang mogelijk open, maar toen begonnen haar oogleden te trillen. Eindelijk gaf Samantha toe, ze liet haar oogleden zakken en kneep haar ogen dicht, waarna er twee dikke tranen over haar wangen biggelden.

Hoe kon ik Samantha laten vertrekken, terwijl ik wist dat ze echt iets voor Chris voelde en ik alleen het artikel had? Die verdomde Suzanne! Het was voor haar gemakkelijk me de opdracht voor een artikel te geven, terwijl ik met andere vrouwen moest wedijveren. Zij hoefde niet toe te zien hoe Samantha's hart werd gebroken. Maar hoe graag ik de kaars ook had willen uitblazen, ik wist dat ik het niet kon doen. Dit was tenslotte mijn werk. Hiervoor was ik in Californië.

Chris pakte Samantha's hand en leidde haar de zitkamer uit, waardoor Pierre opeens in beweging kwam als een hofnar die de boel na een terechtstelling probeert op te vrolijken.

'Oké, dames, dit is het dan. De laatste ceremonie zal vrijdagavond plaatsvinden. In de komende week zullen jullie allebei nog een keer de gelegenheid krijgen Chris te zien. Rose, jij zult hier in zijn huis op woensdagavond dineren en jouw diner zal donderdagavond zijn, Sarah.'

'Dat meen je niet.' Suzanne hapte naar adem aan de andere kant van de lijn. 'Je kunt nu niet weggaan.'

'Wat?' Wat zat ze nou te kletsen? Natuurlijk kon ik weg, ik moest weg!

'Sarah, je hebt het volgehouden tot de laatste ceremonie, denk je eens in wat dat betekent voor de interesse van onze lezeressen. Natuurlijk is het interessant wat er in *De Bachelor* gebeurt, maar de details te horen van iemand die het tot het laatst heeft gered, tja...' Ze zweeg even, op zoek naar de juiste uitdrukking. 'Dat is gewoon helemaal tóp!'

'Maar ik heb alles wat ik nodig heb,' weigerde ik toe te geven.

'Maar dat zal niet compleet zijn. Je kunt niet níét tot het einde doorgaan.'

Dat kon ik best.

'Sarah. Dat is gewoon onprofessioneel,' zei Suzanne, me pakkend op mijn zwakke punt.

'Goed dan, ik blijf. Het is nog maar een paar dagen.'

'Super! Ik ga dit meteen aan Rolf en Suma en de tweeling vertellen. Je hebt er zojuist voor gezorgd dat ze hun honorarium nog meer zullen opschroeven, lieverd, en dat was sowieso al absurd hoog.'

Dat kon ik alleen maar beamen, het hele idee was al vanaf het begin absurd geweest.

'Daar zitten we weer.' Chris keek me aan vanaf de overkant van de eettafel, die gedekt was met papieren servetjes en plastic borden.

'Het is een kleine verbetering ten opzichte van pizza en bier, maar we hebben het eten uit kartonnen dozen nog niet achter ons gelaten.' Ik gaf de doos met geroerbakte kip door aan Chris.

'Het is wel heel iets anders dan gefileerde kwartelborst in romige wijnsaus.'

'Zou je me iets willen vertellen?' viel ik Chris plotseling in de rede.

'Ja, hoor.'

'Heb je Holly weggestuurd omdat ze niet tegen drank kon?'

Chris begon te lachen en besefte toen dat ik het meende.

'Denk je dat? Absoluut niet. Je zult het niet geloven, maar ik heb mezelf ook weleens laten gaan en mezelf voor gek gezet.'

'Waarom heb je haar dan zo lang laten blijven?'

'Weet je, dat kan ik niet uitleggen. Al die tijd tot we dat uitstapje hadden gedroeg ze zich meestal aardig. Als ik er nu op terugkijk had ik moeten weten dat er iets niet klopte, omdat ze van die onaardige dingen zei, maar die zei ze met dat lispelende zuidelijke accent en haar Colgate-lach, dus wist ik niet zeker of ze met opzet zo grof deed of dat ik het me inbeeldde.'

'Maar wat is er dan bij dat uitstapje gebeurd waardoor je van gedachten veranderde, als het niet dat kotsen van haar was?'

'Toen we in de limo zaten terug naar het hotel, had ze allemaal van die roomkaasachtige brokjes in haar haar en op haar bloes, ik neem aan dat het brie was. Hoe dan ook, ik vroeg de chauffeur om een paar handdoeken en probeerde haar haar schoon te vegen, maar ze zei steeds dat ik op moest houden, dat ik haar haar in de war bracht. Ik bedoel, daar zat ze met haar hoofd vol gestolde melkproducten en ze liet niet eens toe dat ik haar hielp. Ze wilde het per se zelf doen en duwde me iedere keer weg. Toen wist ik dat ze zou moeten vertrekken. Ze was gewoon geen teamspeler.'

'En dat vind je belangrijk?'

'Ja, nogal. Ik wil graag weten dat ik op haar zou kunnen rekenen mijn hoofd schoon te vegen als de situatie omgekeerd was, al zou ze ervan moeten kokhalzen.'

Het was niet mijn bedoeling geweest dit gesprek een analyse te laten worden van wat je met braakrestanten moest doen, maar ik kon er niet mee ophouden.

'Misschien durfde ze niet toe te geven dat ze je hulp nodig had,' suggereerde ik, terwijl ik met mijn eetstokjes tegen het cellofaan van de gelukskoekjes tikte.

'Waarom zou ze dat niet durven?'

'Misschien denkt ze dat ze dat niet kon vragen omdat ze denkt dat je verwacht dat ze perfect is. Dat ze egoïstisch zou lijken als ze vroeg om wat ze wilde.'

'Als je getrouwd bent is het juist egoïstisch om níét om hulp te vragen. Het is juist de bedoeling dat je op de ander kunt steunen, mensen vinden het prettig als iemand ze nodig heeft. Wat heeft het voor zin als je allebei je eigen gang gaat en niet durft toe te geven dat je elkaar nodig hebt? Dan kun je net zo goed kamergenoten zijn.'

Ik nam een hap van mijn broodje ei en probeerde te verwerken wat Chris had gezegd. Al had hij geen ervaring met getrouwd zijn, misschien wist hij toch waar hij het over had. Ik had zeven jaar ervaring en ik was zeker geen expert.

'En, was je verbaasd toen ik jou uitkoos?' vroeg Chris, van onderwerp veranderend.

Verbaasd was niet bepaald het woord dat ik zou gebruiken. Schuldig. Oplichtster. Hypocriet. Onterecht. Dat soort woorden. Ik had naast de huilende Samantha gestaan en had opeens beseft dat ik met de bachelor samen was geweest terwijl zij echte gevoelens voor Chris had, terwijl zij in die tijd verliefd op de man was geworden. Holly had het goed gezien: ik hield niet van Chris. Ik hield gewoon van degene die ik was als ik bij hem was. En toch was ik degene met de brandende kaars. De vrouw die meer geïnteresseerd was in hoe ze zich voelde bij de bachelor dan in de bachelor zelf.

Ik was net zo slecht als Holly. Na vijf weken had ik niet eens de moeite genomen hem te vragen wat zijn lievelingskleur was.

'Wat is jouw lievelingskleur?' vroeg ik.

Chris keek op van zijn *chow mein*. 'Blauw.'

Of zijn volledige naam. Of hoe hij aan dat litteken op zijn hand kwam. Ik wist niets van al die ogenschijnlijk onbelangrijke dingen waar je stukje bij beetje achter kwam als je iemand leerde kennen; iemand om wie je werkelijk gaf.

Het was niet eens bij me opgekomen om Chris de dingen te vragen waarnaar ik bij Jack zo nieuwsgierig was geweest. Bijvoorbeeld wanneer hij voor het eerst iemand gekust had en de eerste keer dat hij liefdesverdriet had gehad, door iemand anders dan ik.

'Ben je nerveus over de kaarsceremonie van morgen?'

Ik keek Chris aan en zag de camera achter zijn rechterschouder, het rode lichtje wachtend op mijn antwoord.

'Volgens mij zou jij juist nerveus moeten zijn. Ik ben niet degene die een besluit hoeft te nemen.'

'Je weet het nooit. Misschien heb je meer keuzen dan je denkt.'

Had Chris met Sloane gesproken? Of was dit een duidelijk geval van déjà vu? Al dat gepraat over keuzen, als ik zeven jaar geleden had geweten wat ik nu wist, zou ik dan dezelfde keuzen hebben gemaakt?

Ik probeerde me mijn leven voor te stellen zonder Katie en Jack en ik kreeg een benauwd gevoel op mijn borst alsof ik probeerde de emotie die in me opwelde binnen te houden.

Ik wachtte niet op Jack omdat ik dat moest of omdat hij dat van me verwachtte. Ik wachtte omdat ik me niet kon voorstellen dat ik niet zou wachten. Ik wilde hem nog steeds binnen zien komen, hem zijn armen om me heen voelen slaan en zijn vertrouwde geur opsnuiven. Op zo'n moment kon ik mijn ogen dichtdoen en me herinneren hoe het geweest was opgewonden op zijn komst in de bibliotheek te wachten, gespannen uitkijkend naar zijn verschoten honkbalpetje van de Cubs en een steeds groter stuk van zijn blauwe windjack te zien verschijnen als hij de trap op kwam naar ons favoriete plekje tussen de boekenrekken met juridische naslagwerken en de microfichemachines.

Er waren avonden dat ik naar bed had kunnen gaan in plaats van op te blijven en naar herhalingen van *Letterman* of *Cheers* te kijken, wachtend tot Jack de oprijlaan op zou rijden. Er waren dagen dat Jack het zo druk had met rechterlijke vooronderzoeken en getuigenverklaringen dat hij eigenlijk geen tijd had om me te bellen, maar daar op de een of andere manier toch in slaagde, al was het alleen om even hallo te zeggen. En dat deed hij niet uit plichtsgevoel, want na zeven jaar huwelijk hadden we niet meer het gevoel dat we elkaar iets schuldig waren. Het kwam omdat we ons nog steeds vasthielden aan die gestolen momenten, als jeugdherinneringen.

Zoals goede soldaten betaamt hadden we onze huwelijksbeloften gedaan en die omgezet in marsorders; we zetten nooit vraagtekens achter het grote plan dus stopten we onze eigen behoeften weg en hoopten dat die na verloop van tijd niet langer zouden eisen eruit gelaten te worden. Maar in plaats van ons tot bondgenoten in een zaak van gemeenschappelijk belang te maken, had het plan ons tegen elkaar opgezet terwijl we hekken rondom onszelf optrokken die zo ondoordringbaar waren als prikkeldraad. En terwijl Jack zich had verschanst in een bunker die zo diep was dat ik hem niet meer kon bereiken, wendde ik voor geen behoefte te hebben aan de dingen die de vrouwen in het programma als hun recht opeisten.

'Het is al laat,' zei ik tegen Chris, terwijl ik het servet van mijn schoot pakte en op de tafel legde. 'Ik moet weg.'

'Is alles in orde, Sam?'

Noemde hij me nou Samantha?

'Sam?' herhaalde ik.

'Ik zei niet Sam.' Hij wuifde mijn vraag weg met een handgebaar. 'Nee, toch?'

Ik knikte.

'Jeetje, Sarah, het spijt me. Je weet dat ik het niet meende. Het is gewoon een moeilijke week geweest. Het is af en toe zo verwarrend.'

'Geeft niks. Maak je niet druk,' stelde ik hem gerust; zijn verspreking zat me helemaal niet dwars.

'Ben je nu boos?'

'Helemaal niet.' Ik glimlachte, voor het eerst die avond, leek het. 'Je zei precies wat ik moest horen.'

'Wil je niet zien wat de toekomst in petto heeft?' vroeg hij, terwijl hij me een gelukskoekje toeschoof.

Ik liet het koekje onaangeraakt op de tafel liggen; de halvemaanvormige lekkernij die zijn voorspelling van mijn toekomst als een geheim bewaarde. 'Nee, bedankt. Ik zie wel wat er gebeurt.'

Chris liep met me mee naar buiten waar de limo klaarstond, waarbij hij op een afstandje bleef en niet één keer mijn hand probeerde te pakken.

'Weet je zeker dat alles in orde is?' vroeg hij, terwijl hij voorzichtig een plukje haar achter mijn linkeroor deed.

Ik knikte. 'Zie ik je morgen?' vroeg ik, terwijl ik me op de koele, leren autobank liet glijden.

'Het zal wel moeten,' zei hij plagend, en hij zwaaide me na toen de auto wegreed.

21

$\mathcal{D}$e volgende ochtend werd ik laat wakker, genietend van mijn laatste ochtend in Californië. Na een glas vruchtensap liep ik blootsvoets naar het strand en slenterde langs het water, terwijl het ondiepe water mijn zanderige voeten schoonspoelde. Vandaag was niet alleen de dag van de laatste kaarsceremonie; het was de dag waarop Sarah Divine Holmes een pagina uit het keuzeboek van Sloane Silverman zou scheuren.

Tegen de tijd dat ik terug was in het huis was het bijna twee uur. Ik nam eerst een hete douche, waarbij ik de laatste resten van mijn Californische ervaring uit mijn haar waste, en smeet vervolgens mijn bachelor-garderobe in mijn koffers, zonder de moeite te nemen de zorgvuldig gekozen kleding op te vouwen of de perfect bij elkaar passende onderdelen bij elkaar te houden.

Nadat ik mijn make-uptas en toiletspullen in de hoeken had gepropt liep ik door de gang naar de keuken. De cameraploeg zat sandwiches te eten; ze hadden even pauze voordat ze de overgebleven twee vrouwen zouden filmen op weg naar de laatste kaarsceremonie.

'Hoi, Joe, kan ik je even spreken?'

Joe pakte een servet en veegde zijn mond af voordat hij door de gang achter me aan liep naar mijn kamer.

'Wat is er, Sarah?'

'Zou je me een plezier willen doen?'

Joe luisterde knikkend toen ik hem uitlegde waarvoor ik zijn hulp nodig had.

'Geen punt, Sarah. Ik zie je voor het huis.'

Toen ik alles had ingepakt was de kamer net zo smetteloos en ongerept als toen ik erin was getrokken; het enige teken van mijn aanwezigheid was de illegale Ritz-badjas die aan de deurknop van de badkamer hing.

'Sarah?' Rose stond in de deuropening, gekleed in een lichtblauwe halterjurk en sandalen met hoge hakken en enkelbandjes. 'Mijn auto staat buiten klaar, maar ik wilde je gewoon nog even geluk toewensen voordat ik naar Chris' huis ga.'

Rose en ik zouden Chris afzonderlijk treffen. Zo was het romantischer dan een huwelijksaanzoek krijgen in het bijzijn van iemand die niet gekozen was.

'Bedankt, Rose. Je ziet er prachtig uit.'

Rose keek even naar haar jurk en glimlachte. 'Neem je die badjas niet mee?'

'Nee. Ik heb alles wat ik nodig heb. Heb jij alles al ingepakt?'

Ze knikte en zag er even bijna verdrietig uit.

'Hoe voel je je?' vroeg ik.

'Vreemd. Ik wist dat dit zou gebeuren als ik het tot het einde zou volhouden, maar nu lijkt het gewoon een beetje te echt.'

'Dat weet ik. Niet te geloven dat het bijna voorbij is.'

'Ja. Nou, dit is het dan. Ik weet niet of het een goed of slecht teken is om als eerste te gaan, maar in ieder geval staat de chauffeur op me te wachten.' Ze kwam dichterbij en omhelsde me. 'Ik ben blij dat ik je heb leren kennen, Sarah.'

Ik beantwoordde haar omhelzing. 'Ik ook.'

Terwijl ik zat te wachten tot de assistent van de regisseur mijn bagage kwam halen, keek ik nog één keer in de kamer rond. Als ik mijn plan wilde doorzetten, mocht ik niets vergeten mee te nemen.

Ik ritste mijn koffers dicht en droeg ze net naar de deur toen de assistent arriveerde.

'Heel even.' Ik hief mijn vinger op als teken dat hij moest wachten en pakte mijn aantekenblok uit mijn handbagage. Ik scheurde er een bladzijde uit en schreef een paar zinnen op. Ik moest duidelijk maken dat het niet zijn schuld was. Dat was eerlijker. Mijn keuze had niets met hem te maken, maar alles met mezelf. Het was een kort en zakelijk briefje; ik was verliefd op iemand anders.

'Is dit alles?' vroeg hij, terwijl hij de twee koffers oppakte.

Ik pakte mijn tas en liep naar hem toe. 'Ja, dit is het.'

'Geef maar,' bood Joe aan en hij nam de bagage over van de assistent, die er geen bezwaar tegen had mijn twee volgepropte koffers aan een vrijwillige vervanger te geven.

'Kun je zorgen dat dit bij de juiste persoon terechtkomt?' Ik hield het gevouwen papiertje omhoog met Chris' naam erop.

Joe nam het aan en stopte het in de achterzak van zijn spijkerbroek.

'Bedankt voor je hulp,' zei ik glimlachend tegen de man die mijn reis chronologisch met de camera had vastgelegd.

'Graag gedaan. De taxi staat klaar.'

Ik liep achter Joe aan naar buiten, naar de taxi en hij deed het portier voor me open.

Ik ging op de achterbank zitten en leunde voorover naar de chauffeur.

'John Wayne Airport, graag,' droeg ik hem op.

De taxi reed weg, langs de zwarte, lange limo die nog steeds op zijn passagier stond te wachten. Ik hoefde niet te weten of Chris me wel of niet zou uitkiezen. Zijn beslissing deed er niet meer toe. Het ging om mijn eigen besluit. Ik hoefde niet met een kaars voor hem te staan, me afvragend welke keus hij zou maken. Ik had mijn eigen keus gemaakt en dat was het enige wat nog voor me telde.

Ik leunde naar achteren en wuifde Joe gedag terwijl de cameraman achter de taxi aan rende om mijn vertrek te filmen. Ik was gereed om naar huis te gaan.

'Wat doe jij in godsnaam thuis?' vroeg Jack, die me door de hal tegemoet kwam toen hij de voordeur open hoorde gaan. Een zekere Arnie belt steeds en is op zoek naar jou. Hij vraagt iedere keer of mijn zus hier is. Wat is er gebeurd?'

Ik zette mijn koffers op de hardhouten vloer en keek Jack aan. Zijn haar zat aan de ene kant plat van het liggen op de bank en er zaten kreukels in zijn wang van het kussen. In de kamer hoorde ik het geluid van een tv-commercial.

'Ik ben eerder thuisgekomen. Het was trouwens toch de laatste dag van het programma.'

'Nou, die Arnie is helemaal over de rooie. Heb je tegen niemand gezegd dat je wegging?'

'Nee. Ik heb het min of meer op het laatste moment besloten. Ik wilde gewoon naar huis.'

'We zijn blij dat je thuis bent.' Hij trok me naar zich toe in zijn armen en begroef zijn gezicht in mijn haar.

Jacks huid rook nog steeds naar de frisse geur van Irish Spring en scheercrème. Ik sloeg mijn armen om zijn versleten Chicago Cubs T-shirt en inhaleerde de vertrouwde geur waar ik al jaren zo van hield.

We werden onderbroken door een schel gerinkel.

'Dat zal Arnie wel weer zijn,' zei Jack. 'Wil je dat ik hem opneem?'

'Nee, dat hoeft niet. Ik neem hem wel in mijn kantoor.'

Arnie liet me nauwelijks hallo zeggen en begon meteen vragen op me af te vuren. Wat dacht ik verdomme wel? Wist ik niet dat ze de laatste aflevering aan het opnemen waren? Waarom had ik hem niet op de hoogte gesteld, dan had hij microfoons in de taxi kunnen aanbrengen? Toen hij uitgeraasd was haalde ik diep adem en ging het hem uitleggen.

'Ik wilde naar huis.'

'Ik bewonder je gevoel voor drama, maar het programma dan? En Chris? Stel je voor dat hij van plan was jou uit te kiezen? Het was verdomme de laatste kaarsceremonie!'

'Dat weet ik. Het spijt me.' Ik dacht aan Joe en de andere medewerkers, wier baan afhankelijk was van de vraag of er nog een volgend seizoen van *De Bachelor* zou komen. 'Ik kon er gewoon niet meer mee doorgaan.'

'Ze kon er niet meer mee doorgaan,' riep Arnie tegen iemand op de achtergrond, waarschijnlijk Sloane.

'Wat is dat toch met jullie meiden?' vroeg hij me, nu weer in het mondstuk pratend. 'Eerst laat jij de bachelor barsten, en dan Rose ook.'

'Rose? Heeft ze Chris afgewezen?'

'Alsof ze daartoe de kans kreeg! Chris stond op het punt haar kaars aan te steken toen die gillende idioot de voordeur van de villa kwam binnenstormen en liep te schreeuwen over het kopen van een koe, of het drinken van de melk, of zoiets. In ieder geval sjeest die vent naar Rose, valt op zijn knieën, tovert een ring te voorschijn en vraagt haar ten huwelijk. De hele ploeg stond me aan te staren alsof ik het zo gepland had, alsof het allemaal vooropgezet spel was. Shit, ik wou dat ik inderdaad zo goed was.'

'O, grote hemel. Kwam Roses ex-vriendje haar halen?'

'Blijkbaar wel. We hebben alles gefilmd, dus dat zal superdramatische tv worden, maar hoe kunnen we dat volgend seizoen overtreffen? We hebben een politie-inval gehad, een gestoord ex-vriendje... en dan dachten we ook nog dat het Claudia was die zwanger was.'

'Is Rose zwanger?' vroeg ik, happend naar adem.

'Jammer genoeg niet. Dat zou te mooi zijn, dan zouden we een vervolg kunnen maken over de geboorte of iets dergelijks, *De Chick* misschien.' Arnie bleef even peinzen voordat hij verder ging. 'We spelen al die meters film af. Zij dacht dat ze zwanger was en belde haar ex-vriend. We zien een geweldig shot van haar terwijl ze huilt. Maar toen heeft ze een test gedaan en heeft hem verder niets meer laten weten.'

'Jezus, Arnie.' Ik was sprakeloos. Zelfs Arnie had zo'n sensationeel einde niet kunnen verzinnen. 'Moet je horen, het spijt me. Ik weet dat ik je het had moeten vertellen, maar ik moest daar gewoon weg. Zo te horen heb je in ieder geval een opwindende kaarsceremonie achter de rug.'

Aan de andere kant van de lijn bleef het even stil.

'Ach, nou ja.' Arnie was gekalmeerd en leek nu niet meer te weten wat hij moest zeggen. 'In ieder geval is de laatste aflevering van dit seizoen niet voorspelbaar.'

'Bedankt voor alles, Arnie, echt. Feliciteer Rose van me. En zeg ook tegen Chris dat het me spijt,' voegde ik eraan toe.

Toen ik de hoorn op de haak legde, besefte ik wat Arnie me zojuist had verteld. Chris zou Rose gekozen hebben. Hij had niet voor mij gekozen.

Ik hoorde Jack op blote voeten de trap af komen en toen ik opkeek stond hij in de deuropening. Met onze dochter.

'Ze werd wakker door de telefoon,' zei hij zachtjes, Katies slaperige lichaampje in zijn armen. 'Is alles in orde?'

Ik zag dat hij over Katies hoofdje aaide om haar weer in slaap te krijgen. De man die vijf weken geleden nog te hard werkte, plannen vergat en waarschijnlijk niet wist waar het wasmiddel stond. En daar stond hij, thuis bij zijn vrouw en dochter, met een oud T-shirt en een joggingbroek aan, onze slaperig kijkende peuter in zijn armen. Het was het mooiste dat ik ooit had gezien.

'Alles is prima in orde.'

22

$\mathcal{J}$ack draaide zich om toen hij me op mijn poezelige sloffen de keuken in hoorde schuifelen.

'Hoi, slaapkop,' begroette hij me, zwaaiend met een spatel. 'Heb je trek in roereieren?'

'Ja, hoor,' stemde ik in, terwijl ik me afvroeg wanneer Jack had ontdekt dat we een spatel bezaten.

Katie zat in haar kinderstoeltje vochtige brokken geel-wit roer-ei in haar mondje te proppen.

Ik boog me voorover en kuste mijn dochter, die opkeek, me met wijdopen mond toelachte en me daarbij een goed uitzicht gaf op haar ontbijt.

'Ze heeft genoeg gehad. Waarom gaan jullie niet even naar de zitkamer, dan roep ik je wel als de eieren klaar zijn.' Jack kwam naar ons toe en maakte het eetblad van het kinderstoeltje los. 'Ik zal dit even afwassen.'

'Hé, dienstmeisje, als jij mijn man hier ergens ziet, wil je hem dan zeggen dat zijn vrouw hem zoekt?' zei ik plagend, terwijl ik Katies veiligheidsriempje losmaakte en haar mollige lichaampje in mijn armen nam.

Volgens mij hoorde ik Jack lachen toen Katie en ik de keuken uit liepen.

Met Katie in mijn armen dwaalde ik door de vertrouwde kamers van mijn huis. Op het lijstwerk rond de open haard zaten nog steeds sporen van Katies Barney-stickers. En ik was ervan overtuigd dat ik een kinderbekertje tussen de kussens van de bank zou vinden als ik maar goed genoeg zocht.

Op tafels en boekenplanken stonden ingelijste foto's van Katie op verschillende momenten van haar achttien maanden lang leventje en van mijn verleden met Jack. Een lichthouten lijst met een foto van een skivakantie in Vail voordat we getrouwd waren stond naast een sierlijk glazen ovalen lijst met onze trouwfoto. Als de foto's ons leven samen zouden vertegenwoordigen, zou je gedacht hebben dat we elkaar hadden ontmoet, getrouwd waren en Katie hadden gekregen. Alsof we vergeten waren om tussen het trouwen en een baby krijgen even pas op de plaats te maken om nieuwe herinneringen te creëren die we naast ons verleden en onze toekomst als gezin konden zetten.

'Barney.' Katie wees naar haar paarse dinosaurus die op de bank thee met Poeh zat te drinken.

'O, dat is waar ook. Katie, blijf hier. Mammie komt zo terug.'

Ik rende naar boven en haalde de Teigetje-knuffel uit mijn koffer. Het leek eeuwen geleden dat ik in Disneyland ronddwaalde. Mijn eerste echte gesprek met de bachelor was nu al vervaagd.

'Kijk eens, lieverdje.' Ik zette Teigetje bij haar verzameling pluchen vriendjes.

'Het ontbijt is klaar,' riep Jack.

Ik pakte Katie op en volgde de geur van gebakken spek naar de keuken.

'Waarom ligt je gitaar in de zitkamer?' vroeg ik, terwijl ik Katie op schoot nam.

'Katie en ik hebben een beetje muziek gemaakt toen jij weg was.'

'*Twinkle, Twinkle, Little Star* of *Foxy Lady*?'

Hij lachte schaapachtig omdat hij betrapt was. 'Van allebei een beetje.'

'En waarom staat er een dartbord op de schouw?'

'Nou, het werd een beetje saai hier in het weekend met alleen Katie en ik, dus heb ik een paar vrienden uitgenodigd. En na jouw verhalen over biljarten en darten ben ik beneden mijn oude dartbord gaan pakken.'

'Op de schouw? Je was wel zeker van jezelf. Ik heb geen gaten in de muur kunnen ontdekken.'

'Ja, nou, als je het bord maar niet verplaatst. Ik heb het strategisch neergezet om mijn vergissingen te verstoppen.'

Tijdens het ontbijt bracht Jack me op de hoogte van wat ik allemaal had gemist, voornamelijk kleine onnozele dingetjes die Katie in mijn afwezigheid had geleerd.

'Zal ik voor Katie een video van Poeh opzetten en je even helpen met opruimen?' bood ik aan, terwijl ik het laatste stukje van mijn Engelse muffin in mijn mond stopte.

Toen Katie eenmaal op de bank zat met haar dieren en een video, ging ik Jack helpen in de keuken.

Ik keek toe hoe hij onze ontbijtborden in het sop deed en de overblijfselen van ons ochtendmaal eraf sponsde.

'Geef maar hier,' zei ik en ik pakte een nat bord van hem aan voordat hij het in het droogrek kon zetten. Ik trok de theedoek van zijn schouder en droogde het bord af.

'Vroeger vonden we dit altijd zo leuk,' zei ik zachtjes, mijn blik op het bord gericht.

Jacks hand zat in een sapglas, bezig sliertjes sinaasappelvlees te verwijderen. Hij hoefde niet te vragen wat ik bedoelde.

'Maar op een gegeven moment werd het plan belangrijker dan erachter komen wat we eigenlijk wilden,' antwoordde hij, zonder zijn hand uit het gesopte glas te halen.

'Weet je nog dat je met je rechtenstudie wilde stoppen? Heb je er spijt van dat ik je heb overtuigd ermee door te gaan?'

Jack gaf me het druipende glas aan maar bleef het vasthouden toen ik het had aangepakt. We stonden elkaar aan te kijken terwijl we allebei het glas vasthielden.

'Sarah, je hebt me er niet van overtuigd door te gaan. Ik wilde op dat moment misschien geen rechtenstudie doen, maar ik wilde wel werken op dat gebied. Ik had gewoon last van een onzekerheidscrisis. Dat is niet ongewoon als je vijfentwintig bent.'

Dat was waar. En als je vierendertig was?

'Dus je bent blij met wat je doet?'

'Ja, dat ben ik zeker.' Jack draaide zich weer naar het aanrecht en begon het bestek af te wassen. 'Maar ik krijg het gevoel dat ik de enige ben.'

'Het is niet dat ik het schrijven of thuis zitten met Katie niet leuk vind. Ik wou maar dat ik het gevoel had dat ik er zelf voor gekozen had om mijn baan op te zeggen in plaats van dat ik het masterplan moest volgen.'

'Soms denk ik dat we ons leven hebben ingericht zoals we dachten dat het moest, in plaats van gewoon te zien wat er zou gebeuren.' Jack gaf me de vorken aan. 'Het was toen gemakkelijker om het zo te doen. Daardoor leek de onzekere toekomst minder beangstigend.'

'Nou, ik word beangstigd door de huidige situatie. Ik word bang door het feit dat ik het gevoel heb dat we vreemden voor elkaar zijn.'

'Ik ook. Het lijkt wel alsof jij mij alleen als advocaat ziet en ik jou als Katies moeder. We zoeken niet meer naar Jack en Sarah.'

'Ik mis Jack.'

'Nou, je hebt hem gevonden. En tijdens jouw afwezigheid heb ik hem ook weer gevonden.' Jack legde zijn zeepsopvinger op het puntje van mijn neus, waarbij hij allemaal zeepbelletjes achterliet. 'Is er iets wat ik moet weten voordat het programma wordt uitgezonden?'

Ik veegde het zeepsop van mijn neus en zweeg.

'Ik zal het niet leuk vinden om te horen, hè?' Jack trok de stop eruit en we keken beiden toe hoe het water wegliep.

'Laten we gaan zitten, dan zal ik je alles vertellen,' bood ik aan. Ik wilde schoon schip maken.

We gingen aan de tafel zitten en ik begon te vertellen. Ik vertelde hem alles. Over de dates en het zoenen en wat een goed gevoel ik voor het eerst sinds lange tijd over mezelf had gehad. Ik legde hem uit hoe bedwelmend het was te weten dat iemand je begeerde en naar je verlangde, en over die keer dat ik me de laatste keer had herinnerd dat ik werkelijk gelukkig was geweest, met hem en Katie, vorige winter.

'Heb je me nog meer te vertellen?' vroeg hij, zijn blik op de tafel gericht. 'Meer heb je niet gedaan?' Hij keek me met zachte, gekwelde ogen aan.

'Nee. Ik heb me geprobeerd voor te stellen hoe het zou zijn met iemand anders en dat lukte me niet. Het enige wat ik me kon indenken was met jou te zijn. Het spijt me, Jack. Ik besefte opeens dat ik jou niet hoefde kwijt te raken om mezelf te vinden. Ik weet eigenlijk niet wat ik dacht.' Hij liet toe dat ik zijn hand pakte.

'Ik weet eigenlijk niet wat wíj hebben gedacht.' Hij kneep in mijn hand. 'Onderweg ben ik ergens het spoor bijster geraakt, denk ik.'

'Het kwam niet alleen door jou. We kregen het druk, ons leven werd drukker. Het was gewoon gemakkelijker om door te gaan dan stil te staan en te proberen ons te herinneren wat we eigenlijk aan het doen waren.'

'Er is geen lol aan om thuis te zitten wachten tot iemand weer aan je denkt, hè?'

'Nee, dat klopt.'

Ik bracht zijn hand naar mijn mond en drukte er een zachte kus op. 'Waarom ben je zo lief voor me? Dat verdien ik niet.'

'Nee, dat is zo. Maar het spijt me dat ik niet heb gemerkt hoe ongelukkig je was.'

'Het ging niet alleen om jou; ik was het zelf. Ik liet toe dat je mij vergat.'

'Ik ben je nooit vergeten.'

Ik stond op, ging naar Jack toe en knielde naast hem neer. 'Ik hou van je, Jack.'

Hij draaide zich naar me toe en nam mijn gezicht tussen zijn handen. 'Ik hou van jou, Sarah.'

We hadden onze armen om elkaar heen geslagen toen Katie de keuken in kwam waggelen en zag dat we elkaar kusten. Ze rende naar ons toe en wurmde zich tussen ons in tot we elkaar alledrie zo stevig omhelsden dat we haast geen adem konden halen, maar we wilden geen van drieën loslaten.

De rest van de dag was ik bezig het artikel uit te typen en ik liet daarna een boodschap voor Suzanne achter dat ik maandagochtend vroeg naar kantoor zou komen. Ik had het een en ander uit te leggen.

'Hier is ze dan, ons wijfie!' Suzanne kwam op me af rennen, waarbij haar minirokje opkroop langs haar in netkousen gehulde benen. 'Ik ben zo benieuwd naar het verhaal.'

'Ha, Suzanne,' zei ik terughoudend. Ik durfde haar mijn definitieve verhaal haast niet te laten zien. Al had het tv-programma al mijn onkosten betaald, Suzanne hield niet van mensen die haar tijd verspilden.

'Je ziet er geweldig uit, lekker bruin en ontspannen. Nou, vertel. Hoe erg was het? Waren de producers afschuwelijke lui?'

'Ik heb de invalshoek van het artikel weer moeten veranderen.

Dat met die producers werkte niet.' Ik begon met mijn uitleg en praatte snel door, voordat ze overstuur zou raken. Suzanne hield niet van verrassingen. 'Ik kreeg een ander idee, maar het is niet precies wat je verwacht. Er zijn dingen veranderd en die veranderingen moest ik in het artikel verwerken om de gebeurtenissen zo waarheidsgetrouw mogelijk weer te geven.'

'Nou, laat het me dan maar eens zien.'

Ik schoof de met dubbele regelafstand getypte pagina's over haar bureau.

'Goeie titel,' zei ze, terwijl ze haar bril met een gemanicuurde vinger langs haar neus omhoogduwde.

Ik zat naar haar te kijken terwijl ze de eerste paar alinea's las, verwachtend dat ze haar wenkbrauwen zou optrekken of haar lippen zou tuiten – dat ze op de een of andere manier zou laten blijken wat ze van het eindproduct vond.

De bachelorette nr. 1
Door Sarah D. Holmes

Als ze aankomen hebben ze een doel voor ogen, een missie om verliefd te worden op de man van hun dromen. Met regelmaat worden ze weggestuurd – negen hier, twee daar – en keren terug naar hun baan, hun vrienden, hun leven. En al vertonen ze veel overeenkomst met de mensen die ze weken daarvoor waren, ze zijn niet meer dezelfde vrouwen die van huis vertrokken om hun geluk in *De Bachelor* te beproeven.

De media noemen hen losers, wanhopige vrouwen die bereid zijn alles opzij te zetten bij hun zoektocht naar een man. Mannelijke kijkers voelen medelijden met hen. Vrouwelijke kijkers steken hun afkeer voor hen niet onder stoelen of banken, en zijn er heimelijk van overtuigd dat zij hen zouden kunnen verslaan als zij aan het programma zouden meedoen.

Maar als ze de deur uit lopen en de limousines, champagne en prachtige zonsondergangen achter zich laten, weten ze diep vanbinnen dat ze hebben gewonnen. Ze hebben de kracht hervonden om te beslissen wat goed voor hen is. Ze hebben het recht weer opgeëist om te besluiten dat ze in hun eentje gelukkiger zijn dan met iemand anders. Ze vertrekken in de wetenschap dat de bachelor er perfect uitziet op het omslag van het tijdschrift *People,* maar dat hij waarschijnlijk vergeet de wc-bril omlaag te doen. Romantiek vervaagt, sprookjes zijn op een bepaald moment uit en het felle daglicht verdringt de flakkerende kaarsvlam. Wat ze met zich meenemen zit vanbinnen.

Het enige wat telt is dat ze in hun eigen beleving bachelorette nr. 1 zijn. Zij zijn de hoofdprijs. Zij zijn degenen die zullen kiezen of iemand bij hen past of niet en welke compromissen ze bereid zijn te sluiten om de liefde een kans te geven. Want ze hebben niet alleen herkend dat ze de nummer 1 zijn, ze hebben begrepen dat zij de enige zijn. De enige die kan beslissen. De enige wiens mening werkelijk belangrijk is.

Eindelijk vlogen haar ogen niet meer over de pagina en ze liet zich zwijgend achteroverzakken in haar chique leren stoel.

Suzanne nam haar bril tussen haar vingers en zette hem voorzichtig af zonder de glazen te besmeuren.

'Dit is niet echt wat ik verwachtte.' Ze begon met de pootjes van haar montuur tegen haar bureau te tikken. 'Maar het is wel goed. Het is vernieuwend. Vrouwen de macht geven om hun lot in eigen handen te nemen, het feit bewonderen dat ze de verantwoordelijkheid voor hun keuzen nemen. Dat past uitstekend bij onze lezeressen, hè?'

'Dat hoop ik wel.'

'Ik moet het artikel nog helemaal lezen, natuurlijk, maar tot nu toe lijkt het dat je de kern van het verhaal geraakt hebt, al is het niet het verhaal waar we op rekenen.'

Mijn schouders zakten iets toen ik me ontspande. Suzanne zou het artikel goedkeuren.

'En wat zal er gebeuren als het stuk wordt gepubliceerd? Zullen ze het programma nog uitzenden? Zullen ze het tijdschrift aanklagen?'

'Onthul je wie er uiteindelijk gekozen is?'

Ik schudde het hoofd. 'Eigenlijk besteed ik niet eens zoveel aandacht aan de kaarsceremonies. Het gaat echt meer over de vrouwen dan over het gevecht.'

'Als we niets verklappen zullen ze waarschijnlijk een verklaring uitgeven waarin staat dat we de regels hebben overtreden, dat ze gerechtelijke stappen zullen overwegen, bla, bla, bla. Maar heimelijk zullen ze de publiciteit geweldig vinden en waait het wel weer over. Misschien krijgen ze door ons zelfs wel hogere kijkcijfers, wie weet?'

'Dan is het goed.' Ik wilde dat het artikel geplaatst werd, maar ik wilde Chris noch het programma kwaad berokkenen. 'Nog één ding.'

Suzanne stond op en liep naar mijn kant van haar bureau. 'Ja?'

'Mag ik de kleren houden?'

Weer thuis lag ik op mijn buik in de woonkamer de krant te lezen die ik onderweg op het station gekocht had. Terwijl ik op mijn ellebogen steunde en me probeerde te concentreren op de artikelen, zat Katie op mijn rug en gilde hop, hop, hop terwijl ze me op mijn billen sloeg en aan de springtouw-teugels trok die we om mijn hals hadden vastgemaakt.

Onwillekeurig moest ik denken aan die eerste paardrit in Californië, toen een groep vreemden onder de meest bizarre omstandigheden bij elkaar waren gebracht. Ik vond het meest verbazende van de hele ervaring waarschijnlijk niet dat ik het tot het einde had gehaald, maar dat ik in die tijd vriendinnen had gemaakt. Dorothy, Vanessa, Samantha... ze waren vrouwen die ik al een etiket had opgeplakt en in een hokje had gestopt, zelfs voordat ik ze had ontmoet. En zij hadden ongetwijfeld hetzelfde met mij gedaan. We hadden waarschijnlijk elkaar versteld doen staan.

Ik denk dat toen alle vrouwen de bachelor eenmaal de rug hadden toegekeerd en waren vertrokken, ze beseften dat de ervaring geen tijdverspilling was geweest, alleen maar omdat ze de volgende ronde niet hadden gehaald. Door de ervaring waren ze goed over zichzelf gaan nadenken. Daarvan konden ze alleen maar beter worden. In dit geval hadden de verliezers misschien wel meer gewonnen dan de winnares.

Ik had geen gelijk in dat gesprek met Dorothy. Ik had mijn leven niet voor een man opgegeven. Ik had ervoor gekozen mijn leven met een man te delen. En daar hoefde ik niets voor op te offeren.

Misschien had ik gedacht dat mijn rol als perfecte moeder en echtgenote de plaats moest innemen van mijzelf, dat het een vervangmiddel kon zijn voor alle andere dingen die ik altijd had willen doen. En in dit proces van zelfontkenning had ik Jack veranderd en had hij dat toegelaten. Het was een vreemde gedachte dat *De Bachelor* ons misschien nader tot elkaar had gebracht en dat vijf weken elkaar niet zien de situatie echt had verbeterd.

Ik lag de evenementenpagina van de krant te lezen toen ik een sleutelbos op de keukentafel hoorde vallen.

Ik grijnsde breed. Jack was thuis.

'Niet lachen, mammie. Paardje,' beval Katie, terwijl ze haar hieltjes in mijn zij duwde.

'We zijn hier,' riep ik naar Jack, maar hij stond al in de deuropening naar ons te kijken.

'Hé, kun je vragen of Marta zaterdagavond kan oppassen? Purple Haze treedt op in de stad. Men zegt dat die band Hendrix het beste vertolkt.'

'Wil jij naar een band gaan luisteren die Hendrix speelt?' vroeg Jack op sceptische toon, terwijl hij naast me op de vloer knielde.

'Ja hoor, waarom niet?'

'Top! Ik zal Marta vanavond bellen.' Hij boog zich voorover en gaf het kleine cowboymeisje een kus op haar ronde wangetje. 'Heb je die kanten gevalletjes nog die Suzanne voor je heeft gekocht voor het programma?'

Ik knikte.

'Zou je die willen dragen onder je outfit voor zaterdag?' vroeg hij.

'Ik denk dat dat wel geregeld kan worden; het is tenslotte de laatste mode voor groupies. Kun jij Dale Evans hier even nemen?'

Jack pakte Katie van mijn rug af terwijl ik overeind kwam op het kleed.

'Welkom thuis, Jack.' Ik nam mijn man en dochter in mijn armen in onze vertrouwde 'Katie-sandwich'.

'Welkom terug, Sarah.'

Woord van dank

Veel dank aan mijn fantastische agente, Kristin Nelson, door wie het allemaal zo leuk is geworden, en aan Genny Ostertag en alle andere medewerkers van de New American Library. Veel dankbaarheid ben ik verschuldigd aan Grace Bulger, die me in het begin heeft geholpen Sarah op gang te krijgen, aan Debbie Baptiste voor haar onvermoeibare redactionele werk en haar enthousiasme en aan Vicky King, die me door haar dagelijkse e-mails en haar bereidheid Sarahs verhaal steeds weer te lezen en te herlezen heeft geholpen mijn gevoel voor humor te behouden en mijn verstand niet te verliezen. Aan al mijn vrienden die commentaar hebben geleverd, me gesteund hebben en met me meegeleefd hebben – Vangie Deane (eindelijk krijg ik de kans te bewijzen dat je ongelijk had), Juliet Vestal, Kari Fazio, Kate Healy, Lisa Novak, Tracy Smith, Amy Carden en Lisa Pedicone. Ook dank ik de deelnemers aan de Barrington Writers Workshop omdat ze bereid waren me bij te staan. Mam, pap en Michael: bedankt, omdat ik van jullie houd. En bijzondere dank aan mijn echtgenoot John, die *Bachelorette nr. 1* door zijn liefde en steun en suggesties aan de rand van het zwembad mede mogelijk gemaakt heeft.